Bücher von Tina Folsom

Samsons Sterbliche Geliebte (Scanguards Vampire – Buch 1)

Amaurys Hitzköpfige Rebellin (Scanguards Vampire – Buch 2)

Gabriels Gefährtin (Scanguards Vampire – Buch 3)

Yvettes Verzauberung (Scanguards Vampire – Buch 4)

Zanes Erlösung (Scanguards Vampire – Buch 5)

Quinns Unendliche Liebe (Scanguards Vampire – Buch 6)

Olivers Versuchung (Scanguards Vampire – Buch 7)

Thomas' Entscheidung (Scanguards Vampire – Buch 8)

Ewiger Biss (Scanguards Vampire – Buch 8 1/2)

Cains Geheimnis (Scanguards Vampire – Buch 9)

Luthers Rückkehr (Scanguards Vampire – Buch 10)

Brennender Wunsch (Eine Scanguards Hochzeit)

Blakes Versprechen (Scanguards Vampire –

Eine hemmungslose Berührung (Der Club der Ewigen Junggesellen – Buch 6)

AN ALL MEINE WUNDERVOLLEN LESER*INNEN

Danke dafür, dass ihr meine Arbeit unterstützt und mir somit erlaubt, euch mit den fiktiven Welten, die ich erschaffe, zu unterhalten.

Dies ist wahrlich der beste Beruf in der ganzen Welt!

Tina Folsom

Damians Eroberung

Scanguards Hybriden - Band 2

Scanguards Vampire - Band 14

Tina Folsom

1

„Meinst du, ich sollte mich einer Brustverkleinerung unterziehen?", fragte Naomi Sutton.

Heather, ihre beste Freundin seit der High School, starrte sie an. Sie aßen im Food Court des Westfield Shopping Centers gleich um die Ecke von Naomis Büro beim San Francisco Chronicle, wo sie als Reporterin arbeitete, zu Mittag. Es kam nicht oft vor, dass sie Zeit für ein gemeinsames Mittagessen hatten, weil Heather in Mission Bay in einem der neuen medizinischen Forschungsgebäude der UCSF arbeitete. Aber heute musste Heather in der

Innenstadt Besorgungen tätigen, und sie hatten sich deshalb zu einem spontanen Mittagessen getroffen.

„Warum solltest du das tun?", fragte Heather und ihre dunkelbraunen Augen bohrten sich in sie.

„Na ja, würdest du das an meiner Stelle nicht tun?" Naomi deutete auf Heathers perfekte Figur. „Du hast Größe sechsunddreißig und siehst toll aus, aber schau mich an, ich kann mich kaum in Größe zweiundvierzig hineinzwängen, und mit meinem Busen sehe ich immer aus wie ein überquellender Cupcake mit Zuckerguss."

Heather lachte. „Du siehst nicht aus wie ein Cupcake. Du bist nur ... ähm, üppig."

„Üppig, mein Arsch. Die Leute starren mich die ganze Zeit an."

„Du meinst, Kerle glotzen dich an", korrigierte Heather sie.

„Ich fühle mich immer so gehemmt, weißt du. Ich habe ständig das Gefühl, ich sollte mich verhüllen."

„Tu das nicht, Naomi. Du siehst

wunderschön aus. Du hast schöne blonde Haare. Ich wünschte, ich hätte deine Haare anstatt meiner mattbraunen. Und obendrein hast du blaue Augen. Kein Wunder, dass die Kerle dich ansehen. Du bist hübsch. Was macht es schon, dass du etwas stämmiger bist als andere Frauen? Nicht jede kann spindeldürr sein. Und Jungs mögen große Brüste. Ich wünschte, ich hätte mehr Oberweite." Sie deutete auf ihre eigenen Brüste, die in Naomis Augen perfekt proportioniert aussahen. „Nur weil dein Ex jetzt eine magere Tussi datet, heißt das nicht, dass er dich verlassen hat, weil du ... äh ..."

„Weil ich fett bin?", half Naomi aus.

„Du bist nicht fett. Deine Figur ist eher so, wie Frauen früher aussahen, weißt du, in den Fünfzigern. Außerdem war Marilyn Monroe auch nicht dürr. Du bist im Grunde wie Marilyn Monroe. Und niemand hat ihr je gesagt, dass sie sich einer Brustverkleinerung unterziehen oder abnehmen soll."

Naomi zwang sich zu einem Lächeln. „Bist du sicher? Es ist nur, ich hatte schon seit Monaten kein Date mehr ... und ich dachte mir, vielleicht liegt es daran, dass Männer eine schlanke Freundin wollen."

Heather kicherte. „Der Grund, warum du seit einer Weile kein Date mehr hattest, ist, weil du Männer einschüchterst."

„Ich schüchtere Männer nicht ein."

„Doch, das tust du. Du bist dominant, rechthaberisch und lässt dir von niemandem etwas gefallen."

„Bei einem Mann wären diese Eigenschaften positiv. Er würde als durchsetzungsfähig angesehen werden."

Heather zuckte mit den Schultern. „Stimmt schon, aber das ist die Welt, in der wir leben. Männer wollen Frauen, die einfacher zu handhaben sind. Du bist eine Nummer zu groß für die. Du musst nur den richtigen Mann finden, der für diese Herausforderung bereit ist.

„Hah!" Naomi atmete tief aus. „Ich schätze, dann werde ich für eine ganze Weile Single bleiben."

Naomis Handy klingelte. Sie blickte darauf und sah eine Nachricht von ihrem Redakteur Wei Guo. „Ich muss zurück. Wei will mich sehen."

Sie tippte schnell eine Nachricht, um ihn wissen zu lassen, dass sie unterwegs war.

Heather seufzte. „Schlechtes Timing. Ich wollte, dass du in den Halloween-Laden mitkommst. Ich brauche noch ein Kostüm für Carries Party heute Abend."

„Tut mir leid, geht nicht."

„Warum kaufe ich dir nicht ein Outfit und du kommst mit mir zur Party?"

Naomi stand auf und griff nach ihrer Jacke. „Du weißt doch, wie sehr ich Kostümpartys hasse. Oder Partys im Allgemeinen. Das ist nur wieder eine Ausrede für alle, sich zu besaufen und sich schlecht zu benehmen."

„Der Richtige könnte auf der Party sein und auf dich warten", neckte Heather.

„Eher der Richtige für den Augenblick", sagte Naomi mit einem Glucksen. „Ich lasse es mir durch den Kopf gehen, okay?"

„Warte nur nicht zu lange, um eine Entscheidung zu treffen. Die Läden haben schon fast keine anständigen Kostüme mehr."

Trotz ihrer Behauptung, darüber nachzudenken, wusste Naomi, dass es zweifelhaft war, dass sie mit Heather zur Halloween-Party gehen würde. Sie würde höchstwahrscheinlich zuhause einen Horrorfilm ansehen und Eis essen.

Naomi eilte zurück ins Büro. Ihr Redakteur rief sie sofort zu sich.

„Hey, Wei, worüber wolltest du mit mir sprechen?"

Der kleine Chinese mit dem vollen schwarzen Haar deutete auf eine beige Akte auf seinem Schreibtisch. „Ich möchte, dass du etwas für mich überprüfst. Wir haben Berichte erhalten, dass in einem der Nachtclubs South of Market etwas Seltsames vor sich geht."

Naomi hob eine Augenbraue. „Was meinst du mit seltsam? Drogenhandel?"

Zu ihrer Überraschung schüttelte Wei den Kopf. Er tippte auf die Akte. „Die Nachbarn berichten, dass Menschen blutverschmiert aus dem Hintereingang dieses Clubs kommen."

„Willst du damit sagen, dass die Nachbarn Zeugen eines Verbrechens im Club geworden sind? Hast du Katrina gefragt, welche Informationen sie vom SFPD dazu bekommen kann? Ich habe nämlich nichts dergleichen auf meinem Schreibtisch landen gesehen." Außerdem kümmerte sie sich hauptsächlich um Unterhaltungsnachrichten.

„Das liegt daran, dass die Nachbarin, eine Mrs. Zhang, die das gesehen hat, sagt, die Polizei habe ihre Behauptungen nicht ernstgenommen. Und sie konnte ihnen keinen eindeutigen Beweis dafür liefern, dass dort ein Verbrechen vorgefallen ist. Anscheinend hat sie schon früher Anzeige wegen Lärmbelästigung gegen den Club erstattet, also denkt die Polizei, dass sie sich wieder nur beschwert."

„Warum untersuchen wir es dann? Ich meine, sie tut wahrscheinlich genau das: sich über den Club beschweren, weil sie sich über den Lärm ärgert. Und da die Polizei nicht genug dagegen unternimmt, eskaliert sie." Naomi zuckte mit den Schultern.

Wei rieb seinen Nacken. „Das ist es wahrscheinlich, aber was, wenn doch etwas an der Geschichte dran ist? Was, wenn da unten ein perverser BDSM-Scheiß abgeht? Oder satanische Rituale? Weißt du, wie diese Studentenverbindungen. Warum sollte sie etwas so Ausgefallenes erfinden, wie Leute mit Blut überall auf ihrer Kleidung und ihren Gesichtern? Wir könnten eine saftige Geschichte gebrauchen. Unsere Abonnementzahlen sind rückläufig. Finde etwas. Geh einfach hin und sieh dich um."

„Warum ich?", fragte Naomi. „Das ist mehr eine Story für Katrina. Sie arbeitet im Kriminalbereich."

„Ja, und sie geht auf die Fünfzig zu und ist nicht in der richtigen Bevölkerungsgruppe für den Club. Wenn sie dort auftaucht, wird sie total auffallen. Du bist im richtigen Alter. Du kannst dich dort daruntermischen." Er reichte ihr die Akte. „Der Name des Clubs ist Mezzanine."

„Das Mezzanine?", fragte Naomi. Sie kannte es. Jeder, der was auf sich hielt, ging ins Mezzanine. „Wie komme ich da rein? Sie sind ziemlich wählerisch, wen sie hineinlassen. Ich meine den Türsteher ..."

„Zieh dich sexy an und sie lassen dich rein. Genau wie alle Nachtclubs", behauptete Wei. Dann zeigte er wieder auf die Akte in ihrer Hand. „Mrs. Zhangs Kontaktinformationen sind da drinnen, ebenso Informationen, wem der Club gehört. Schau es dir an und lass mich wissen, ob etwas an den Behauptungen dran ist."

Wei Guo wandte sich seinem Computer zu und Naomi verließ sein Büro.

Das große Redaktionsbüro war halbleer, nicht nur, weil einige Mitarbeiter schon früh Schluss gemacht hatten, um mit ihren Kindern auf *Süßes sonst gibt's Saures*-Tour zu gehen, sondern auch, weil es Entlassungen gegeben hatte. Naomi hatte noch einen Job, weil sie eine der jüngeren Mitarbeiterinnen war, deren Gehalt niedrig war. Einige der älteren und viel besser bezahlten Mitarbeiter waren entweder entlassen oder von Online-Nachrichtenblogs oder Kabelnachrichtensendern abgeworben worden.

In ihrer Bürokabine ging Naomi die dünne Akte durch, die Wei Guo ihr gegeben hatte. Es gab nicht viel: die Kontaktinformationen von Mrs. Zhang, einer Nachbarin, die in einem Wohnhaus hinter dem Club lebte, eine Zusammenfassung ihrer Schimpftirade über blutige Clubbesucher und scheinbar heimliche

Treffen hinter dem Club sowie Informationen über die Eigentümerschaft des Nachtclubs.

Laut den öffentlichen Aufzeichnungen gehörte der Club zwei Personen: Samson Woodford und Amaury LeSang. Im Internet konnte sie nicht viel über die beiden Männer finden. Sie hatten keine Social-Media-Konten. Das einzige Mal, dass die Namen der beiden Männer irgendwo erwähnt wurden, war in einem Bericht über Sicherheitsunternehmen. Es stellte sich heraus, dass beide Männer für Scanguards arbeiteten, einem landesweiten Sicherheitsunternehmen, das Leibwächter zum Personenschutz bereitstellte. Ihre Webseite war jedoch karg und enthielt nur eine Adresse im Mission-Viertel von San Francisco und eine Telefonnummer. So wie es aussah, bewarben sie ihre Dienste nirgendwo, wodurch Naomi vermutete, dass sie sich hauptsächlich auf Mundpropaganda stützten, um ihr Geschäft auszubauen.

Zum Glück hatte das Mezzanine eine Webseite. Laut der Rubrik *Über uns* wurde der Club von zwei Managern geleitet, Damian LeSang und Patrick Woodford. Die gleichen

Nachnamen wie die Eigentümer. Sie vermutete, dass die beiden Manager die Söhne der Eigentümer waren. Sie wusste, was das bedeutete: Die Besitzer hatten ihren Söhnen ein Geschäft gekauft, dass sie führen sollten. Ja, reiche Kerle, die ein Spielzeug wollten und es in Form eines erfolgreichen Nachtclubs bekamen. Um ihre Vermutung zu bestätigen, googelte sie die beiden Manager, aber keiner von ihnen hatte eine Social-Media-Präsenz. Seltsam. Sie grub etwas tiefer und stellte fest, dass Damian in mehreren Social-Media-Beiträgen erwähnt wurde. Sie klickte auf den ersten Beitrag und sah ein Foto einer wunderschönen Rothaarigen mit einer Modelfigur, die sich an einen großen Adonis mit dunklen Haaren und blauen Augen klammerte. Laut dem Post war dies Damian LeSang. Er sah aus wie Sex am Stiel.

Ihr Herz begann bei solch perfekter Männlichkeit zu flattern. Sie schloss schnell den Tab im Browser und kehrte zur Homepage des Nachtclubs zurück. Dort sah sie sich das bunte Banner genauer an, das für heute Abend eine Halloween-Party im Club ankündigte. Sie las es durch, bis sie zum Ende kam, wo zwei Zeilen fett gedruckt waren.

Wenn Sie kein tolles oder sexy Kostüm tragen, werden Sie heute Abend nicht eingelassen. Beeindrucken Sie uns!

Naomi stockte der Atem. Es hätte genauso gut ein dritter Satz folgen können: *Wir meinen dich, Naomi.*

Tja, sie war nicht jemand, der vor einer Herausforderung zurückschreckte. Vielleicht wäre es wirklich eine gute Sache, den Club während einer Halloween-Party zu besuchen. Sie würde sich verkleiden und der Club wäre so voll, dass niemand bemerken würde, wenn sie herumschnüffelte. Je mehr sie darüber nachdachte, desto besser gefiel ihr die Idee.

Sie warf einen Blick auf die Uhr. Sie musste sich beeilen, ein passendes Kostüm zu finden, bevor alles ausverkauft war. Sie musste eines finden, das ihr den Zutritt zum Mezzanine garantierte.

2

In dem geheimen Raum hinter dem Büro des
Managers im Mezzanine gab Damian LeSang
seinem Kostüm den letzten Schliff. Er trug eine
schwarze Hose und ein weißes Rüschenhemd
mit Puffärmeln und Krawatte, die einem
Gentleman des späten achtzehnten und frühen
neunzehnten Jahrhunderts gebührt hätten. Er
legte einen großen schwarzen Umhang mit
rotem Satinfutter über seine Schultern und
befestigte ihn vorne mit einer
juwelenbesetzten Schnalle. Er hätte sich ganz
im *Interview-mit-einem-Vampir*-Stil bekleiden
können, aber er fand die Goldstickerei auf den

Mänteln, die die Schauspieler getragen hatten,
etwas zu schrill. Der Umhang war viel mehr
sein Stil.

Er liebte Halloween schon immer, denn es
war die einzige Nacht im ganzen Jahr, in der
es ihm erlaubt war, seine Reißzähne in der
Öffentlichkeit zu zeigen, ohne sich Gedanken
darüber machen zu müssen, dass er damit
verriet, was er war. Jeder würde erkennen, dass
er in seinem Kostüm einen Vampir darstellte,
und annehmen, dass die Reißzähne, die
zwischen seinen Lippen hervorlugten,
Fälschungen aus Plastik waren. Wenn sie nur
wüssten, dass diese Reißzähne mühelos eine
Vene durchbohren und einen Menschen
aussaugen könnten. So weit würde er natürlich
nie gehen. Er war zivilisiert.

Als Vampirhybride, ein Kind, das das
Produkt eines Vollblutvampirs und seiner
blutgebundenen menschlichen Gefährtin war,
konnte er sich sowohl von menschlicher
Nahrung als auch von menschlichem Blut
ernähren. Während er menschliches Essen
genoss und San Francisco einige der besten
Restaurants des Landes bot, liebte er es,

menschliches Blut zu trinken. Es gab ihm Kraft. Als Kind war er mit abgefülltem Blut aufgewachsen, aber später als Teenager hatte er eine Vorliebe für Blut entwickelt, das direkt aus der Vene eines Menschen kam. Und als gesunder einunddreißigjähriger Mann genoss er es besonders, von einer menschlichen Frau zu trinken, während er mit ihr Sex hatte. Er liebte die gesteigerte sexuelle Erregung, die der Biss mit sich brachte.

Sein Blick wanderte zum Doppelbett im Zimmer. Vielleicht würde er später, bevor die Nacht zu Ende war, begleitet von einer Frau, hierher zurückkommen, denn heute Abend hatte er nicht nur Lust auf Sex, sondern auch auf einen *Bis*sen. An Frauen würde es heute Nacht nicht mangeln. Genau wie in anderen Nächten würden ihn viele Frauen, angezogen von seinem Charme und seinem guten Aussehen, anbaggern, ohne zu wissen, dass sich unter der Oberfläche der Vampir kaum zügeln konnte.

Damian grinste. Heute Abend würde er Spaß haben. Aber zuerst musste er sicherstellen, dass alles für die Party bereit war. Schließlich war er einer der beiden Manager des Clubs und hatte Pflichten.

Er verließ das Zimmer und schloss die Tür hinter sich. Vom Büro des Managers aus war die Tür zum Geheimraum nicht wahrnehmbar, es sei denn, man wusste, wonach man suchte. Es gab keinen Türgriff, keine offensichtlichen Rillen, keine Scharniere, nichts, was darauf hindeutete, dass eine Tür existierte. Diese öffnete sich nur, wenn man an die richtige Stelle an der Wand drückte.

Über einen Zwei-Wege-Spiegel im Büro konnte man von dort auf die Tanzfläche hinunterblicken. Im Moment war der Club noch leer. Nur Mitarbeiter eilten umher und bereiteten alles für die Party vor. Er warf einen Blick auf die lange Bar, die eine Wand des Clubs säumte, und sah mehrere Barkeeper, die sich auf den Ansturm von Getränkebestellungen einrichteten.

Damian verließ das Büro und ließ die Tür hinter sich zufallen, während er bereits die Treppe hinunterging und die Tanzfläche überquerte. An der Garderobe winkte er den beiden Mitarbeiterinnen Beth und Melanie zu.

Beth war als sexy Krankenschwester verkleidet, obwohl sie nicht die Brüste hatte, um ihr Kostüm vollständig auszufüllen, Melanie stellte einen Flapper aus den 1920er Jahren dar.

„Bereit für heute Nacht?", fragte er die beiden.

„Wir haben es im Griff", sagte Melanie.

„Keine Sorge, Damian", schnurrte Beth. Er wusste, dass die Vampirfrau in ihn verknallt war, aber sie war einfach nicht sein Typ. Zu dürr.

„Danke, dass ihr heute Nacht arbeitet", sagte er. „Ich weiß es zu schätzen. Haltet Ausschau nach Problemen, ja?"

Beide nickten. Sie wussten, was er damit meinte. Und als Vampirinnen waren sie mit den richtigen Werkzeugen ausgestattet. Er wollte heute Abend keinen Ärger im Club. Damian ging zur Eingangstür und öffnete sie ein paar Zentimeter, gerade weit genug, um die lange Schlange zu sehen, die sich bereits entlang des Gebäudes gebildet hatte. Orlando, ein Vampir, der als Rausschmeißer arbeitete, stand da, die Beine weit gespreizt, die Arme vor der muskulösen Brust verschränkt, seine

Größe und sein Blick einschüchternd. Er lächelte selten und Damian hatte noch nie miterlebt, dass der Charme einer Frau auf ihn wirkte. Als wäre er dagegen immun, obwohl Damian wusste, dass Orlando hetero war. Er war nicht nur ein Türsteher. Orlando war ein ausgebildeter Leibwächter und bei Scanguards angestellt.

„Orlando", sagte Damian leise, wissend, dass der Vampir ihn problemlos hören konnte.

„Ja, Damian?", antwortete er und drehte leicht den Kopf.

„Nur zur Erinnerung: heute Abend nur heiße Frauen. Und die müssen auch ein sexy Kostüm tragen. Für die Männer gelten die üblichen Maßstäbe."

„Verstanden." Dann trat er einen Schritt näher zur Tür. „Und unsere Gattung?"

Damian wusste, was Orlando damit meinte: Vampire. „Lass sie herein, es sei denn, sie sind bekannte Störenfriede. Die Scanguards-Mitarbeiter werden wahrscheinlich sowieso den Hintereingang benutzen. Aber wenn nicht, lass sie einfach hinein. Sie müssen nicht Schlange stehen."

„Alles klar."

Damian nickte, bevor er die Tür wieder schloss und sich auf den Weg zur Bar machte. Die Barkeeper waren damit beschäftigt, die Regale mit Spirituosen aufzufüllen. Alle Barkeeper, die das Mezzanine beschäftigte, waren Vampire. In Anbetracht der Betriebsstunden des Clubs war es der perfekte Job für einen Vampir. Während der Club zu gleichen Teilen Damians Vater Amaury und Patricks Vater Samson und nicht Scanguards selbst gehörte, operierte der Club in vieler Hinsicht nach denselben Prinzipien: Vampiren Beschäftigungsmöglichkeiten und ein gutes Einkommen zu bieten, damit sie auf dem rechten Pfad blieben. Und um die im Mezzanine arbeitenden Vampire davon abzuhalten, an den Gästen zu naschen, gab es einen separaten Pausenraum, der über den Lagerraum im Keller zugänglich war und in dem abgefülltes menschliches Blut kostenlos erhältlich war.

„Wo ist Mick?", fragte Damian, als er nur drei Barkeeper hinter der Bar arbeiten sah: Sam, Andrew und Tanja.

Tanja, gekleidet in einen Domina-Anzug, der ihr wie eine zweite Haut passte, drehte sich um. „Nicht hier. Ich habe ihn angerufen, aber er geht nicht ans Handy."

„Ja, dass er uns in einer Nacht wie dieser hängen lässt", warf Sam ein, „macht mich wütend." Er knurrte, was nicht ganz zu seinem Piratenoutfit passte. *Argh* wäre eher passend gewesen.

„Ich rufe ihn an." Damian zog sein Handy aus der Hosentasche und scrollte durch seine Kontakte, dann tippte er auf Mick Solvangs Nummer. Er mochte den Kerl und bisher war er immer zuverlässig gewesen. Er ließ es klingeln. Nach dem vierten Klingeln schaltete sich die Sprachbox ein.

„Hier ist Mick. Du weißt, was du tun musst."

„Wo zum Teufel bist du?", bellte Damian ins Telefon und wusste, dass er seinen Namen nicht nennen musste. „Wir öffnen in einer halben Stunde, und du bist nicht hier. Dafür hast du hoffentlich eine gute Erklärung."

Er beendete das Gespräch.

„Voicemail?", fragte Tanja.

„Ja", antwortete Damian. „Könnt ihr die Bar zu dritt handhaben?"

„Unmöglich", meldete sich Andrew, während er eine Palette mit sauberen Gläsern auf den Tresen hob. Er trug eine Polizeiuniform im *Village-People*-Stil, obwohl seine Hose kaum seinen Hintern bedeckte. Aber Damian war das egal. Im Mezzanine gab es für jeden Geschmack etwas und Andrew war bei den Schwulen in San Francisco beliebt. „Wir brauchen mindestens noch einen, und selbst das wird knapp."

„Lasst mich sehen, was ich tun kann", sagte Damian und fing an, durch sein Telefon zu scrollen, als er eine Bewegung aus dem Augenwinkel wahrnahm. Er drehte den Kopf und grinste. „Du bist genau das, was ich jetzt brauche."

Buffy, John Grants Adoptivtochter, näherte sich der Bar. Sie war über den Hintereingang hereingekommen, der es den Angestellten von Scanguards ermöglichte, den Club mithilfe eines biometrischen Eingangssystems unter Umgehung des Vordereingangs zu betreten. Buffy war schwarz, menschlich und erst einundzwanzig Jahre alt. Im Alter von zehn Jahren war sie von einem Kinderhandelsring entführt worden, und Savannah, ihre Mutter, hatte Scanguards angeheuert, sie zurückzubekommen. John hatte Himmel und Hölle in Bewegung gesetzt, um Buffy zu retten, und Savannah war kurz darauf einen Blutbund mit John eingegangen. Buffy betrachtete John als ihren Vater und wusste seit der Nacht ihrer Rettung von Vampiren.

„Hey, Damian, was ist los?", fragte Buffy, hüpfte auf die Bar und ließ ihre Füße in der Luft baumeln.

Damian deutete auf ihre Kleidung, einen kurzen schwarzen Lederrock, Stiefel, die ihr bis über die Knie reichten, ein knappes rotes Top und einen Gürtel. Steckte da ein *Pflock* drin? Um ihren Hals hing eine Kette mit einem großen Kreuz.

„Wer sollst du sein?"

„Kannst du das nicht sehen?", fragte Sam hinter der Bar. „Sie ist der Vampir-Killer, weißt du, *Buffy, der Vampir-Killer*? Das ist ein Klassiker."

Buffy gab Sam ein High-Five, bevor sie sich

wieder Damian zuwandte. „Siehst du, er erkennt es."

Damian deutete auf ihren Gürtel. „Wie wäre es, wenn du den Pflock verschwinden lässt? Damit wirst du hier verdammt viele Leute nervös machen."

Buffy verdrehte die Augen. „Er ist aus Plastik." Sie zog ihn aus ihrem Gürtel und hielt ihn so, als wollte sie ihn angreifen.

Damian umfasste ihr Handgelenk, bevor sie noch eine weitere Bewegung machen konnte. „Sieht ziemlich realistisch aus."

„Bist du ein Feigling?" Sie kicherte.

„Du hast keinen Respekt vor der älteren Generation. Da hat dein Vater was falsch gemacht. Er hätte dich besser erziehen und dir ab und zu den Hintern versohlen sollen."

„Daddy würde mir nie weh tun."

Da hatte sie recht. John war ein totaler Softy, wenn es um seine Tochter ging. „Ja, weil du und deine Mutter ihn so fest um eure kleinen Finger gewickelt habt, dass es ein Wunder ist, dass der Kerl überhaupt atmen kann."

Buffy zwinkerte schelmisch. „Lass uns das

nochmal diskutieren, sobald du eine Tochter hast, und dann sehen wir ja, ob du sie besser erziehen kannst."

Hinter der Bar lachte Tanja. „Ich glaube, diese Runde hat Buffy gewonnen. Nicht schlecht für einen Menschen."

Damian drehte sich zu Tanja um. „Sie hat Glück, dass ich ihr nichts antun kann, sonst würde John mir das Fell über die Ohren ziehen."

Buffy warf ihre Arme um seinen Hals und drückte ihn. „Gib zu, dass du mich wie eine Schwester liebst."

Da lag sie nicht falsch. Er mochte Buffy. „Okay, du willst also die Schwesternkarte ziehen? Wie wäre es dann, wenn du deinem großen Bruder einen Gefallen tust?"

Sie hob ihre Augenbrauen.

„Da du offiziell alt genug bist, um Alkohol trinken zu dürfen, könntest du heute Abend hinter der Bar arbeiten?"

„Ich? Ich bin gekommen, um zu feiern."

„Komm schon, Buffy, sei lieb und hilf mir. Mick ist nicht aufgetaucht, und egal wie gut Sam, Andrew und Tanja sind, heute Abend wird es zu voll für drei Barkeeper. Ich brauche dich." Er schenkte ihr seinen besten Welpenblick.

Sie sah ihn an und seufzte. „Na gut. Aber du schuldest mir etwas, Bro."

„Alles, was du willst." Dann gab er ihr einen Kuss auf die Wange. „Du bist die Beste."

„Ja, ja, wo habe ich das schon mal gehört?" Buffy drehte sich auf der Bar um und Andrew war schon da und hob sie auf der anderen Seite herunter. „Danke, Andrew."

Sie würde bei den drei Vampiren sicher sein, weil sie wussten, dass ihr Vater sie ohne zu zögern pfählen würde, sollten sie Buffy etwas antun.

Damian wandte sich von der Bar ab und sah die ersten Leute den Club betreten. Sie beeilten sich, die Sitzbereiche auf der erhöhten Ebene mit Blick auf die Tanzfläche oder die hohen Tische rund um die Tanzfläche herum zu beanspruchen, während andere direkt zur Bar gingen, um ihre Getränkebestellungen aufzugeben, bevor es zu voll wurde.

Damian ging auf die Tür zu, die zu den

Toiletten und den Versorgungsräumen führte, als sein eineiiger Zwillingsbruder eintrat. Beide erstarrten, als sie einander sahen.

„Willst du mich verarschen?", fragte Damian. „Du hast meine Idee geklaut."

Benjamin schüttelte den Kopf. „Nein, du hast meine gestohlen."

Damian lachte leise. Benjamin trug genau das gleiche Outfit wie er selbst, sogar bis zum Verschluss, der seinen Umhang an Ort und Stelle hielt. „Ich schätze, das ist das Problem, ein Zwilling zu sein."

Benjamin klopfte ihm auf die Schulter. „Das wird lustig! Wie wäre es, wenn wir heute Abend jeweils eine heiße Tussi ficken und dann Plätze tauschen und sehen, ob sie den Unterschied erkennen? Spielst du mit?"

Damian lachte. „Du bist jetzt offiziell der Verdorbenere von uns beiden."

„Komm schon", schmeichelte Benjamin grinsend. „Es wird Spaß machen. Und es ist ja nicht so, als hätten wir nicht schon mal dieselben Frauen gefickt. Ich meine, es ist nicht unsere Schuld, dass wir bei Frauen den gleichen Geschmack haben."

Damian verdrehte die Augen. „Lass uns das klären. Ich habe einen gewissen Frauengeschmack und du bist noch keiner Frau begegnet, die du nicht magst. Also fickst du natürlich alles, was du in die Finger bekommst, während ich etwas wählerischer bin."

„Also gut", räumte Benjamin ein. „Dann lass uns zwei Frauen finden, die du heiß findest, und dann machen wir den Wechsel, nachdem ..."

Damian gab seinem Bruder einen leichten Klaps auf den Hinterkopf. „Geh und schnapp dir die Frau, die du willst. Ich bin heute Abend nicht in der Stimmung zum Teilen."

Benjamin lachte. „Ach, sieht so aus, als ob mein großer Bruder in dieses besitzergreifende Alter kommt, in dem er eine Frau nur für sich will."

„Du bist nur eine Stunde jünger als ich."

„Ja, aber ich bin noch nicht soweit. Ich stoße mir immer noch die Hörner ab. Nur weil Ryder sich vor einem Jahr gebunden hat und Scarlet bereits schwanger ist, heißt das nicht, dass wir alle wie Schafe folgen müssen."

„Nennst du mich ein Schaf?"

„Baa, baa!" Benjamin ahmte die Geräusche eines Schafes nach.

Damian boxte seinen Bruder in die Brust. „Pass auf, Bro! Oder was mit Ryder passiert ist, wird auch auf dich abfärben."

„Ja, das wird sicher noch eine Weile dauern", behauptete Benjamin und zwinkerte ihm zu. „Bis später, Bro."

„Viel Spaß."

Damian sah zu, wie sein Bruder zur anderen Seite des Clubs ging, von wo aus er jeden beobachten konnte, der eintrat, damit er die heißesten Frauen anvisieren konnte, bevor jemand anderer Anspruch auf sie erheben konnte.

Damian schüttelte den Kopf und lächelte vor sich hin. Als Zwillinge waren Damian und Benjamin immer völlig synchron miteinander gewesen, aber im letzten Jahr hatten sich ihre Geschmäcker und Vorlieben geändert, und es sah so aus, als würden sie individueller werden, anstatt die Hälfte eines Paares zu sein. Sie lebten immer noch zusammen und bewohnten die Etage unter dem Penthouse ihrer Eltern in einem Gebäude, das ihrem Vater Amaury gehörte. Es war vampirsicher mit UV-undurchlässigen Fenstern und anderen Sicherheitsmaßnahmen renoviert worden und lag zentral im Tenderloin, einem etwas heruntergekommenen Teil der Innenstadt. Bisher hatte Damian keinen Grund, auszuziehen und sich eine eigene Wohnung zu suchen. Er lebte gerne mit seinem Zwilling zusammen und wohnte gerne in der Nähe seiner Eltern, doch er wusste, dass er eines Tages eine eigene Wohnung finden würde, vielleicht sogar ein Haus. In der Zwischenzeit genoss er die Verbundenheit, die er und sein Bruder teilten.

3

Naomi öffnete die Tür zum Laden und eilte hinein, erleichtert, dass das Geschäft noch offen hatte, obwohl es schon nach 21 Uhr war. Dies war der letzte Laden auf ihrer Liste. Die anderen drei, die sie aufgesucht hatte, hatten nur noch ein paar Halloween-Kostüme übriggehabt, die alle viel zu klein für sie gewesen waren. Dies war ihre letzte Chance, etwas Passendes zu finden, damit sie zur heutigen Party ins Mezzanine hineingelassen werden würde.

„Wir schließen gleich", sagte ein junger

Mann, der von hinter einem Kleiderständer auf sie zukam.

„Bitte, ich brauche nur ein Kostüm für heute Abend. Es ist wirklich wichtig."

Er seufzte. „Ich bin auf dem Weg zu einer Party. Sie haben keine Zeit zum Stöbern, also wenn Sie nicht genau wissen, was Sie wollen …"

„Etwas, das sexy ist", unterbrach sie ihn.

Er ließ seinen Blick über ihren Körper schweifen, bevor dieser direkt auf ihren Brüsten landete. „Oh je, ich bin mir nicht sicher, ob wir noch etwas in Ihrer Größe übrighaben."

Wo hatte sie das schon einmal gehört? „Bitte, ich brauche etwas. Da ist dieser Kerl. Ich möchte wirklich, dass er mich heute Nacht bemerkt", log sie.

„Na, warum haben Sie das nicht gleich gesagt? Kommen Sie nach hinten. Ich könnte etwas haben." Er wandte sich bereits den Umkleidekabinen zu. „Die Dame, die es bestellt hat, hat es nicht abgeholt. Sie könnten sich vielleicht hineinquetschen, wenn Sie die Luft anhalten."

Naomi folgte ihm und beobachtete, wie er hinter eine Trennwand trat, von wo er Sekunden später wieder hervorkam, einen Kleiderbügel mit einem Kostüm in der Hand. Das Erste, was sie sah, war rot. Ein langer roter Umhang mit Kapuze.

„Aber das sieht nicht sexy aus." Der Türsteher des Mezzanines würde sie nach Hause schicken.

Der Typ grinste und schälte dann den Umhang von dem ab, was darunter lag: ein trägerloses kurzes Kleid in Rot, Schwarz und Weiß, kunstvoll verziert mit künstlicher Schnürung am engen Bustier, mit geformten roten Körbchen und Spitzendetails. Der Rock, der nicht einmal bis zur Mitte der Oberschenkel reichte, hatte schwarze Spitzenrüschen und eine winzige weiße Schürze.

„Rotkäppchen", sagte der Verkäufer. „Die sexy Version." Er reichte ihr den Kleiderbügel. „Probieren Sie es an."

Das Kostüm sah klein aus, aber sie hatte keine Wahl. Schnell trat sie in die Umkleidekabine und zog den

Sichtschutzvorhang zu. Ihr war schon ganz heiß, weil sie durch die ganze Stadt gerannt war, um das richtige Kostüm zu finden. Das Manövrieren in der winzigen Umkleidekabine machte es nicht besser, aber sie schaffte es, sich auszuziehen, und schlüpfte in das Kostüm. Sie drückte ihre Brüste in die viel zu kleinen Körbchen und griff hinter ihren Rücken, um den Reißverschluss zu schließen, aber sie bekam ihn nur halb hoch.

„Verdammt!", zischte sie.

„Brauchen Sie Hilfe?"

„Ich bekomme den Reißverschluss nicht hoch."

„Darf ich Ihnen helfen?"

„Ja, bitte", sagte sie und zog den Vorhang zurück.

„Bitte umdrehen." Einen Moment später spürte sie seine Hände auf ihrem Rücken. „Okay, jetzt einatmen."

Sie holte tief Luft, und der Verkäufer zog den Reißverschluss ganz nach oben.

„Lassen Sie sich anschauen."

Sie trat aus der Kabine und der Mann führte sie zu einem großen Spiegel.

„Perfekt", sagte er. „Als wäre es für Sie maßgeschneidert."

Das musste er natürlich sagen. Schließlich war er Verkäufer. Sie warf einen zögerlichen Blick in den Spiegel und erstarrte, denn sie erkannte sich selbst kaum wieder. Das Kostüm war eng und verlieh ihr noch mehr eine Sanduhrfigur als zuvor. Ihre breiten Hüften waren unter dem Rock verborgen, der sie an das Tutu einer Ballerina erinnerte. Ihre Taille sah im Vergleich schlank aus, das enge Bustier machte das Beste aus ihrer Form. Ihre Brüste wurden kaum von den roten Körbchen gehalten, und wären da nicht die schwarzen Spitzenbesätze gewesen, wären ihre Brustwarzen herausgesprungen.

„Wenn der Typ Sie jetzt nicht bemerkt, dann ist er blind, Schätzchen", sagte der Verkäufer.

„Ich nehme es." Dann begegnete sie seinem Blick im Spiegel. „Darf ich es gleich anlassen? Ich glaube nicht, dass ich das alleine anziehen kann." Wie sie aus dem Kleid herauskommen würde, wenn die Nacht vorbei war, war unklar.

„Natürlich dürfen Sie das." Dann griff er nach dem Umhang und legte ihn ihr um die Schultern. „Ich packe Ihre Klamotten ein und warte an der Kasse."

Naomi blickte wieder in den Spiegel, dankbar, dass das Kostüm einen Umhang hatte, damit sie nicht in diesem knappen Outfit durch die Stadt laufen musste. Ihr Blick fiel auf ihre Schuhe. Sie trug Sneaker. Verdammt, sie musste erst nach Hause, um in ihre High Heels zu schlüpfen.

Nachdem sie für das Kostüm bezahlt hatte und nach Hause zurückgekehrt war, um schwarze High Heels anzuziehen, bestellte sie einen Uber, der sie zum Mezzanine in SOMA fuhr. Vor dem Club war eine Schlange, aber diese schien sich relativ schnell zu bewegen. Mit dem roten Umhang um sich herum wartete Naomi geduldig. Sie hatte ihr Handy, ihren Hausschlüssel, eine Kreditkarte und etwas Bargeld in eine Reißverschlusstasche im Inneren des Umhangs gesteckt, froh, dass sie keine Handtasche tragen musste.

Naomi warf einen Blick auf die Leute in der Schlange. Einige der Männer waren als Piraten verkleidet, ein Typ hinter ihr hatte sich für ein Teufelskostüm entschieden, die Frau neben ihm war ein Engel, ein *Victoria's-Secret*-Engel. Vor ihr waren ein paar Krankenschwestern, eine Frau in einem Catsuit, ein Gladiator und ein Mann in einem Pharaonenkostüm.

Der Gladiator und die Frau im Catsuit wurden vom großen Türsteher in den Club gelassen. Er war über eins achtzig groß und hatte Arme und eine Brust, die aussahen, als verbrachte er vierundzwanzig Stunden am Tag damit, Gewichte zu heben. Sein Gesichtsausdruck konnte nur als stoisch und unnachgiebig beschrieben werden. Ja, niemand würde sich mit jemandem wie ihm anlegen.

Der Türsteher winkte den Pharao hinein und blockierte dann die beiden Krankenschwestern. „Wir haben schon genug Krankenschwestern drin", behauptete er.

„Was?", fragte eines der Mädchen.

„Und sexyer auch. Da müsst ihr schon mit was Besserem auftauchen", fügte der Türsteher hinzu.

„Komm schon!", beschwerte sich das

zweite Mädchen. „Du trägst überhaupt kein Kostüm."

Der Türsteher trat einen Schritt näher an das Mädchen heran, das es gewagt hatte, sich zu beschweren, und funkelte sie an. „Das ist mein Kostüm. Ich bin ein Türsteher."

„Orlando. Sei nett."

Bei der weiblichen Stimme wirbelte der Türsteher den Kopf zu einer Frau herum, die an Naomi vorbeiging. Sie trug ein französisches Dienstmädchen-Outfit.

„Isabelle, Abend", begrüßte er sie. Ein Lächeln kräuselte sich plötzlich um seine Lippen und seine Augen verschlangen die verführerische Form der jungen Frau.

Sie ging direkt an ihm vorbei zur Eingangstür und umging die Schlange. „Bis später."

„Schönen Abend", sagte Orlando, bevor er wieder die beiden Krankenschwestern ansah. „Macht euch rar."

Als die beiden Krankenschwestern fluchend davongingen, nahm Naomi schnell ihren Umhang ab und legte ihn sich über den Arm, denn jetzt machte sie sich Sorgen. Würde er sie auch ablehnen?

Als sie schließlich ein paar Meter vor Orlando stand, war sein vorheriges Lächeln bereits verschwunden. Er ließ seine Augen über sie schweifen, verweilte zuerst auf ihren Beinen, dann auf ihrem Dekolleté. Würde er sie sexy genug finden, um sie eintreten zu lassen? Oder hatte sie die Musterung nicht bestanden? Sah sie vulgär anstatt sexy, trashig anstatt heiß aus?

„Das ist es, wovon ich spreche." Er atmete tief ein. „Geh rein, amüsiere dich."

Erleichtert betrat Naomi den Club. Kühle Luft wehte ihr entgegen, und ihr wurde klar, dass die Klimaanlage auf Hochtouren lief, offensichtlich um sicherzustellen, dass die Clubgänger nicht in ihren Kostümen überhitzten.

Die Musik war so laut, wie sie es erwartet hatte, eine Mischung aus Rock ‚n' Roll und Pop der Achtziger- und Neunzigerjahre. Der Laden war voll, die Tanzfläche rockte und die Bar summte wie ein Bienenstock, wo vier Barkeeper damit beschäftigt waren, Getränke zu servieren. Ja, heute Nacht war die perfekte Nacht, um im Club herumzuschnüffeln. Alle waren damit beschäftigt, sich zu amüsieren, sodass sie sie nicht beachten würden.

Los geht's.

4

Damian entdeckte Patrick auf der Tanzfläche und winkte ihm zu. Patrick nickte und bahnte sich einen Weg durch die Menge, um ihn zu erreichen. Erst jetzt bemerkte er, dass Grayson ihm folgte. Die Brüder waren wie Vampire verkleidet, beide mit ausgefahrenen Reißzähnen.

„Ich schätze, alle haben dieselbe Idee", sagte Damian mit einer Handbewegung auf ihre Fänge, als die beiden sich in der Nähe der Treppe, die zum Büro hinaufführte, zu ihm gesellten.

„Es ist die einzige Nacht des Jahres", sagte Patrick grinsend.

„Hier geht's schon sehr ab", sagte Grayson. Dann sah er sich anerkennend um. „Ich bin froh, dass du Orlando gesagt hast, dass er heute Abend nur heiße Frauen reinlassen darf. Ich sehe schon ein paar, mit denen ich Spaß haben werde."

Der Sohn des Gründers und Besitzers von Scanguards, Samson Woodford, war sich seines guten Aussehens und seines Charmes bewusst und nutzte beides in vollen Zügen, wann immer sich die Gelegenheit bot, was ständig der Fall war. Sein jüngerer Bruder Patrick war genauso gut aussehend und charmant, aber weniger aggressiv, wenn es um Frauen ging, obwohl auch er seinen fairen Anteil an Action hatte.

„Seid einfach diskret", warnte Damian. „Es sei denn, ihr wollt gefilmt werden."

Grayson schüttelte den Kopf. „Keine Sorge, ich weiß Bescheid."

„Hast du Isa gesehen?", fragte Patrick. „Sie kam mit ihrem eigenen Auto."

Damian deutete auf die Ecke mit bequemen Sitzgelegenheiten, die die Tanzfläche überblickte. „Sie war vor kurzem mit Lydia dort oben."

„Oh, singt Lydia heute Abend?", fragte Grayson.

„Ja, sie wird später ein paar Songs singen. Ich mache gerade die Bühne fertig. Mit der Trockeneismaschine stimmt etwas nicht. Kannst du mir helfen, Patrick?", fragte Damian.

„Das geht nicht, Bro. Es ist mein freier Abend. Wir haben dafür gewürfelt. Du hast verloren, erinnerst du dich?"

„Komm schon, es dauert nur ein paar Minuten. Du kannst das besser als ich."

„Was kann Patrick besser?"

Damian wandte sich der vertrauten Stimme hinter ihm zu. „Sebastian."

Der 23-jährige Halbasiate, der einzige Sohn von Oliver und Ursula, stand in weißen Judohosen hinter ihm. Seine Brust war nackt und er trug ein Bandana über der Stirn.

Damian zeigte auf ihn und sah dann Grayson und Patrick an. „Seht ihr, er trägt ein originelles Kostüm."

Grayson zuckte mit den Schultern. „Und wer soll er sein?"

„Natürlich Bruce Lee", sagte Damian und tauschte einen Blick mit Sebastian aus.

„Hey Leute", sagte Sebastian. „Gute Musik. Wer ist der DJ?"

„Einer meiner Freunde", sagte Patrick. „Wir haben ihn dem Nightowl Club in der Castro weggeschnappt." Dann grinste er Damian an. „Siehst du, ich trage meinen Teil dazu bei, diese Bude zu leiten."

„Ja, wenn es um die Sachen geht, die Spaß machen. Aber nicht alles, das zum Führen eines Clubs gehört, macht Spaß. Wie zum Beispiel eine Trockeneismaschine zu reparieren."

„Brauchst du dabei Hilfe?", fragte Sebastian.

„Bietest du sie an?"

„Ja."

„Dann machen wir mal", sagte Damian. Er wusste, dass Sebastian mit technischen Dingen geschickt war. Außerdem sah der Junge zu ihm auf und es machte Spaß, ihn unter die Fittiche zu nehmen.

Sie gingen zu dem Bereich, wo eine kleine Bühne neben der DJ-Station stand, und Damian führte Sebastian hinter eine Trennwand.

„Und wie läuft das Training bei Scanguards?"

„Es gefällt mir", sagte Sebastian. „Es ist schwer, aber ich kann mir nicht vorstellen, etwas anderes zu machen. Dad ist froh, dass ich mich dafür entschieden habe, anstatt Jura zu studieren. Ich bin überrascht, dass du beschlossen hast, mit Patrick den Club zu leiten. Gefällt es dir nicht mehr, Bodyguard zu sein?"

„Doch, ich liebe den Job. Versteh mich nicht falsch. Aber ich mag es auch, den Club zu leiten."

„Ist das nicht ein bisschen viel, beide Jobs gleichzeitig zu machen?"

Damian zuckte mit den Schultern. „Was soll ich sonst mit meiner ganzen Zeit machen? Ich bin gerne beschäftigt." Dann zwinkerte er. „Außerdem, wo sonst triffst du viele hübsche Frauen?"

Sebastian grinste. „Ja, guter Punkt. Brauchst du noch einen zusätzlichen Barkeeper oder Türsteher?"

Damian lachte leise. „Ich glaube, Orlando macht heute Abend einen ziemlich guten Job, findest du nicht?"

„Ja, obwohl ich gehört habe, dass er etwas unhöflich sein kann."

„Er ist kein Mann vieler Worte." Und das war eine Untertreibung.

„Das stimmt wohl, oder? Also, was ist sein Deal? Seit wann ist er schon bei Scanguards?"

„Seit etwa einem Jahr. Eines Nachts tauchte er einfach vor Samsons Haustür auf und bat um einen Job. Und das ist so ziemlich alles, was jeder weiß. Ich nehme an, Samson kennt ihn von irgendwo her und vertraut ihm. Das ist Grund genug für mich." Er war keiner, der Samsons Entscheidungen in Frage stellte. Außerdem war Orlando ein großartiger Rausschmeißer. Niemand wagte es, ihm in die Quere zu kommen, aus Angst, zu Tode geprügelt zu werden.

„Für mich auch", erwiderte Sebastian. Sein

Handy klingelte plötzlich, und er zog es aus seiner Tasche. „Oh, Adam ist gerade angekommen." Er tippte eine Nachricht und schickte sie ab. „Schauen wir uns mal diese Trockeneismaschine an."

Sie gingen beide neben der Maschine in die Hocke und Sebastian fing an, daran herumzubasteln.

„Hängst du immer noch viel mit Zanes Söhnen ab?"

„Meistens mit Adam. Wir sind uns altersmäßig näher. Und seien wir mal ehrlich, Nicholas ist seinem Vater viel ähnlicher, als er zugeben möchte."

„Ja, ein großer Spaßvogel", scherzte Damian.

„Lass ihn das nicht hören", warnte Sebastian. „Oder er kocht über. Er hat überhaupt keinen Sinn für Humor."

„Na ja, einer seiner Söhne musste ja Zanes Temperament erben."

„Ist es wahr, was man über Zane sagt? Dass er einmal einem Mann aus Spaß das Herz herausgerissen hat?"

„So wie du war ich damals nicht dabei, aber

hinter dieser Geschichte steckt mehr. Anscheinend hat der Typ, dem er das Herz herausgerissen hat, eine junge Frau vergewaltigt. Zane stoppte ihn und beschloss, die Strafe auf der Stelle auszuteilen."

„Grausam", kommentierte Sebastian. „Aber ich nehme an, das macht ihn zu einem Helden."

„Wenn du es so nennen willst. Trotzdem ist er ein Racheengel. Aber er hat sich verändert. Versteh mich nicht falsch. Er ist kein Teddybär, aber zumindest ist er nicht mehr so impulsiv wie früher."

„Nicholas möchte so sein wie er", sagte Sebastian.

„Und du, willst du wie Oliver sein?"

„Ne. Mein Vater, er ist großartig, weißt du. Aber ich will mein eigener Mann sein. Meinen eigenen Weg finden."

„Genau wie der Rest von uns. Du bist in guter Gesellschaft." Damian deutete auf die Trockeneismaschine. „Irgendeine Ahnung, was nicht funktioniert?"

Sebastian grinste. „Oh, ist schon behoben."

„Wow, danke. Wann immer du hier

nebenbei arbeiten willst, lass es mich wissen. Wir könnten jemanden mit deinen Fähigkeiten gebrauchen."

Sie standen auf.

„Jetzt amüsiere dich."

5

Naomi hatte ihren Umhang nicht an der Garderobe abgegeben, weil sie all ihre Sachen bei sich haben wollte, insbesondere ihr Handy, damit sie alles Verdächtige fotografieren konnte. Sie hatte den Umhang wieder über ihre Schultern gelegt, um zu vermeiden, dass Männer sie anzüglich anstarrten. Sie fühlte sich in dem engen Outfit unwohl und befürchtete, dass ihre Brüste jeden Moment aus ihrem Käfig heraushüpfen könnten und sie eine peinliche Garderobenfehlfunktion haben würde. Mit ihrem Umhang erregte sie viel weniger Aufmerksamkeit, da viele der Männer, die in Vampirkostümen mit falschen Reißzähnen unterwegs waren, auch Umhänge trugen.

Zuerst machte sie sich mit allen Ein- und Ausgängen vertraut, dann erkundete sie die Toiletten. Auf demselben Korridor wie die Toiletten fand sie eine Tür mit der Aufschrift *Nur für Angestellte*. Sie war nicht verschlossen, wahrscheinlich weil sie auch zu einem Notausgang auf der Hinterseite des Gebäudes führte. Sie ging durch die Tür und fand sich in einem viel ruhigeren Bereich des Clubs wieder. Mehrere Türen säumten den Korridor. Sie betätigte die Klinken nacheinander. Nur die Tür zum Pausenraum war unverschlossen, die anderen beiden waren verriegelt. Sie nahm an, dass es Lagerräume waren, oder vielleicht führte eine Tür in einen Keller.

Als sie das Ende des Korridors erreichte, öffnete sie die Tür, die nach draußen führte. Dies war der Bereich, wo die neugierige Nachbarin behauptet hatte, Menschen mit Blut an ihren Kleidern gesehen zu haben. Naomi sah sich um. Außer drei großen Müllcontainern und Zigarettenstummeln auf dem Boden war nicht viel zu sehen. Sie ging wieder hinein und machte sich auf den Weg zurück in den öffentlichen Bereich des Clubs. Irgendwie musste sie herausfinden, was sich hinter den verschlossenen Türen verbarg, denn wenn es in diesem Nachtclub wirklich einen satanischen Kult gab, dann würde der bestimmt hinter einer verschlossenen Tür zu finden sein. Irgendwo mussten sich Schlüssel dazu befinden.

Naomi ließ ihren Blick über die Menge schweifen, dann zur Bar und erkannte plötzlich ein Gesicht: Damian LeSang, einer der Manager des Clubs. Er stand in einem Vampirkostüm an der Bar und flirtete mit einer jungen Frau im Model-Look. Die Frau warf ihren Kopf zurück und ließ ihr langes dunkles Haar fliegen, bevor sie ihre Hand auf Damians Brust legte. Damian nahm ihre Hand und zog sie näher an sich heran. So wie es aussah, würde er eine Weile beschäftigt sein. Dies war der perfekte Zeitpunkt, um das Büro des Managers zu überprüfen. Es war leicht zu finden. Eine Treppe, die teilweise hinter einer verspiegelten Trennwand verborgen war, führte in den Raum hinauf.

Zu ihrer Überraschung war die Tür nicht verschlossen, sondern nur angelehnt. Sie spähte durch den Schlitz hinein, aber das Büro schien leer zu sein. Als sie die Tür weiter aufstieß, wurde ihr klar, warum sie nicht abgeschlossen war. Ein kleines Stück Pappe lag neben dem Türrahmen auf dem Boden und verhinderte, dass die Tür vollständig geschlossen werden konnte.

Schnell betrat sie den Raum, entfernte das Stück Pappe und vergewisserte sich, dass die Tür sich schloss. Sie hörte, wie das Schloss einrastete. Der große Raum war nur schwach beleuchtet. Sie verstand, warum: Eine Wand bestand komplett aus Glas, oder besser gesagt, es war ein Zwei-Wege-Spiegel, der es den Leuten im Büro ermöglichte, das Treiben im Club darunter zu beobachten. Wenn das Licht im Büro zu hell wäre, könnten die Menschen auf der anderen Seite des Zwei-Wege-Spiegels tatsächlich in das Büro hineinsehen. Es gab einen Vorhang, der davor gezogen werden konnte, wenn mehr Licht im Büro benötigt wurde, aber gleichzeitig Privatsphäre erwünscht war.

Es gab einen großen Schreibtisch mit einem Computer, einen Drucker auf einem Regal dahinter, mehrere Aktenschränke an der Wand, eine Sitzecke mit einem Couchtisch neben dem Zwei-Wege-Spiegel, einen Kühlschrank sowie eine Kaffeemaschine und anderen Krimskrams. Naomi ging zum Schreibtisch. Vielleicht bewahrte dort der Manager die Schlüssel zu den Lagerräumen auf. Sie begann, eine Schublade zu öffnen und zu durchwühlen. Als sie die Schublade wieder schloss, verhedderte sich ihr Umhang und sie nahm ihn ab und legte ihn über den Bürostuhl, bevor sie weitermachte.

Sie durchsuchte alle Schubladen des Schreibtisches, fand aber außer Notizblöcken, Ordnern und Schreibutensilien nichts, was ihr geholfen hätte herauszufinden, was sich hinter den verschlossenen Türen im Erdgeschoss verbarg.

Naomi drehte sich um und inspizierte das Regal, in dem der Drucker und ein paar Dekoartikel standen, dann ging sie weiter zur Kaffeemaschine. Sie stand auf einem kleinen Kühlschrank. Sie bückte sich, um diesen zu öffnen, als sie hinter sich ein Geräusch hörte und herumwirbelte.

Die Tür fiel hinter Damian LeSang ins Schloss. Sein schwarzer Umhang mit rotem Futter flatterte, als hätte ihn ein Luftzug erfasst. Seine Reißzähne lugten zwischen seinen Lippen hervor und sogar seine Augen schimmerten golden. Sie hatte die Farbe seiner Augen nicht bemerkt, als sie ihn aus der Ferne gesehen hatte.

„Wer bist du? Und was machst du hier?"

Der Klang seiner Stimme hallte in ihrer Brust wider und sie stieß ein winziges Keuchen aus.

Verdammt! Was jetzt? Er hatte sie dabei erwischt, wie sie in seinem Büro herumschnüffelte. Wie würde sie aus diesem Schlamassel herauskommen? Warum hatte er nicht weiter mit diesem mageren Model geflirtet, wo es doch so ausgesehen hatte, als hätte sie sich gleich von ihm an der Bar ficken lassen wollen?

„Ich habe gefragt, wer du bist und was du in meinem Büro machst", wiederholte er und seine Augen verengten sich, während er ein paar weitere Schritte auf sie zuging.

„Ähm, äh … ich … ich bin Naomi", sagte sie und zögerte. Scheiße, was jetzt?

„Das ist nur eine halbe Antwort."

Er sah aus wie jemand, der es schaffte, immer Antworten auf seine Fragen zu bekommen. Sie musste sich etwas einfallen lassen, irgendetwas.

„Ich bin wegen einer Wette hier."

Er legte den Kopf zur Seite, sagte aber nichts.

„Meine … meine Freundinnen sagten, ich würde mich nicht trauen, zu dir zu gehen und dich zu küssen … Und ich, ähm, ich habe ihnen gesagt, dass ich es tun würde", log sie. Ihr ganzer Körper erhitzte sich und ihre Handflächen waren verschwitzt. Sie war nicht gut darin, Geschichten zu erfinden. Deshalb war sie Reporterin und keine Schriftstellerin. „Aber ich sehe jetzt, dass es eine wirklich dumme Idee war. Ich meine, du bist eindeutig jemand, der jede Art von Frau haben kann, ein Model, sogar ein Supermodel. Also gehe ich lieber. Es tut mir leid. Ich hätte es nicht einmal versuchen sollen."

Sie versuchte, an ihm vorbeizugehen, aber er streckte seinen Arm aus und hielt sie auf.

„Ein Kuss? Du bist wegen eines Kusses hier?" Er hob seine Augenbrauen, während er sie von oben bis unten betrachtete, bevor sein Blick auf ihrem Dekolleté landete. Er sah sie genauso an wie der Türsteher.

„Ja, aber wie schon gesagt, es war eine wirklich dumme Idee. Ich werde meinen Freundinnen sagen, dass die Wette vorbei ist."

„Oh, ich möchte nicht, dass du eine Wette verlierst."

Naomi machte einen Schritt von ihm weg, aber er legte seine Hand auf ihre Taille und schüttelte den Kopf. Sie hätte leicht zurückweichen können, und seine Hand wäre von ihr herabgeglitten, aber die Art, wie er sie ansah, wie seine Augen noch intensiver golden schimmerten als zuvor, als er das Büro betreten hatte, ließ sie zögern. Als ihr Blick auf seinen Mund fiel, wo seine Plastikfänge zwischen seinen geöffneten Lippen hervorlugten, schlug ihr Herz plötzlich schneller.

Sie bemerkte kaum, dass sie näher zu ihm trat und dass Damian seine Arme um ihre Taille legte und sie näher zog. Ihr Busen berührte seine Brust und sie vernahm, wie er hörbar einatmete.

„Ich glaube, wir können mehr als nur einen Kuss teilen", murmelte er und senkte seine Lippen auf ihre.

Sie hielt ihn nicht davon ab, obwohl sie wusste, dass sie es tun sollte. Aber als sie seinen berauschenden Duft roch und spürte, wie seine festen Lippen ihre einfingen, warf sie alle Hemmungen aus dem sprichwörtlichen Fenster und öffnete ihren Mund, um seiner fordernden Zunge zu erlauben, sie zu erkunden.

Damian schmeckte genauso gut wie er roch und aussah. Sie konnte nicht glauben, was geschah. Ihre Lüge hatte das Ziel gehabt, dass er sie aus seinem Büro warf, ohne zu ahnen, dass sie herumgeschnüffelt hatte. Sie hatte nie in einer Million Jahren erwartet, dass er tatsächlich auf ihre vermeintliche Wette eingehen würde. Warum, wenn er doch jede Frau haben könnte? Sie wusste mit Sicherheit, dass das magere dunkelhaarige Model, mit dem er vor nur fünf Minuten geflirtet hatte, seine Avancen niemals zurückgewiesen hätte. Warum küsste er sie also so, als ob er diesen Kuss genauso genösse wie sie?

Und es war nicht nur ein Kuss. Plötzlich spürte sie den Boden unter ihren Füßen nicht mehr, und einen Moment später drückte Damian sie an die Wand und küsste sie leidenschaftlich, während seine Hände über ihren Oberkörper wanderten und seine Finger über das entblößte Fleisch ihrer Brüste strichen.

Bei der verlockenden Berührung stöhnte sie in seinen Mund, unfähig, die Lust zurückzuhalten, die sie durchströmte. Niemand hatte sie je so schnell und gründlich erregt. Und so fachmännisch.

Damian löste seine Lippen von ihren. „Verdammt, du bist wunderschön."

Er senkte sein Gesicht zu ihrem Dekolleté und küsste ihre Haut, bevor er an dem Bustier zog und es nach unten zerrte. Als sie kühle

Luft gegen ihre Brustwarzen blasen verspürte, erkannte sie, dass ihre Brüste aus ihrem Gefängnis entkommen waren. Sie sollte ihn jetzt stoppen, ihm sagen, dass sie nicht die Art von Frau war, die es einem Fremden erlaubte, sie so zu berühren, aber als er seine Lippen um einen Nippel legte und ihn in seinen Mund saugte, vergaß sie plötzlich den Grund, warum sie wollte, dass er aufhörte. Jetzt zählte nur noch ein Gedanke: Damians Lippen und Hände auf ihrem Körper zu spüren.

6

Als Damian sein Büro betreten und die Frau im Rotkäppchen-Kostüm vorgefunden hatte, die sich bückte und dabei war, den Kühlschrank zu öffnen, der Flaschen mit menschlichem Blut enthielt, hatte er rot gesehen und war nahe daran gewesen, sie wegen ihres Einbruchs anzugreifen. Aber als sie sich umdrehte, hatten seine Gedanken eine ganz andere Richtung eingeschlagen.

Er hatte sich noch nie so sehr zu einer Frau hingezogen gefühlt wie zu Naomi, von der er nichts wusste, außer dass er seine Fänge in diese perfekten Titten versenken wollte. War sie wirklich wegen einer Wette mit ihren Freundinnen in sein Büro gekommen, um sich einen Kuss zu holen? Dessen war er sich nicht sicher. Aber im Moment scherte er sich nicht um ihre Motive, solange sie ihm erlaubte, sie zu küssen und zu berühren.

Andere Männer hätten Naomi vielleicht als pummelig beschrieben, obwohl sie zunächst zu ihrem hübschen Gesicht, ihren blonden Haaren und ihren blauen Augen hingezogen gewesen wären. Aber Damian gefiel ihre Figur, denn alles an ihr war echt, so wie es sein sollte: volle Brüste, breite Hüften. Sie war echt, denn er wusste, dass ihre Brüste natürlich waren, kein Gramm Silikon in Sicht. Nicht wie die mageren Models, die ihn ständig anbaggerten. Allein durch einen Blick auf deren Brüste konnte er erkennen, dass sie nur deshalb so fest und groß aussahen, weil sie künstlich waren. Und er hasste alles Künstliche.

Doch Naomis Brüste waren wunderschön, groß und ansprechend. Er liebte es, sie mit seinen Händen zu kneten, während er an ihren

Brustwarzen saugte, die kleinen Rosenknospen neckte und sie in steife kleine Spitzen verwandelte. Er fuhr seine Reißzähne aus und strich damit über ihre Haut, fühlte, wie ihn bei der Berührung Blitze durchfuhren. Es fühlte sich an, als würde er seine Erektion über ihre Titten reiben. Verdammt, war er hart. Sein Schwanz war bereit zum Platzen, bereit, in diese heiße Frau einzutauchen.

Sogar das Kostüm stand ihr perfekt. Der Rock war so kurz, dass er ihren schwarzen Tanga hatte sehen können, als sie sich gebückt hatte, um den Kühlschrank zu öffnen. Als müsste sie noch verlockender aussehen, als sie es ohnehin schon tat. Er konnte sich kaum noch beherrschen. Noch fünf Minuten, und sie würde sich über den Schreibtisch gebeugt wiederfinden, und er würde sie ficken, bis sie ihn bat, von ihr abzulassen.

Er hob seinen Kopf von ihren Brüsten und sah in ihre blauen Augen. Ihre Lider waren auf Halbmast und Erregung strahlte aus ihren Augen.

„Berühre mich", verlangte er und zog ihre

Hand an seinen Schritt, um ihr bewusst zu machen, was sie ihm angetan hatte.

Etwas in ihren Augen flackerte auf. Überraschung? Wie konnte sie denn überrascht sein, wie schnell er so hart geworden war, wenn jeder Mann, den sie berührte, sicherlich genauso reagierte?

„Ich liebe deine Titten", sagte er und zog einen harten Nippel in seinen Mund und leckte darüber.

Naomi stieß ein ersticktes Stöhnen aus.

Er drückte beide Brüste mit seinen Händen und spürte, wie sie seinen Schwanz plötzlich auf die gleiche Weise drückte.

„Oh verdammt, ja!", stieß er hervor, rieb seinen Schwanz fester an ihr und forderte sie auf, die Handlung zu wiederholen.

Dann senkte er seine Lippen wieder auf ihre wunderschönen Brüste und saugte an ihnen. Er hatte Frauen mit großen Brüsten schon immer geliebt, aber Naomi war die erste, die in diesem perfekten Paket kam. Sie hatte wunderschöne Augen, sinnliche Lippen und der Duft ihres Blutes sprach den Vampir in ihm an. Beide Teile von ihm fühlten sich zu ihr hingezogen, und obwohl er schon oft mit verführerischen Frauen zusammen gewesen war, hatte noch keine all seine Wunschkriterien erfüllt.

„Ich will dich, Naomi, ich will dich jetzt", murmelte er gegen ihre erhitzte Haut, während er unter ihren kurzen Rock griff, um zu spüren, wie feucht sie für ihn war.

„Damian, ich brauche dich ..."

Damian erstarrte. Die weibliche Stimme war nicht Naomis. Er wirbelte den Kopf nach links. Dort an der Tür stand Lydia, gekleidet in ein Steampunk-Kostüm.

„Verdammt!", zischte er, während er gleichzeitig seinen Umhang benutzte, um Naomi vor Lydias Blick zu verbergen. Nicht, dass er hätte kaschieren können, was sie taten, da Lydias Vampirhybridsinne sicherlich bereits den Geruch der Erregung im Raum wahrgenommen hatten. „Siehst du nicht, dass ich beschäftigt bin?"

Naomi zerrte bereits an ihrem Kleid und versuchte, ihre Brüste wieder in das Bustier zu quetschen, doch mit wenig Erfolg.

Lydia hatte den Anstand, verlegen

auszusehen. „Tut mir leid, aber das Mikrofon funktioniert nicht und ich soll in ein paar Minuten auftreten."

„Kannst du Patrick nicht bitten, dir zu helfen?"

„Er ist noch beschäftigter als du."

Damian wusste, was das bedeutete. „Verdammt!" Das war das schlechteste Timing aller Zeiten. Aber er hatte Pflichten. Seine eigenen Bedürfnisse mussten aufgeschoben werden, aber nicht für lange. „Einen Moment, Lydia."

Er drehte sich wieder zu Naomi um und griff hinter sie, um den Reißverschluss ihres Kleides zu öffnen.

„Was machst du?", stieß sie leise aus und funkelte ihn an.

Er senkte seine Stimme, obwohl er wusste, dass Lydia ihn wahrscheinlich sowieso hören konnte. „So kriegst du deinen Busen nicht wieder in das Kleid. Lass mich dir helfen. Dreh dich um."

Sie drehte sich um, immer noch durch seinen Umhang vor Lydias Blick geschützt, und stopfte ihre Brüste zurück in das Kleid. Dann zog er den Reißverschluss wieder hoch und umfasste ihre Schultern. Er drückte ihr einen Kuss auf den Hals. „Ich bin in ein paar Minuten zurück. Geh nirgendwo hin, wir sind noch nicht fertig."

Damian drehte sich um und ging zu Lydia.

„Lydia, warum leistest du nicht meinem Gast Gesellschaft, während ich das Mikrofon repariere? Bin in einer Minute zurück."

An der Tür fügte er so leise hinzu, dass nur das Gehör eines Vampirs oder Hybriden es wahrnehmen konnte: „Lass sie nicht allein im Büro."

Lydia hob eine Augenbraue, was ihm zeigte, dass sie ihn gehört hatte. Damian verließ das Büro.

Naomi fühlte sich, als würde sie aus einer Betäubung erwachen – oder als hätte jemand einen Eimer Eiswasser über sie gegossen. Sie war nur zwei Sekunden davon entfernt gewesen, Damian zu erlauben, sie gegen die Wand seines Büros gedrückt zu ficken. Was war in sie gefahren? So hatte sie sich noch nie bei einem Mann verhalten. Sie war nicht die Art von Frau, die One-Night-Stands hatte, geschweige denn Quickies mit Fremden. Doch Damians Hände und Lippen auf sich zu spüren, hatte all ihre Hemmungen erstickt.

„Ich bin Lydia. Ich singe hier gelegentlich. Wie heißt du?", fragte die hübsche Frau im Steampunk-Kostüm. Sie trug ihr blondes Haar geflochten und kunstvoll um den Kopf drapiert.

„Ähm, Naomi. Ich bin Naomi. Freut mich, dich kennenzulernen."

„Ich mich auch, Naomi. Ich wusste nicht, dass Damian mit jemandem zusammen ist. Ich schätze, ich bin nicht auf dem Laufenden."

Naomi erkannte, wenn jemand nach Informationen fischte. Sie würde nicht in diese Falle tappen. Es war schlimm genug, dass Lydia sie und Damian überrascht hatte. Klopfte denn heutzutage niemand mehr an?

„Also, Lydia, du singst hier? Das ist großartig. Welche Art von Musik?"

Unerwartet kicherte Lydia. „Ich mag dich. Du plauderst nicht gern Geheimnisse aus."

„Wa–"

Lydia unterbrach sie, indem sie eine Hand hob. „Versteh das nicht falsch. Manche Geheimnisse sollte man unbedingt bewahren."

Bei der kryptischen Bemerkung fragte sich Naomi, was Lydia damit meinte, aber sie wollte nicht nachfragen. Sie wollte nicht in ein Gespräch über Geheimnisse verwickelt werden. Es war ein Minenfeld, das sie vermeiden wollte.

Als sich Stille zwischen ihnen ausbreitete, sagte Naomi: „Eigentlich gibt's nichts zu erzählen. Ich bin mir sicher, dass ich nicht die erste Frau bin, die Damian in seinem Büro geküsst hat."

Sie zuckte mit den Schultern. Wahrscheinlich waren es Hunderte gewesen. Und höchstwahrscheinlich hatte er allen das Gefühl gegeben, dass es etwas bedeutete. Warum sie das auf einmal störte, wollte sie nicht weiter ergründen. Es spielte keine Rolle. Oder zumindest sollte es keine Rolle spielen. Schließlich machte sie das nur für ihren Job.

Ja, nicht einmal sie selbst glaubte das. Sie hätte sich leicht aus seinen Armen befreien können, wenn sie wirklich nicht gewollt hätte, dass er sie küsste und berührte. Sie hatte an Selbstverteidigungskursen teilgenommen und wusste, wie man unerwünschte Aufmerksamkeit stoppte. Sie hätte ihn in die Eier treten können. Stattdessen hatte sie seinen Schwanz berührt und verdammt nochmal, er hatte sich gut angefühlt. Er war hart und dick und groß gewesen. Allein bei dem Gedanken verkrampfte sich ihr Unterleib.

Wenn sie noch länger blieb, würde sie Lydia wahrscheinlich etwas sagen, das sie nicht preisgeben sollte, nur weil sie nervös war.

Naomi suchte nach einer Ausrede, um verschwinden zu können, und log: „Ich sollte runter in die Bar gehen und mir etwas zu trinken holen."

„Damian hat dich gebeten zu bleiben und auf ihn zu warten."

„Ich bin gleich wieder da." Dann wurde ihr klar, dass sie ihren Umhang mitnehmen musste, aber es würde seltsam aussehen, wenn sie den Umhang trug, nur um zur Bar hinunterzugehen. Sie brauchte eine gute Erklärung, um ihren Umhang zu nehmen, weil sie ohne ihr Telefon, ihre Schlüssel oder ihr

Geld nicht gehen konnte. Das war es. Geld. „Ach, fast hätte ich mein Geld vergessen." Sie ging zum Bürosessel, um sich ihren Umhang zu schnappen.

„Das wirst du nicht brauchen. Sag ihnen einfach an der Bar, dass du mit Damian zusammen bist. Sie geben dir kostenlos das Getränk", behauptete Lydia.

Verdammt! „Das könnte doch jeder sagen. Woher sollen die Barkeeper das wissen?"

„Sie wissen es einfach."

Wieder eine kryptische Antwort von Lydia.

Vielleicht würde eine Halbwahrheit Lydia zufriedenstellen. „Tja, wenn du es unbedingt wissen willst, ich fühle mich ein wenig unwohl in diesem Outfit. Jeder Typ starrt nur auf meinen Busen, und es ist ein bisschen … unbehaglich. Also verstecke ich mich lieber unter meinem Umhang."

Das schien Lydia zu befriedigen, denn sie nickte. „Das verstehe ich. Ich komme mit. Ich brauche sowieso einen Drink. Nervosität vor dem Auftritt, weißt du?"

Naomi zwang sich zu einem Lächeln, legte ihren Umhang um sich und schnürte ihn unter ihrem Kinn zusammen. Na toll, jetzt musste sie Lydia irgendwie abschütteln. Hoffentlich war es nicht zu schwierig. Immerhin herrschte ein wahnsinniger Andrang im Club, und es würde nicht viel bedürfen zu verschwinden, während Lydia einen Drink an der Bar bestellte.

Auf dem Weg zur Bar folgte Lydia ihr wie ein Schatten. Sie verstand nicht, warum sie so darauf erpicht war, sie nicht alleine zu lassen. Als hätte sie gespürt, dass Naomi gehen wollte. Sie musste zu einer List greifen, um hier wegzukommen.

„Autsch", rief Naomi aus und drehte sich zu Lydia um. „Jemand ist mir gerade auf den Fuß getreten."

„Das ist eine Gefahr hier. Die meisten Kerle haben zwei linke Füße."

„Jetzt brauche ich wirklich einen Drink." Sie lächelte Lydia an. „Meinst du, du könntest mir einen Martini bestellen, während ich dir hinterherhumpele?"

„Sicher. Mit Oliven oder einem Twist?"

„Zwei Oliven, danke." Die Lüge funktionierte.

In dem Moment, in dem Lydia sich

abwandte und zur Bar ging, eilte Naomi in die andere Richtung. Sie wollte um die Tanzfläche herumgehen, um auf die andere Seite des Clubs zu gelangen, wo sich der Ausgang befand. Aber sie entdeckte Damian, der nur wenige Meter von ihr entfernt stand und mit einem anderen als Vampir verkleideten Typen sprach. Scheiße! Hatte er das Mikrofon bereits repariert und war auf dem Rückweg?

Naomi drehte sich schnell auf dem Absatz um und ging auf die Tanzfläche, um inmitten der Menge zu verschwinden. Die Clubgänger tanzten zu einem beliebten Popsong aus den Achtzigern, und sie versuchte so gut sie konnte, Ellbogen und Füßen auszuweichen. Sie war fast am gegenüberliegenden Rand der Tanzfläche angekommen, als jemand zu ihrer Linken ihren Arm ergriff.

Sie drehte ihren Kopf zu ihm herum. Damian! Wie war er so schnell zu ihr gekommen, wo er doch am anderen Ende gewesen war?

„Du gehst doch noch nicht, oder?", fragte er und zog sie in seine Arme. „Denn du und ich, wir sind noch nicht fertig." Er wiegte sie im

Rhythmus der Musik, ließ seine Arme unter ihren Umhang gleiten, um sie fest an sich zu ziehen, während der Umhang verbarg, was er tat.

„Ich war nur … ich dachte …" Aber genau wie zuvor konnte sie nicht denken. Nicht mit seinen Händen auf ihrem Körper. Eine berührte ihr Gesäß, die andere strich ihren Oberkörper zu ihren Brüsten hoch.

„Tanz mit mir", murmelte er verführerisch.

„Du könntest hier mit jeder Frau tanzen", protestierte sie schwach.

Er gluckste und senkte seinen Mund zu ihrem Ohr. „Warum sollte ich das tun, wenn ich bereits das, was ich will, in meinen Armen halte?"

Vielleicht war es doch gar keine so schlechte Idee, sein Angebot anzunehmen. Immerhin würde es ihr die Chance geben, mehr über ihn und das, was im Mezzanine vor sich ging, herauszufinden. Oder war ihr Grund persönlicher? War der Grund zu bleiben, dass sie sich in seinen Armen gehen lassen wollte, wenn auch nur für eine Nacht, nur um zu erleben, wie es war, von einem hinreißenden

Adonis begehrt zu werden? Aber wollte Damian sie nur, weil diejenige, mit der er zuvor geflirtet hatte, ihn vielleicht zurückgewiesen hatte? War sie zu leicht zu haben?

Damian drückte seine Wange an ihre. „Ich habe es genossen, dich zu berühren. Und ich will nicht, dass die Nacht schon endet."

„Damian", murmelte sie und ihre Hand um seinen Bizeps festigte sich. „Ich habe dir einen Ausweg gegeben. Du hättest mich einfach gehen lassen können. Wir wissen doch beide, dass ich nicht mit der Art von Frau konkurrieren kann, mit der ich dich vorhin flirten sah."

„Du hast gesehen, wie ich mit jemandem geflirtet habe?"

„Ja, und warum auch nicht? Ich bin sicher, dass du jede Nacht viele Angebote bekommst. Also, wirklich, du musst das nicht durchziehen, nur weil wir uns vorhin geküsst haben und es ein bisschen außer Kontrolle geraten ist."

„So nennst du es also, wenn du ein paar Minuten vom Höhepunkt entfernt bist."

Sie zuckte zurück, verblüfft, dass er sie so

gut deuten konnte. Aber das konnte sie natürlich nicht zugeben. „Ich war nicht ...“

„Warst du das nicht? Dann muss ich mich entschuldigen. Das bedeutet aber, dass ich härter arbeiten muss, um sicherzustellen, dass du kommst, weil ich nicht der Einzige sein möchte, der zum Höhepunkt kommt, wenn wir zusammen im Bett sind.“

Naomi schnappte nach Luft, obwohl ihr seine Direktheit gefiel. Er machte sehr deutlich, was er von ihr wollte. Er war anders als andere Männer, die behaupteten, sie wollten es langsam angehen lassen, nur um sie im selben Atemzug zu überrollen.

„Du bist dir deiner Sache sehr sicher“, flüsterte sie ihm ins Ohr. „Ich hoffe, du kannst auch liefern.“

„Ist das eine Herausforderung?“

„Was, wenn es so ist?“ Denn plötzlich wollte sie unbedingt erkunden, wozu er fähig war. Es war, als säße ein kleiner Teufel auf ihrer Schulter und trieb sie an, etwas Sündiges und Unverschämtes zu tun.

Damian lachte leise. „Dann bin ich sehr dankbar, dass wir beide Umhänge tragen.“

Plötzlich änderte sich die Musik und Naomi bemerkte, dass Lydia auf der Bühne stand und angefangen hatte, ein Liebeslied zu singen. Die Lichter über der Tanzfläche wurden gedämpft.

„Du kannst nicht einfach ... wir sind in der Öffentlichkeit", protestierte Naomi.

Doch sie hielt ihn nicht davon ab, als er anfing, sie unter dem Umhang zu streicheln. „Niemand kann sehen, was ich tue. Alles, was du jetzt tun musst, ist sicherzustellen, dass du unsere Umhänge zusammenhältst. Ich kümmere mich um den Rest."

„Du bist dreist", sagte sie, klammerte sich aber an den Stoff und hielt die Umhänge zusammen. Sie war sich sicher, dass jeder, der sie sah, vermuten musste, dass sich unter den Umhängen etwas abspielte. Warum schien Damian das egal zu sein? Schließlich wusste jeder im Club, wer er war. Würde er nicht seine Chancen bei anderen Frauen gefährden durch diese öffentliche Zurschaustellung von ... naja, sie wollte *Zuneigung* sagen, aber das konnte es nicht sein. Sie suchte nach einem besseren

Wort. Öffentliche Zurschaustellung von, ähm, Lust. Richtig. Das war es. Das musste es sein.

„Jetzt küss mich", verlangte Damian und sie hob ihr Gesicht und bot ihm ihre Lippen an. „Du siehst wirklich aus wie Rotkäppchen. Eine sehr sündige Version von ihr."

7

Es war ein Glücksfall gewesen, dass der rote Umhang seine Aufmerksamkeit erregt hatte, sonst wäre Naomi verschwunden, bevor er sie hätte aufhalten können. Und dann hätte er nie die Gelegenheit bekommen, sie zu streicheln, während sie im langsamen Rhythmus der Musik tanzten.

Damian spürte Naomis weiche Lippen und fing sie ein. Er neigte seinen Kopf, um eine tiefere Verbindung zu ermöglichen, während seine Hände unter dem Stoff ihrer Umhänge nicht untätig waren. Es war ihm egal, ob einer der Vampire oder Hybriden im Club mitbekam, was er tat. Sie würden niemals die Gelegenheit bekommen, Naomis nackten Körper zu sehen oder zu erfahren, wie es war, ihre vollen Brüste zu kneten und die Brustwarzen in harte kleine Knospen zu verwandeln. Sie würden auch niemals die Stelle berühren, von der ihre Erregung zu seiner Nase driftete. Mit einer Hand drückte er ihre Brüste, während er seine andere zwischen ihre Beine und unter den kurzen Rock gleiten ließ.

Ihr Höschen war bereits von ihrer Erregung durchnässt und obwohl er sich Zeit nehmen wollte, konnte er es kaum erwarten herauszufinden, wie feucht sie schon für ihn war. Seine Hand fuhr unter den dünnen Stoff und durch das lockige Haar, um ihr Geschlecht zu berühren. Beim ersten Kontakt stöhnte Naomi und er fing das Geräusch in seinem Mund auf. Ach, wie er eine empfängliche Frau liebte. Sie legte keine Schüchternheit an den Tag. Jedenfalls nicht mehr.

Damian badete seine Finger in ihren Säften und streichelte ihre warme Spalte, bevor er nach oben glitt, um ihren Kitzler zu finden. Das winzige Organ war prall und reif, bereit für seine Liebkosung.

Er ließ von ihren Lippen ab und drückte seine Wange an ihre, damit er ihr etwas ins Ohr flüstern konnte. „Sag mir, wie du es magst. Langsamer? Schneller?"

„Damian", murmelte sie und klang benommen, als wäre sie beschwipst, obwohl er keinen Alkohol an ihr roch. „Du kannst nicht einfach, oh, oh ..."

„Ah, so magst du es also." Er saugte ihr Ohrläppchen zwischen seine Lippen und biss ganz sanft hinein, während er in zunehmendem Tempo kleine Kreise um ihre Klitoris zog. „Das ist die richtige Stelle, stimmt's?"

Er liebte es, sie so zu necken. Sie musste ihm nicht antworten, denn ihr Körper teilte ihm bereits alles mit, was er wissen musste. Und verdammt, es machte ihn heiß. Er hatte das noch nie an einem so öffentlichen Ort getan, noch nie eine Frau direkt auf der Tanzfläche seines Clubs beglückt. Er mochte seine Privatsphäre, aber als Naomi gesagt hatte, dass sie ihn zuvor mit einer anderen Frau flirten gesehen hatte, wollte er sichergehen, dass sie verstand, dass er allen Frauen im Club ein Signal sendete, nämlich, dass er vergeben war. Deshalb küsste er sie vor aller Augen, auch vor denen seiner Mitvampire. Wenn sie sie sahen, konnten sie leicht erraten, was unter den Umhängen vor sich ging.

„Du machst mich so heiß", murmelte er nah an ihrem Ohr. „Ich könnte jetzt platzen."

Naomi atmete schwer und ihr Herzschlag beschleunigte sich. Er konnte es unter seiner Hand spüren, die immer noch ihre Brüste streichelte.

„Das fühlt sich so gut an", stieß sie mit einem atemlosen Stöhnen aus.

„Lass dich einfach gehen", sagte er und nahm seine Hand von ihren Brüsten und legte sie um ihre Taille, um sie zu stützen. „Ich werde dich auffangen, *Chérie*."

Er wandte sein Gesicht wieder zu ihr und sah in ihre lustbetäubten Augen. Ihre Lippen waren geöffnet und ihre Zunge kam heraus, um sie zu lecken. Der Anblick war einfach zu viel, und er konnte nicht widerstehen. Er nahm ihren Mund gefangen und fuhr mit seiner Zunge in die süße Höhle, neckte, erkundete und duellierte sich mit ihr. Weiter unten rieb er in immer schneller werdendem Tempo und in einem Rhythmus, den ihr Körper diktierte, über ihre Klitoris, als er plötzlich spürte, wie sie in seinen Mund keuchte. Sie kam zum Höhepunkt und er schob einen taubedeckten Finger so tief, wie er konnte, in ihre Scheide und spürte, wie sich ihre Muskeln um ihn herum verkrampften.

Damian ließ ihre Lippen los und senkte sein Gesicht zu ihrem Hals, während er gegen den Drang ankämpfte, seinen Schwanz zu befreien und sie mitten auf der Tanzfläche zu nehmen.

Verdammt! Er hatte nicht erwartet, dass das Gefühl, Naomi in seinen Armen zum Höhepunkt kommen zu spüren, so atemberaubend sein würde. Er konnte es kaum erwarten herauszufinden, wie es sich mit seinem Schwanz in ihr anfühlen würde.

Langsam spürte er, wie Naomis Orgasmus nachließ und zog seinen Finger aus ihrer engen Scheide. Sie wurde ganz schlaff in seinen Armen.

„Wie wäre es, wenn wir zurück in mein Büro gehen?", murmelte er.

„Ja." Ihre Antwort war mehr Atem als Wort.

Er stellte sicher, dass Naomis Kleidung unter dem Umhang richtig zurechtgerückt war, bevor er sie durch die tanzende Menge führte.

„Ich brauche Wasser", sagte sie.

„In meinem Büro ist Wasser." Er wollte keine Zeit an der Bar verschwenden, obwohl sein Personal dafür sorgen würde, dass er nicht lange warten musste, bis er bedient wurde. Aber auch nur eine Sekunde zu warten war eine Sekunde zu lang. Außerdem wollte er nicht jeder Menge Leute begegnen, die alle sehen würden, dass er einen Ständer von massiven Ausmaßen hatte.

Sobald sie wieder in seinem Büro waren, schloss er die Tür hinter ihnen und legte den Riegel um.

Naomi fühlte sich wie betäubt, aber sie hörte, wie Damian die Tür zum Büro hinter ihnen abschloss. Sie drehte sich zu ihm um und bemerkte den lüsternen Blick, den er über sie schweifen ließ. Es machte sie noch heißer, als sie sich bereits fühlte. Sie löste ihren Umhang und warf ihn auf das Sofa.

„Wasser, richtig?", fragte er mit heiserer Stimme und marschierte zum Kühlschrank, während er sich von seinem Umhang befreite und ihn auf ihren warf.

Einen Moment später reichte er ihr eine eiskalte Flasche Wasser und sie trank die Hälfte davon, bevor sie sie ihm reichte.

„Vielen Dank."

Er trank das restliche Wasser und warf die Flasche dann in den Mülleimer neben dem Schreibtisch. Während er das tat, fiel Naomis Blick auf seine Hose, oder besser gesagt auf die Beule, die sich hinter seinem Reißverschluss versteckte. Seine Erregung war unbestreitbar. Die Tatsache, dass er sie gerade auf der Tanzfläche beglückt hatte, wo jeder, der hinsehen wollte, leicht hätte erraten können, was sie taten, sollte ihr peinlich sein.

Stattdessen erregte es sie. Und machte sie waghalsig.

Sie war noch nie fordernd gewesen, wenn es um Sex ging, aber Damian hatte etwas in ihr geweckt, und sie konnte nicht anders, als auf dieses Gefühl zu reagieren. Sie trat einen Schritt auf ihn zu, legte dann ihre Hand auf die Umrisse seiner Erektion und spürte, wie diese heiß an ihrer Handfläche pulsierte.

Damian legte seinen Arm um ihre Taille und zog sie noch näher an sich. „Willst du mich in dir spüren?"

Sie drückte seinen Schwanz und seine Augen schimmerten jetzt golden. Seine Reißzähne ragten wieder wie zuvor zwischen seinen Lippen hervor und ihr wurde jetzt etwas klar. Sie hob ihre freie Hand an seine Lippen.

„Als du mich geküsst hast, habe ich deine Reißzähne nicht gespürt. Ich dachte, du hättest sie herausgenommen."

„Nein, ich habe sie nur zurückgezogen", sagte er.

„Wie? Ich dachte, die sind nur aufgeklebt." Sie ließ ihren Finger über einen Fangzahn gleiten und spürte, wie er den Atem anhielt.

„Verdammt!" Er schluckte sichtlich.

„Die fühlen sich nicht wie Plastik an." Sie fühlten sich wirklich scharf an. „Wie ziehst du sie zurück?"

„Durch Berührung."

Er nahm ihren Finger und drückte ihn gegen einen Fangzahn. Zu ihrer Überraschung glitt der Reißzahn nach oben und war plötzlich verschwunden.

„Siehst du?"

„Wow, das ist genial." Sie hatte noch nie so echte Requisiten gesehen.

Er gluckste. „Ich habe sie extra anfertigen lassen." Dann blickte er nach unten, wo ihre Hand immer noch auf seiner Erektion lag. „Aber du hast meine Frage nicht beantwortet. Willst du meinen Schwanz in dir spüren?"

Jetzt war sie diejenige, die schwer schluckte. Damian war direkt, und das gefiel ihr. „Warum bist du noch angezogen?"

„Ich denke, das ist ein Ja."

Aber anstatt den Knopf seiner Hose zu öffnen, nahm er ihre Hand und führte sie zur gegenüberliegenden Wand des Büros. Würde er sie an die Wand gedrückt ficken und nicht auf der Couch? Damian war eindeutig kein Mann mit gewöhnlichem Geschmack.

Als er seine Hand gegen eine Stelle an der Wand drückte, öffnete sich plötzlich eine Tür, eine Tür, die genauso aussah wie die Wand. Verblüfft erlaubte sie ihm, sie in den geheimen Raum dahinter zu führen. Dann hörte sie, wie er die Tür hinter ihnen schloss und verriegelte, während sie ihre Augen schweifen ließ. Ein großes Bett dominierte den Raum, der von mehreren Wandleuchten in gedämpftes Licht getaucht wurde. Es gab eine zweite Tür, die nur angelehnt war und aussah, als würde sie in ein winziges Badezimmer führen. In einer Ecke des Zimmers stand ein Safe, daneben ein Kleiderständer und eine kleine Kommode mit ein paar Flaschen Alkohol darauf.

„Bringst du viele Frauen hierher?" Sie konnte nicht anders, als das zu fragen.

Er zog sie in seine Arme und legte seine Finger unter ihr Kinn. „Vergiss alles, was hier vor heute Abend passiert sein könnte. Kannst du das tun?"

Sie nickte.

„Gut." Er eroberte ihre Lippen und küsste sie innig, bevor er sich wieder zurückzog.

Er fing an, sein Hemd aufzuknöpfen, und sie ließ ihre Augen über ihn schweifen, bevor sie hinter ihren Rücken griff, um zu versuchen, den Reißverschluss ihres Kleides zu öffnen.

„Warte", verlangte er. „Ich möchte dich gern selbst ausziehen."

Sie lächelte und ließ ihre Hände fallen, während er sich von seinem Hemd befreite. Sie schwelgte in der Art, wie er sich mit natürlicher Anmut und Selbstvertrauen entkleidete. Der Körper, den er enthüllte, war perfekt, wie der eines griechischen Gottes: starke, muskulöse Arme und Beine, ein Waschbrettbauch und eine fast haarlose Brust. Als er nur mit seinen schwarzen Boxershorts vor ihr stand, wurde ihr Mund trocken. Sie hatte noch nie eine solche männliche Perfektion gesehen – außer in einer Zeitschrift oder im Fernsehen.

Naomi begegnete seinem Blick, als er seine Daumen in seine Boxershorts steckte und sich davon befreite. Sein Schwanz sprang hervor, hart und schwer, und krümmte sich seinem Nabel entgegen.

Ein Atemzug schoss aus ihrer Lunge. Er war rundum schön. Sie fragte sich jetzt, ob sie unterwegs irgendwo ohnmächtig geworden war und dies nur ein Traum war. Ein Mann wie Damian wollte mit ihr schlafen? Wieso?

„Stimmt etwas nicht?", fragte er und trat einen Schritt auf sie zu. „Gefällt dir nicht, was du siehst?"

Sie riss ihren Blick von seiner Erektion und begegnete seinen Augen. „Nein, doch, es gefällt mir sehr."

„Warum runzelst du dann die Stirn?"

„Weil das wahrscheinlich nicht echt ist. Ich muss träumen."

Ein leises Glucksen rollte über Damians Lippen. „Ich bin derjenige, der träumt, *Chérie*."

Sie liebte es, wie er das letzte Wort aussprach.

Damian legte seine Hände auf ihre Schultern, drehte sie dann um und öffnete ihr Kleid. Als kühle Luft gegen ihren Rücken wehte, küsste er eine Schulter und arbeitete sich zu ihrem Hals vor, pflanzte Küsse mit offenem Mund auf ihre erhitzte Haut. Sie zitterte bei dem sinnlichen Kontakt. Dann spürte sie seine Hände auf ihren Brüsten und wusste, dass er das Kleid nach unten geschoben und sie davon befreit hatte. Im Bewusstsein, dass sie jetzt nur noch ihre High Heels und einen Tanga trug, fühlte sie sich unsicher. Jetzt würde er sehen, dass sie um ihre Taille, ihre Hüften und ihren Bauch pummelig war und wie schwer ihre Brüste wirklich waren, wie viel zusätzliches Gewicht sie um ihren Bauch herum trug, was sie mit der richtigen Kleidung manchmal verbergen konnte. Aber nackt wurde alles bloßgelegt. Würde er es jetzt bereuen?

„Damian", murmelte sie. „Können wir das Licht dimmen?"

Er hob seinen Kopf von ihrem Hals und drehte sie zu sich um. „Du siehst mich nicht gern an?"

Sie schüttelte den Kopf. „Nein, das ist es nicht. Es ist, ähm, ich. Mein Körper ... er ist nicht so perfekt wie deiner."

Damian trat zurück und ließ seine Augen über sie gleiten. „Ich bin anderer Ansicht. Ich liebe es, dich anzusehen, also zwinge mich bitte nicht, im Dunkeln mit dir zu schlafen. Du bist perfekt."

Er dachte, sie wäre perfekt?

„Ich bin nicht perfekt."

„Schönheit liegt im Auge des Betrachters." Dann deutete er auf das Bett. „Jetzt sei ein braves Mädchen und leg dich aufs Bett."

8

Damian sah zu, wie Naomi sich aufs Bett legte, jetzt nur noch mit ihrem Tanga und ihren High Heels bekleidet. Sie sah aus wie ein Pin-up-Girl aus den Fünfzigern: üppige Kurven, rote Lippen und goldene Locken. Mit fast unschuldigen Augen blickte sie unter ihren langen Wimpern hervor. Oh ja, sie war perfekt für ihn, auch wenn sie es nicht glauben wollte.

Langsam griff er nach ihren Füßen und befreite sie von ihren Schuhen, bevor er sich über sie beugte und seine Hände an ihre Hüften legte.

„Lass uns das loswerden", sagte er und zog

an ihrem Höschen. Sie half ihm, indem sie ihren Po für eine Sekunde vom Bett hob, dann erlaubte sie ihm, das Wäschestück ihre Beine hinabgleiten zu lassen.

Das winzige Haardreieck am Scheitel ihrer Schenkel war blond. Von dort trieb das Aroma ihrer Erregung zu seiner Nase und machte ihn noch härter, als er ohnehin schon war. Langsam senkte er sich über sie und schob ihre Beine auseinander, um Platz für sich zu schaffen.

„Kondom", sagte sie mit einem panischen Gesichtsausdruck.

„Keine Sorge, ich habe welche hier. Aber ich bin noch nicht bereit, in dich einzudringen."

„Für mich siehst du ziemlich bereit aus", sagte sie mit einem Grinsen, und es sah so aus, als würde sie sich endlich entspannen.

Damian lachte leise. „Dieser Ständer wird in absehbarer Zeit nirgendwo hingehen, *Chérie*. Aber ich glaube, ich wurde vorhin unterbrochen, als Lydia ins Büro geplatzt ist." Er warf einen bewussten Blick auf ihre Brüste. „Und ich mag es nicht, unterbrochen zu werden. Besonders nicht, wenn ich mich an etwas so Prachtvollem ergötze."

„Oh", sagte Naomi keuchend. „Findest du nicht, dass sie zu groß sind?"

Er neigte seinen Kopf zu ihren Brüsten, sog den Duft ihres warmen Fleisches ein und spürte, wie ihre weiche Haut sein Gesicht streichelte, als er einen Kuss in das Tal dazwischen drückte.

„Sie sind perfekt. Und ein andermal möchte ich, dass deine Titten meinen Schwanz wiegen." Er sah ihr ins Gesicht und leckte dann einen feuchten Weg zwischen ihre Brüste, als würde er sie auf seinen Schwanz vorbereiten, und er bemerkte, dass etwas in ihren Augen aufflackerte. Interesse? „Und du mich fest zwischen ihnen drückst, bis ich komme. Aber nicht heute Abend."

„Was willst du dann heute Abend machen?", murmelte sie verführerisch.

„Wie wäre es, wenn ich es dir zeige?"

Über sie gestützt, legte Damian seine Lippen um Naomis harten Nippel und saugte ihn in seinen Mund, während er ihr üppiges Fleisch massierte. Seit er ein Kleinkind gewesen war und gesehen hatte, wie sein Vater Amaury in die Brust seiner Mutter biss, um sich von ihr zu ernähren, hatte er davon geträumt, dasselbe mit der Frau zu tun, die eines Tages seine blutgebundene Gefährtin werden würde. Der Gedanke an eine solche Intimität blitzte plötzlich in seinem Kopf auf, und obwohl er noch nie eine menschliche Frau in ihre Brust gebissen hatte, um dort von ihr zu trinken, war der Gedanke im Moment mehr als nur ein wenig verlockend.

Er fuhr seine Reißzähne voll aus, damit er sie über ihre weiche Haut reiben konnte, und war froh, dass ihm Naomi seine Lüge über die zurückziehenden falschen Reißzähne abgekauft hatte. Es erlaubte ihm jetzt, mit ihr zu spielen und eine Vorstellung davon zu bekommen, wie erotisch es wäre, sie zu beißen, während er ihre steife Brustwarze in seinen Mund saugte.

Unter ihm stöhnte Naomi in offensichtlichem Genuss seiner Liebkosungen. Ihre Titten quollen in seinen Handflächen über. Sie waren fest und reif, wie erntereife Früchte. Und sie waren empfindlich. Ein

Schnippen seiner Zunge, etwas Saugen und schon wand sich die schöne Frau in seinen Armen unter ihm und verlangte nach mehr. Er wechselte zu ihrer anderen Brust und behandelte diese genauso, während er weiter unten seinen Schwanz über ihren Venushügel rieb, ohne in sie einzudringen. Wenn er wollte, könnte er jederzeit in sie hineinstoßen, und er wusste, dass er auf keinen Widerstand stoßen würde, aber er würde ihren Wunsch, ein Kondom zu benutzen, respektieren, auch wenn es nicht nötig war. Vampire übertrugen keine Krankheiten, und nur ein blutgebundener Vampir konnte eine Frau schwängern.

Naomis Hände erforschten ihn jetzt, eine streichelte über seine Schultern und seinen Nacken, die andere wanderte über seinen Rücken und glitt dann auf seinen Hintern, um ihn fester an sich zu drücken.

„Keine Sorge", murmelte er, als er ihre Brustwarze aus seinem Mund gleiten ließ. „Wir haben die ganze Nacht Zeit."

„Aber ich will dich in mir spüren", verlangte sie.

Er lachte leise. „Sieh dich nur an. Zuerst

wolltest du, dass ich das Licht ausschalte, und jetzt kannst du es kaum erwarten, meinen Schwanz in dir zu spüren. Warum die Eile, *Chérie*? Musst du irgendwo hin?"

„Ich möchte nur nicht, dass du es dir anders überlegst ..." Sie senkte leicht ihre Lider, als wollte sie sich vor ihm verstecken.

„Das wird passieren, sicher ..." Er hielt inne und bemerkte, wie sich Enttäuschung auf ihrem Gesicht ausbreitete. „...sobald die Hölle zufriert." Dann beugte er sich zu dem kleinen Nachttisch hinüber, öffnete die Schublade, die voll mit Kondomen war, und nahm eines heraus. „Aber nur für den Fall, dass du mir nicht glaubst, nehme ich jetzt lieber deine Muschi, damit wir deine kleinen Unsicherheiten beseitigen können."

Schnell riss er die Folienpackung auf und rollte das Kondom über seinen Schwanz. Dann richtete er sich an ihrer Mitte aus. Mit einem schnellen Stoß stieß er bis zum Anschlag in ihre feuchte Scheide und schauderte.

„Fuck!", zischte er. Das fühlte sich sogar noch besser an, als er erwartet hatte. Und er hatte bereits hohe Erwartungen gehabt, nachdem er zuvor seinen Finger in sie gesteckt hatte. Aber die Art und Weise, wie Naomis innere Muskeln seine Erektion umklammerten, war unglaublich. „Naomi", murmelte er an ihren Lippen. „Du fühlst dich so gut an."

Naomi atmete langsam und zitternd aus. „Oh Gott, du bist ... du bist so perfekt." Sie spreizte ihre Beine weiter und schlang sie um seine Hüften, was ihn noch tiefer in sie gleiten ließ.

„Versuchst du, mich umzubringen?" stieß Damian hervor, kaum in der Lage, seine Selbstbeherrschung zu behalten. „Halt still, Baby, oder ich komme in zwei Sekunden."

Als sie schmunzelte, fügte er hinzu: „Warte, bis ich dich an den Rand eines Orgasmus gebracht habe, du kleines Luder. Nicht meine Schuld, dass sich deine Muschi besser anfühlt als alles, was ich je verspürt habe."

„Sagst du das zu jeder Frau, mit der du schläfst?"

Da musste er schmunzeln. „Vielleicht sollte ich dir jetzt etwas sagen, damit du die Regeln in meinem Bett kennst. Alles, was ich im Bett sage, sage ich, weil ich es fühle, nicht weil eine Frau will, dass ich es sage. Also, nein, ich war noch nie in der Muschi einer Frau, die sich so gut anfühlt wie deine. Und ich habe noch nie mit einer Frau geschlafen, die einen perfekteren Körper hatte als du."

„Meinst du das wirklich?" Sie sah ihn an, einen Ausdruck der Überraschung auf ihrem Gesicht. „Ich dachte bei all den dünnen Models, die dich eindeutig mögen ..."

Er legte seinen Finger auf ihre Lippen. „Die Zeit zum Reden ist vorbei." Er zog seine Hüften zurück, zog seinen Schwanz aus ihrem engen Kanal und stieß dann wieder in sie hinein.

Er grinste zufrieden, als er bemerkte, dass Naomi ausatmete und ihren Kopf fester in das Kissen presste, und dabei ihren Rücken wölbte, um ihm ihre Brüste darzubieten. Sie hüpften bei jedem Stoß, den er ausführte, auf und ab, von einer Seite zur anderen, und er konnte nicht genug von dem erotischen Anblick bekommen. Ja, auf keinen Fall würde er jemals das Licht ausschalten. Er wollte seine

Augen an ihrer köstlichen Schönheit weiden und sehen, wie sie darauf reagierte, wenn er sie fickte.

„Du bist so verdammt sexy", sagte er und fixierte sie mit seinem Blick, während er seinen Schwanz tief und hart in sie rammte, um seine Worte zu unterstreichen. Es gab nur eine Sache, die diese Erfahrung noch besser machen würde: ihr Blut zu kosten.

Er neigte seinen Kopf zu ihrem Hals und küsste sie dort, wo er ihre dicke Vene an seinen Lippen pulsieren spürte.

„Kann ich dein Interesse wecken für ein kleines Rollenspiel?", murmelte er ihr ins Ohr.

„Was denn?", fragte sie. Ihre Stimme klang eifrig und empfänglich.

Er drang in sie ein und zog sich wieder heraus, veränderte seinen Winkel leicht, sodass sein Beckenknochen bei jedem Stoß über ihre Klitoris strich. Dann hob er den Kopf, um sie anzusehen. „Wie wäre es, wenn ich Vampir spiele und dich beiße und du mein williges Opfer spielst?"

Sein Herz schlug aufgeregt, während er auf ihre Antwort wartete.

„Ich werde dir nicht wehtun", fügte er hinzu.

„Du wirst mir einen Knutschfleck verpassen", sagte sie, aber gleichzeitig drehte sie ihren Kopf zur Seite, um ihm ihren Hals anzubieten. Sie strich ihr langes Haar zur Seite. „Macht dich das an?"

„Mehr, als du wissen kannst", gab Damian zu. „Ich werde dafür sorgen, dass es dir auch Spaß macht." Er wusste, dass es ihr gefallen würde, denn der Biss eines Vampirs war nicht nur für den Vampir angenehm, sondern auch für den Menschen. Und ein Biss während des Sex garantierte sexuelle Ekstase.

„Okay."

„Danke", murmelte er und senkte seine Lippen auf ihren Hals. Er leckte über die Stelle, wo ihre Ader pulsierte, bereitete sie so auf den Biss vor, denn sein Speichel sorgte dafür, dass sie keine Schmerzen verspüren würde.

Seine Reißzähne waren vollständig ausgefahren. Er verlangsamte seine Stöße und rieb seine Reißzähne über ihre Haut, setzte dann deren scharfe Spitzen auf ihre Haut, bevor er sie in sie stach.

Ein Keuchen kam von Naomis Lippen, dann waren ihre Hände auf seinem Po und schoben ihn tiefer in ihre Muschi. „Oh Gott, ja!"

Erleichtert, dass Naomi positiv auf ihn reagierte, begann Damian an der prallen Vene zu saugen. Ihr reichhaltiges Blut schmeckte nach Vanille und Orangen, und es befeuchtete seine Kehle und seine Geschmacksknospen explodierten wie ein Feuerwerk. Der Vampir in ihm übernahm und seine Hüften bewegten sich schneller und trieben seinen Schwanz tiefer und härter in sie.

Unter ihm verkrampfte sich Naomi, und er bemerkte, dass die Wirkung des Bisses sie zum Höhepunkt brachte. Er ließ sich gehen und fühlte, wie sein Sperma durch seinen Schwanz schoss und er sich ergoss, während er weiter in sie hineinstieß, sein Schwanz immer noch hart und unerbittlich. Naomi stöhnte und wand sich unter ihm, ihre Hände immer noch auf seinem Hintern. Sie hielt ihn fest, als wollte sie nicht, dass er ihren warmen Kanal verließ. Er hatte nicht die Absicht, jetzt aufzuhören, obwohl er wusste, dass er aufhören musste, von ihr zu trinken, um sie nicht zu schwächen.

Er schluckte die letzten Tropfen ihrer köstlichen Essenz und zog seine Reißzähne zurück, dann leckte er über die Einschnitte, damit er keinen Beweis für seinen Biss hinterließ. Die zwei kleinen Löcher heilten sofort. Mit Naomis Blut jetzt in ihm, füllte sich sein Schwanz trotz seines Orgasmus mit mehr Blut und er ritt sie weiter und fühlte, wie sich ihre Muskeln ein zweites Mal um ihn herum zusammenzogen.

Er hob seinen Kopf von ihrem Hals und sah ihr in die Augen. Sie sah befriedigt aus. Ihre Augen hatten etwas Verträumtes, und ein dünner Schweißfilm bedeckte ihre Haut. Als er ihr tief in die Augen blickte und bemerkte, wie sie ihn verwundert ansah, ließ er sich noch einmal gehen und kam ein zweites Mal zum Höhepunkt.

Diesmal rollte er sich langsam von ihr ab. „Fuck!" Er hatte noch nie etwas so Berauschendes empfunden. Schnell befreite er sich von dem benutzten Kondom und drehte sich wieder zu Naomi um, um sie in seine

Arme zu ziehen. „Bist du okay? Ich habe dich nicht zu hart genommen, oder?"

„Machst du Witze?" Sie atmete schwer. „Das war fabelhaft."

Damian stieß ein zufriedenes Lachen aus. „Gut. Ich nehme an, das bedeutet, dass ich deine Herausforderung gemeistert habe."

„Mehr als das", gab sie zu.

Er zog sie auf sich und ihre Beine glitten zu beiden Seiten seiner Hüften, während ihre schweren Brüste auf seiner Brust ruhten und sie ihr Gesicht in seine Halsbeuge schmiegte.

„Hat dir der Biss gefallen?"

9

Naomi ließ sich Damians Frage durch den Kopf gehen. „Es fühlte sich nicht wie ein Biss an." Sie legte ihre Hand auf die Stelle, wo sie nur wenige Minuten zuvor seine Zähne gespürt hatte, aber ihre Haut schien intakt zu sein. „Es tat nicht einmal weh."

„Sag mir, wie es sich für dich angefühlt hat", verlangte er.

Sie wusste nicht einmal, wie sie es beschreiben sollte. „Ich kann es mit nichts anderem vergleichen, das ich jemals verspürt habe. Alles, was ich fühlen konnte, war dein

Schwanz in mir und ein Gefühl, als würdest du gleichzeitig meine Klitoris lecken. Ich weiß, es ergibt keinen Sinn und es ist nicht möglich, aber es ist …"

„Es muss keinen Sinn machen. Ich freue mich, dass es dir gefallen hat. Mir auch. Dadurch bin ich zweimal gekommen."

Naomi setzte sich auf und sah auf ihn hinab. Sie hatte gespürt, dass er sich zweimal in ihr verkrampfte, aber sie hatte gedacht, dass sie sich irrte. „Ich dachte, Männer haben keine multiplen Orgasmen."

Damian grinste und seine Augen funkelten in einem wunderschönen Blau. „Dieses kleine Rollenspiel hat mich so angemacht, dass ich einfach zweimal kommen musste."

Dann bemerkte sie plötzlich etwas. „Deine Augen."

„Was ist damit?"

„Früher am Abend waren sie golden und dann rot. Wann hast du deine farbigen Kontaktlinsen herausgenommen?"

„Das habe ich nicht."

„Aber jetzt sind deine Augen blau."

„Das sind spezielle Linsen, die ihre Farbe ändern, je nachdem, wie das Licht auf sie trifft."

Er setzte sich auf und legte seinen Arm um ihren Rücken, dann drehte er leicht den Kopf und plötzlich war da ein goldener Farbton in seiner Iris.

„Wow. Du hast bei deinem Kostüm wirklich an alles gedacht."

„Du ebenfalls." Er drückte ihr einen süßen Kuss auf die Lippen. „Dein Rotkäppchen-Kostüm hat mich dazu gebracht, der große böse Wolf sein zu wollen."

„Ich dachte, du spielst Vampir."

„Ist das Gleiche: Kreaturen mit scharfen Zähnen."

Sie senkte ihren Blick auf die Stelle zwischen ihren Körpern, wo Damians Schwanz wieder aufrecht stand. „Und anscheinend unersättlichen Schwänzen."

Er zwinkerte ihr zu und sah plötzlich noch jünger aus, als sie ihn schätzte. „Möchtest du helfen, diesen Zustand zu lindern?"

Sie legte den Kopf schief und wurde von

Sekunde zu Sekunde selbstbewusster. „Wie denn?"

„Indem du mich wie Lady Godiva reitest", schlug er vor. „Damit ich mich an deinen hübschen Titten sattsehen kann."

Sie bemerkte, wie er sie ansah, und nicht nur ihre Brüste. Ihren ganzen Körper. Als meinte er wirklich, was er gesagt hatte: dass sie perfekt sei. Als ob sie ihm in Sachen Schönheit ebenbürtig wäre. Und jetzt schlug er ihr vor, ihn zu reiten. Es war noch nie ihre Lieblingsposition gewesen, weil es bedeutete, dass sie ihren Körper nicht verstecken konnte. Alles würde zur Schau gestellt werden, jedes Gramm von ihr. Aber der lüsterne Blick, den Damian jetzt über sie schweifen ließ, ließ sie all die Unvollkommenheiten ihres Körpers vergessen.

„Was hältst du davon?", forderte er sie auf, und ihr wurde klar, dass sie zu lange geschwiegen hatte.

„Gib mir bitte ein Kondom."

Als er sich zum Nachttisch beugte, wurde Naomis Blick von dem Spiegel an der Wand angezogen. Sie sah ihr Spiegelbild und strich die Haare weg von ihrem Hals, um die Stelle zu betrachten, an der Damian sie gebissen hatte. Aber alles, was sie sah, war makellose Haut. Hatte er sie auf der anderen Seite gebissen? Sie strich die Haare auch von jener Seite des Halses zurück, aber es gab auch dort keine Anzeichen eines Bisses. Nicht einmal eine Rötung der Haut.

Als sie Damian anstarrte, hielt er ihrem Blick stand. „Ich dachte, du hättest mich gebissen. Aber meine Haut sieht unbeschädigt aus. Sie ist nicht einmal rot."

Er legte seine Hand auf ihren Nacken und zog sie an sich, sodass sein Mund nur einen Zentimeter von ihrem entfernt war. „Ich habe dir doch gesagt, dass ich dir nicht wehtun würde."

„Ich hatte erwartet, zumindest einen Knutschfleck zu bekommen. Du bist ein Zauberer."

„Wohl kaum." Er drückte ihr einen sanften Kuss auf die Lippen und ließ sie wieder los. „Aber ich bin unersättlich, also wie wäre es, wenn du mir das Kondom überstreifst und mich reitest, bevor ich meine Meinung ändere und dich auf deinen Bauch werfe und stattdessen dich reite?"

Bei dem Bild von Damian, der sie von hinten aufspießte, erhitzte sich ihr ganzer Körper.

Er lächelte. „Ich sehe, das ist anscheinend überhaupt keine Drohung. Das werde ich mir für die Zukunft merken."

Erfreut darüber, wie eifrig Damian war, ihre Nacht der Leidenschaft fortzusetzen, anstatt sie dazu zu bringen zu gehen, nachdem er bekommen hatte, was er wollte, rollte Naomi das Kondom über seine Erektion.

„Du bist so groß", staunte sie.

„Ich habe genau die richtige Größe für dich", meinte er und legte sich auf die Laken zurück, seine Augen, deren Iris wieder golden schimmerten, auf sie gerichtet. „Reite mich so langsam oder so schnell du willst."

Sie richtete sich auf ihre Knie und passte ihre Position so an, dass Damians Schwanz auf ihr Geschlecht gerichtet war. Sie war noch feucht von zuvor und völlig verblüfft, wie er so schnell wieder hart sein konnte. Als sie sich auf ihn senkte und sich auf seiner Erektion aufspießte, bemerkte sie seinen Blick auf ihr, seine Lippen öffneten sich und seine Haut glänzte.

Sie hatte noch nie Sex mit einem Mann gehabt, der kein einziges Mal die Augen geschlossen hatte, sondern sie die ganze Zeit ansah. Sie vermutete, dass die anderen Männer beim Sex mit ihr an andere Frauen gedacht hatten, Frauen die sexyer und schlanker waren. Doch Damian sah sie mit einem solchen Hunger in den Augen an, dass sie mit Bestimmtheit wusste, dass er in diesem Moment an niemand anderen dachte als an sie.

„Gott, du bist wunderschön", murmelte er. „Wie kommt es, dass ich dich noch nie zuvor gesehen habe?"

Es sah nicht so aus, als erwartete er eine Antwort von ihr. Stattdessen fing sie an, ihn in einem langsamen, aber stetigen Tempo zu reiten und genoss das Gefühl, wie sein Schwanz sie bei jedem Hinabsenken füllte. Als Damian nach ihr griff, dachte sie zuerst, dass er sie drängen wollte, sich schneller zu bewegen, aber stattdessen streichelte er ihre Brüste, fast als würde er sie anbeten. Sie beugte sich über ihn und brachte sie zu seinem Gesicht.

„Leck sie", verlangte sie.

Hitze durchströmte sie, als er seine Lippen um eine Brustwarze legte und mit seiner heißen Zunge darüber leckte, während er beide Brüste mit seinen Händen knetete. Sie hatte es schon immer geliebt, wenn ein Mann ihre Brüste leckte und streichelte, immer gewusst, dass sie sehr empfindlich waren. Aber heute Nacht schienen sie noch empfindlicher zu sein als sonst, denn als Damian seine Zähne sanft an ihr weiches Fleisch drückte, ohne zuzubeißen, schoss ein Speer aus Elektrizität in ihre Klitoris und entzündete sie.

„Damian, oh Gott, ja!"

Er wechselte zur anderen Brustwarze, während er eine Hand auf ihre Muschi legte und mit seinen Fingern durch ihre Schamhaare kämmte. Als er ihre Klitoris berührte und darüber rieb, erhöhte sie ihr Tempo, ritt ihn jetzt schneller und spießte sich mit mehr Kraft auf.

Damian saugte ihre andere Brustwarze in seinen Mund und leckte darüber, bevor er seine Zähne auf ihr Fleisch presste und ihr die gleiche Reaktion wie zuvor entlockte. Feuer schien ihren ganzen Körper zu durchfluten. Nur an das Vergnügen denkend, das Damian ihr bereitete, ließ sie sich gehen und spürte, wie die Wellen ihres Orgasmus über sie hereinbrachen.

Dann spürte sie plötzlich Wellen anderer Art. Damians Schwanz zuckte in ihr, als auch er seinen Höhepunkt erreichte. Er ließ ihre Brustwarze aus seinem Mund gleiten, als sie auf ihm zusammenbrach, und legte seinen Arm um ihren Rücken, um sie festzuhalten.

„Verdammt, du bist heiß." Sein heißer Atem war an ihrem Ohr.

„Ich kann nicht glauben, wie gut ich mich bei dir fühle." Und wie sehr es sie erregt hatte, seine Zähne über die empfindliche Haut ihrer Brüste kratzen zu spüren.

Er strich über ihr Haar, dann legte er seine Hand in ihren Nacken und zog ihr Gesicht zu sich. „Es hat dir nichts ausgemacht, meine Zähne auf deinen Titten zu spüren?"

„Du hast mich dadurch zum Kommen gebracht", gab sie zu.

„Gut." Er zog ihr Gesicht für einen Kuss zu sich. Als er sie losließ, lächelte er sie an. „Und jetzt brauche ich ein kurzes Nickerchen."

Sie verstand sofort, was er damit meinte. Es war Zeit für sie zu verschwinden. Sie versuchte, sich aufzusetzen, aber seine Arme hielten sie zurück.

„Wohin gehst du?"

„Weg. Du sagtest, du wolltest schlafen."

„Ja, aber nicht allein. Oder möchtest du nicht das Bett mit dem Mann teilen, mit dem du gerade geschlafen hast?"

Sie zögerte. Wollte er wirklich, dass sie blieb? „Du möchtest, dass ich bleibe?"

„Ja." Er strich ihr eine Haarsträhne aus dem Gesicht. „Weil ich es genießen werde, mit dir in meinen Armen einzuschlafen."

Sie lächelte und kuschelte sich an ihn.

„Ich hoffe, das bedeutet ja."

„Ja", murmelte sie ihm ins Ohr. „Aber was ist, wenn ich aufwache und mehr will?"

Er gluckste. „Dann musst du dir einfach nehmen, was du willst. Ich werde mich nicht beschweren."

„Das mache ich vielleicht." Denn sie wurde langsam, aber sicher, süchtig nach Damian und den Gefühlen, die er in ihr hervorrief.

10

Damian regte sich und streckte seinen Arm aus, um Naomi näher an sich zu ziehen, aber er griff ins Leere. Er riss die Augen auf. Er war allein in dem Geheimraum hinter dem Büro des Managers im Mezzanine. Er schaute zur offenen Tür des Badezimmers, aber auch dort war sie nicht. Als sein Blick weiterwanderte, bemerkte er, dass die Tür zum Büro nicht verriegelt, jedoch geschlossen war. Er sah auf die Uhr: Es war kurz nach fünf Uhr morgens.

Er sprang aus dem Bett, zog seine Boxershorts an und ging ins Büro, in der

Hoffnung, dass Naomi aufgestanden war, um sich vielleicht etwas zu trinken aus dem Kühlschrank zu holen, doch auch das Büro war leer. Der rote Umhang war verschwunden und Naomi mit ihm. Und soweit er sehen konnte, hatte sie ihm keine Notiz mit ihrer Telefonnummer hinterlassen. Warum war sie verschwunden, ohne ihm die Möglichkeit zu geben, sie zu kontaktieren? Sicherlich hatte sie ihren gemeinsamen Abend genauso genossen wie er. Wollte sie denn keine Wiederholung? Er wollte das.

Verdammt!

Enttäuscht kehrte er zurück in den Geheimraum. Unter der Dusche dachte er daran zurück, wie gut sie im Bett harmoniert hatten und wie perfekt ihr Liebesspiel gewesen war. Er war unersättlich gewesen, und deshalb hatte er sie nochmals gefickt, als er irgendwann nach zwei Uhr morgens aufgewacht war, und Naomi war eine mehr als willige Teilnehmerin gewesen. Aber trotz seiner vampirischen Ausdauer und Kraft brauchte sogar er nach dem Marathon-Sex, den sie hatten, ein wenig Schlaf, und er hatte so tief geschlafen, dass er nicht gehört hatte, wie Naomi das Bett verlassen hatte.

Aber so schnell gab er nicht auf. Er würde sie finden.

Damian beendete seine Dusche und zog sich an, ging zurück ins Büro und holte sein Handy aus der Hosentasche. Er setzte sich hinter den Schreibtisch und wählte die Nummer seines Onkels. Da die Sonne noch nicht aufgegangen war, würde Eddie noch im Hauptquartier von Scanguards im Mission-Viertel sein.

„Hey, Damian, was ist los?", antwortete Eddie heiter.

„Hey, Eddie, hast du eine Minute, um eine Anfrage für mich zu stellen?"

„Klar, was brauchst du?"

„Du musst eine Frau für mich finden."

Eddie gluckste und Damian konnte eine zweite Stimme im Hintergrund hören. Anscheinend war Thomas, Eddies blutgebundener Gefährte im Raum. Das war keine Überraschung. Die beiden waren unzertrennlich.

„Ich glaube nicht, dass du mich brauchst, eine Frau für dich zu finden. Ich wüsste nicht, wo ich anfangen sollte."

Damian stieß einen frustrierten Seufzer aus. Er liebte seinen Onkel, aber im Moment war er nicht in Stimmung für dessen Witze. „Was ich sagen wollte, ist, dass ich letzte Nacht einer Frau begegnet bin, und jetzt ist sie weg, und alles, was ich habe, ist ihr Vorname. Naomi."

„Warum hast du das nicht gleich gesagt?", fragte Eddie, seine Stimme immer noch voller Humor.

„Kannst du dich in die Zulassungsstelle hacken und sehen, ob du sie finden kannst?"

„Du weißt, dass wir uns nicht mehr in die Zulassungsstelle hacken müssen, oder? Der Gouverneur hat uns Zugang gewährt."

„Auch gut. Kannst du das dann bitte gleich jetzt tun? Es ist wichtig."

Damian hörte das Klappern einer Tastatur. „Okay, Vorname: Naomi. Kannst du sie beschreiben?"

„Sie ist wunderschön, Größe 42 und 80E, und –"

„Ich meinte Größe, Gewicht, Haarfarbe, Augenfarbe, nicht ihre BH-Größe", unterbrach Eddie.

Verdammt! Wo hatte er nur seinen Kopf? Offensichtlich nicht bei der Sache. „Tut mir leid, ähm, blondes Haar, blaue Augen, etwa 1,65 m groß und etwa 75 Kilo."

„Ah, eine Pummelige", kommentierte Eddie.

„Sie ist nicht pummelig!", protestierte Damian. „Sie ist kurvenreich."

„Willst du meine Hilfe oder nicht?"

„Will ich", stieß Damian hervor und schluckte seinen Ärger hinunter. Warum nannten alle eine Frau mit Kurven pummelig? Sie war perfekt.

„Okay, es gibt nicht viele Frauen namens Naomi, das hilft also. Mal sehen", antwortete Eddie.

Ungeduldig trommelte Damian mit den Fingern auf den Schreibtisch.

„Da, ich glaube, das ist sie. Naomi Sutton. Ich schicke dir das Foto per SMS. Lass mich wissen, ob sie es ist."

Einen Moment später pingte Damians

Handy und er schaute auf seine Nachrichten. Eddie hatte das Foto geschickt. „Das ist sie!"

„Großartig. Ich schicke dir ein Bild ihres Führerscheins mit ihrer Adresse. Lass mich mal sehen, ob ich noch etwas über sie habe." Eddie tippte weiter auf der Tastatur, dann fügte er hinzu: „Sie arbeitet für den Chronicle."

„Die Zeitung?"

„Ja, San Francisco Chronicle. Sie muss Reporterin oder so etwas sein, denn hier steht, dass sie einen Bachelor in Journalismus hat."

„Danke, Eddie, ich weiß es zu schätzen."

„Na klar."

Damian beendete das Gespräch. Einen Moment lang saß er nur fassungslos da. War es nur Zufall, dass Naomi Journalistin war, oder hatte ihr Job etwas damit zu tun, dass sie in seinem Büro gewesen war? Hatte sie wirklich eine Wette mit ihren Freundinnen laufen oder war etwas anderes im Gange? Nachdem er Naomi geküsst und Lydia sie unterbrochen hatte, hatte er seinen anfänglichen Verdacht, warum sie in seinem Büro aufgetaucht war, beiseitegeschoben, aber jetzt, da er wusste, dass sie für den San Francisco Chronicle arbeitete, erwachte der Verdacht erneut. Hatte sie herumgeschnüffelt? Und wenn ja, warum?

Verdammt! Normalerweise hatte er keine Probleme zu erkennen, wenn jemand ihn anlog, aber bei Naomi war sein Urteilsvermögen getrübt. Ja, getrübt vor Geilheit. Denn das war alles, woran er denken konnte, wenn er an sie dachte: an sie unter ihm, seinen Schwanz in ihrer heißen Muschi, ihre Nippel in seinem Mund, sein Gesicht an ihre Brüste gepresst, seine Finger an ihrer Klitoris, seine Hände, die ihren vollen Busen kneteten.

Damian fuhr sich mit der Hand durch sein dichtes Haar. Was jetzt? Er konnte nicht einfach bei ihr auftauchen. Nein, er musste erst herausfinden, warum sie im Club gewesen war, warum sie ihn ins Visier genommen hatte. Aber wie? Darüber musste er zuerst nachdenken. Und er konnte es auch keinem seiner Freunde erzählen, nicht einmal seinem Zwillingsbruder, sonst würde jeder wissen, dass er in eine Falle getappt war. Eine Falle, die von einer sinnlichen und äußerst berauschenden Verführerin gestellt worden war, die genau wusste, wie sie ihren Körper einzusetzen hatte, um zu bekommen, was sie wollte. Er hatte ihr sogar ihre unschuldige Art abgekauft, ihr schüchternes Verhalten, als sie ihn gefragt hatte, ob er das Licht dimmen könnte, weil sie glaubte, ihr Körper wäre nicht perfekt. Das musste gespielt gewesen sein, denn Minuten später hatte sie ihm erlaubt, sie zu beißen. Und als sie ihn geritten hatte, hatte sie ihm bewiesen, wie erfahren sie war und dass ein bisschen harter Sex nichts Neues für sie war. Sie hatte die Dinge genossen, die sie zusammen gemacht hatten. Daran bestand kein Zweifel.

War das ihre Vorgehensweise? Einen Mann wegen einer Story, die sie für die Zeitung recherchierte, zu verführen? Aber welche Story? Er sah sich im Büro um. Hatte sie den Raum durchsucht? Alles schien am üblichen Platz zu sein. Außerdem gab es hier nichts Interessantes, schon gar nicht für eine Zeitung. Ein paar Finanzunterlagen, Bestellungen für Alkohol und andere Vorräte, Lohnunterlagen für das Personal, Kassenzettel, nichts Außergewöhnliches.

Er stand auf, um den Kühlschrank zu öffnen. Darin befanden sich mehrere Wasserflaschen und dahinter ein Vorrat an Blutflaschen. Es sah nicht so aus, als hätte Naomi den Kühlschrank geöffnet und eine der Wasserflaschen verschoben, um einen Blick auf die Blutflaschen in der Reihe dahinter zu werfen. Aber es war wahrscheinlich besser, von nun an den Kühlschrank abzuschließen, nur für den Fall, dass ein anderer Mensch irgendwie in das Büro gelangen könnte. Er nahm eine der Blutflaschen heraus und schraubte den Deckel ab. Er wollte gerade die Flasche an die Lippen setzen, als er hörte, wie sich hinter ihm die Tür öffnete. Er schaute über seine Schulter.

„Morgen, Damian", sagte Patrick, der noch in seinem Vampirkostüm steckte.

Damian drehte sich zu ihm um und begrüßte ihn, bevor er die halbe Flasche leerte.

Patrick zeigte auf die Flasche. „Hast du noch eine?"

„Bediene dich."

Patrick marschierte zum Kühlschrank und nahm eine Flasche heraus. „Die letzte Kiste mit dem Blut im Keller ist weg. Hast du sie heraufgebracht? Wir müssen sofort nachbestellen."

„Die Kiste war letzte Nacht vor der Party da. Ich habe sie selbst überprüft."

„Tja, jetzt ist sie nicht mehr da."

„Das kann nicht sein. Bist du dir sicher?"

„Ja. Die ganze Kiste ist weg, nicht nur die Flaschen."

Damian tauschte einen Blick mit Patrick aus und stellte fest, dass sie denselben Verdacht hegten. „Glaubst du, jemand hat sie gestohlen?"

Patrick nickte. „Es wäre eine Sache, wenn ein paar Flaschen fehlten, weil die Mitarbeiter letzte Nacht welche in ihren Pausen getrunken hätten, aber warum sollte die ganze Kiste weg sein?"

„Lass uns die Sicherheitsaufzeichnungen überprüfen", schlug Damian vor. „Ich habe kurz vor neun im Lagerraum nachgesehen." Er ließ sich in den Bürostuhl fallen und fuhr den Computer hoch, loggte sich ein und navigierte zum Sicherheitssystem. Es dauerte nur wenige Augenblicke, die richtige Kameraaufnahme zu finden und zu dem Punkt des Videos zu gelangen, an dem Damian den Lagerraum verließ und die Tür hinter sich verschloss.

„Das war ich, als ich kurz vor neun Uhr nachgesehen habe", sagte er zu Patrick.

„Okay, lass es uns schnell ansehen."

Als sie im Schnelldurchlauf das Video durchgingen, verlangsamten sie es nur, wenn jemand vor dem Lagerraum stehenblieb. Zuerst war es Tanja, die kurz vor elf Uhr ihren Schlüssel benutzte und den Lagerraum betrat. Ungefähr zehn Minuten später kam sie wieder heraus und trug nichts bei sich, als sie den Raum verließ und die Tür abschloss.

„Wahrscheinlich hat sie eine Pause gemacht und eine Flasche getrunken", vermutete Patrick und deutete auf den Bildschirm. „Mit ihrem Domina-Outfit kann sie nicht einmal eine einzige Flasche an sich verstecken, geschweige denn eine Kiste."

„Stimmt." Damian ließ das Band weiterlaufen, als plötzlich eine Person in einem roten Umhang mit Kapuze den Korridor betrat. Die Kapuze war tief über den Kopf gezogen, sodass die Kamera das Gesicht der Person nicht einfangen konnte, aber er wusste, wer das war: Naomi. Was zum Teufel tat sie in einem Korridor, der nur durch eine Tür mit der Aufschrift *Nur für Angestellte* zu erreichen war?

„Wer ist das?", fragte Patrick.

„Keine Ahnung", log Damian und sah weiter zu, wie Naomi den Griff zum Lagerraum prüfte und dann wieder in die Richtung verschwand, aus der sie gekommen war.

„Seltsam", sagte Patrick. „Vor allem, da ich gesehen habe, wie du mit einer Frau in einem roten Umhang rumgemacht hast. Du weißt also nicht, wer das ist?"

Verdammt! Damian suchte nach einer Erklärung. „Hör zu, sie war so betrunken, dass sie wahrscheinlich den Weg zur Toilette nicht gefunden hat." Er hasste es, seinen Freund und Co-Manager anzulügen, aber bis er wusste, was Naomi letzte Nacht wirklich im Club gemacht hatte, würde er nichts verraten.

„Oh ja?" Patrick schüttelte den Kopf. „Hat sie sich deshalb praktisch auf der Tanzfläche von dir ficken lassen?"

„Ich habe sie nicht auf der Tanzfläche gef-"

Patricks Gelächter unterbrach ihn. „Oh mein Gott, du bist heute so leicht reizbar. Du hast wohl gestern nichts bekommen, oder? Ist sie ohnmächtig geworden, bevor du zur Sache kommen konntest?"

„Keine Frau wird ohnmächtig, wenn ich sie ficke. Glaub mir, sie war während der gesamten Aufführung völlig wach", schoss Damian zurück. Die Worte waren heraus, bevor er wusste, was er sagte.

„Warum sagst du es dann nicht gleich?"

„Weil es dich verdammt nochmal nichts angeht." Dann deutete er wieder auf den Bildschirm. „Sollen wir weitermachen oder lieber über deine sexuellen Heldentaten von letzter Nacht sprechen, falls es welche gab?"

„Autsch, ich bin verwundet", sagte Patrick spöttisch. „Aber im Gegensatz zu dir halte ich meine Heldentaten nicht geheim." Er deutete auf den Monitor. „Lass uns sehen, wer das Blut genommen hat, damit ich nach Hause gehen und mich ausruhen kann. Schließlich war ich letzte Nacht damit beschäftigt, mich um zwei Frauen zu kümmern."

Damian verdrehte die Augen. Er würde keinen Wettbewerb starten, wer mehr Sex hatte, er oder Patrick. Stattdessen ließ er das Band weiterlaufen. Diesmal erschien Andrew in seinen Polizeiuniformshorts an der Tür zum Lagerraum. Aber er war nicht allein. Ein gut aussehender Mann, der als sexy Pharao verkleidet war, war bei ihm. Gemeinsam verschwanden sie im Lagerraum.

„Vielleicht sollten wir Andrew sagen, dass seine Pausen nicht dazu da sind, im Lagerraum Sex zu haben", schlug Patrick vor.

„Kümmert es dich wirklich, wen er wo fickt, solange er es nicht in der Öffentlichkeit tut?"

Patrick zuckte mit den Schultern. „Ich dachte, es würde dich kümmern."

Im Moment interessierten Damian nur zwei Dinge: herauszufinden, wer die Kiste mit Menschenblut gestohlen hatte und warum Naomi wirklich in den Club gekommen war.

Der Zeitstempel auf der Aufzeichnung zeigte 3:17 Uhr, als eine Gestalt in einem schwarzweißen Harlekinkostüm mit venezianischer Gesichtsmaske vor dem Lagerraum auftauchte und ihn aufschloss. Augenblicke später kam die Person wieder heraus, diesmal mit einer großen Kiste, und verschwand durch den Hinterausgang.

„Verdammt! Da ist unser Dieb", sagte Patrick.

„Hat einer der Mitarbeiter letzte Nacht dieses Kostüm getragen?", fragte Damian, obwohl er die Antwort bereits kannte.

„Nicht, dass ich es gesehen hätte. Obwohl ich nicht weiß, was Orlando anhatte, da ich durch den Hintereingang reingekommen bin."

„Er trug kein Kostüm. Und diese Person" – er deutete auf den Bildschirm – „ist ohnehin viel zu klein, um Orlando zu sein. Eher so groß wie eine Frau, jetzt, wo ich genauer hinsehe."

Patrick nickte. „Du hast recht. Eins der Garderobenmädchen?"

Damian schüttelte den Kopf. „Beth war als Krankenschwester verkleidet und Melanie als Flapper. Obwohl jede von ihnen das Harlekin-Outfit über ihr Kostüm hätte anziehen können. Aber zu dieser Zeit waren die beiden an der Garderobe sicher sehr beschäftigt, weil viele

Leute zwischen drei und vier den Club verlassen haben. Wenn eines der Mädchen verschwunden wäre, wäre es aufgefallen."

„Guter Punkt. Wir sollten mit ihnen sprechen. Separat. Ich melde mich freiwillig."

„Natürlich tust du das." Aber Damian war froh darüber, denn er wusste, dass Beth ihn ein bisschen zu sehr mochte, und er wollte nicht mit ihr allein sein. „Ich werde mit Orlando sprechen und sehen, ob er etwas bemerkt hat. Und mit den Barkeepern. Sind sie noch hier und räumen auf?"

„Nein. Sie sind vor einer halben Stunde gegangen. Ich habe gerade die Putzkolonne hereingelassen."

„Okay, ich schaue bei Sam und bei Andrew vorbei, aber Tanja wohnt ganz weit draußen im Richmond-Viertel, in der Nähe von Beth. Kannst du auch bei Tanja vorbeischauen?", fragte Damian.

„Kein Problem, aber ich muss jetzt gehen, sonst bekomme ich keinen Schlaf, bevor ich heute Nacht wieder hier sein muss. Es sei denn, du willst heute Abend arbeiten?"

„Auf keinen Fall." Er hatte Wichtigeres zu

tun. „Aber ich werde die restlichen Sicherheitsbänder durchgehen, um zu sehen, ob der Dieb von anderen Kameras erfasst wurde."

„Klingt gut. Halte mich auf dem Laufenden", sagte Patrick. Er wandte sich zur Tür um. „Oh, und denkst du, wir müssen es Amaury oder meinem Vater sagen?"

„Ich fürchte, ja. Ein Vorfall, bei dem von Scanguards abgefülltes menschliches Blut verschwindet, ist ein Sicherheitsrisiko. Aber lass mich das machen. Ich werde heute Abend mit meinem Vater sprechen. Vielleicht wissen wir zu dem Zeitpunkt bereits, wer die Kiste genommen hat." Und warum.

„Danke, ich weiß das zu schätzen."

Patrick ging und die Tür schloss sich hinter ihm und Damian war mit seinen Gedanken allein.

Etwas stimmte hier nicht. Warum stahl jemand das Blut, das den Vampirangestellten des Mezzanines zur Verfügung gestellt wurde? Das Blut, das Scanguards über eine Blutbank beschaffte und dann in Flaschen abfüllte, wurde kostenlos vergeben, um das Personal davon abzuhalten, direkt von Menschen zu trinken, und somit das Entdeckungsrisiko zu minimieren. Das Blut war nur für einen Vampir von Wert – es sei denn, ein Mensch wollte es als Beweis für etwas verwenden. Oder um eine Story zu untermauern.

11

Es war bereits Mittag, als Naomi das Wohnhaus erreichte, das an das Grundstück grenzte, auf dem sich der Nachtclub Mezzanine befand. Mrs. Zhang, eine Asiatin Ende sechzig, hatte sie ins Gebäude gelassen und führte sie nun in die gepflegte Dreizimmerwohnung. Die Wohnung war sehr sauber – pingelig sauber.

„Die Zeitung hat Sie also geschickt", sagte Mrs. Zhang in tadellosem Englisch. „Ich hatte bereits die Hoffnung aufgegeben, dass mir jemand zuhört. Die Polizei hat das jedenfalls nicht getan. Aber ich bin es gewohnt, dass die

Polizei mich nicht ernst nimmt. Sie haben es auf mich abgesehen, seit ich mich über einen ihrer Polizisten beschwert habe. Anstatt ihn zu entlassen, standen sie alle hinter ihm und behaupteten, ich hätte alles erfunden. Ich glaube, es bereitet ihnen Freude, mich leiden zu sehen."

Naomi zwang sich zu einem freundlichen Gesichtsausdruck, obwohl sie die Augen verdrehen wollte. Schon jetzt war ihr klar, mit welcher Art Mensch sie es zu tun hatte, und sie hatte noch nicht einmal eine volle Minute in Mrs. Zhangs Gegenwart verbracht. Die Frau war eine Nörglerin, eine Person, die an allem etwas auszusetzen hatte. Obendrein fühlte sie sich aus irgendwelchen Gründen verfolgt. Und sie war eine Wichtigtuerin, die ihre Nase in die Angelegenheiten anderer steckte. Naomi war nicht überrascht, dass die Polizei ihrer Behauptung, im Mezzanine gäbe es einen satanischen Blutkult, nicht nachgegangen war.

Nach allem, was Naomi in der Nacht zuvor gesehen hatte, gab es keinen Hinweis darauf, dass im Club etwas Seltsames vor sich ging. Na ja, vielleicht war ein Geheimraum neben dem Büro des Managers etwas seltsam, aber der Raum war eindeutig nicht für satanische Rituale gedacht, sondern für etwas viel Angenehmeres.

Allein der Gedanke an Damian und daran, welche Gefühle er in ihr ausgelöst hatte, sandte eine Hitzewelle durch ihren Körper und versengte sie von innen. Sie verdrängte die Gedanken, um sich auf die Frau zu konzentrieren, die ihr nun einen Platz auf dem Sofa anbot.

„Danke, Mrs. Zhang. Könnten Sie mir bitte etwas mehr darüber erzählen, was Sie im Club gesehen haben und wann?" Naomi zog einen kleinen Notizblock und einen Stift aus ihrer Handtasche.

„Dieser Nachtclub passt nicht hierher, er ist eine Schande für die Nachbarschaft. Und er hat einen schlechten Einfluss auf die Jugend. Die Dinge, die dort passieren ... Und was ich gesehen habe, ist nicht nur einmal passiert. Das geht jetzt seit ein paar Wochen so. An den meisten Abenden, nun ja, mindestens vier- oder fünfmal die Woche sehe ich sie. Sie wissen schon, die, die Blut an sich haben."

„Wen sehen sie?"

„Männer, junge Männer. Sie sind gut gekleidet, wissen Sie, wie reiche Kerle. Aber selbst mit ihrem Geld können sie nicht verbergen, dass sie keine anständigen Menschen sind. Ich konnte das sofort erkennen. Sie waren schlecht. Ich sah das Blut auf ihrer Kleidung und auch auf ihren Gesichtern. Wissen Sie, Blutspritzer. Ich schaue *Forensic Files* am Fernsehen an, ich weiß, wie das aussieht. Als ob sie jemanden abgeschlachtet hätten."

Ihre Behauptung klang weit hergeholt, aber Naomi hatte ihrem Chefredakteur versprochen, sich alles genau anzusehen, also würde sie ihr Bestes geben. „Und von wo aus konnten Sie diese Art von Einzelheiten sehen?"

„Oh, Sie glauben mir nicht?" Sie erhob sich. „Kommen Sie. Von meinem Schlafzimmer aus kann man gut sehen."

Naomi folgte ihr, als sie ins Schlafzimmer ging, das genauso ordentlich aussah wie der Rest der Wohnung, fast so, als ob nie jemand in dem Bett schliefe. Es gab keine einzige Falte in den Laken.

„Hier", sagte Mrs. Zhang und zog die Gardine zurück.

Naomi trat näher. Sie musste zugeben, dass sie von diesem Fenster tatsächlich einen direkten Blick auf den Hintereingang des Clubs und die Müllcontainer hatte, die die Gasse daneben säumten. „Aha. Und zu welcher Tageszeit haben Sie diese, äh, Männer mit Blut gesehen?"

„Immer nachts. Es war immer dunkel."

Naomi hob eine Augenbraue.

„Über dem Hinterausgang sind Lichter. Ich sehe nachts sehr gut."

Die Worte klangen wie ein Tadel. Anscheinend war Naomis hochgezogene Augenbraue Mrs. Zhangs Aufmerksamkeit nicht entgangen.

„Und Sie sagten, dass es nicht nur einmal passiert ist?"

Sie nickte. „Ich habe sie jetzt schon mehrmals mit Blut gesehen."

„Wie viele Männer?"

„Zwei."

„Nur zwei? Immer dieselben Männer?"

„Zumindest der eine war immer derselbe,

beim anderen bin ich mir nicht sicher. Ich konnte sein Gesicht nicht deutlich sehen."

Naomi blickte wieder auf den Club hinunter und fragte sich, ob an den Behauptungen der Frau etwas dran war. „Haben Sie die Männer jemals mit Ihrem Handy aufgenommen, damit Sie der Polizei zeigen können, was passiert ist?"

„Ich habe kein Handy. Es brät das Gehirn. Sie wissen schon, Mikrowellen."

„Okay, und haben Sie jemals etwas anderes gesehen, das verdächtig wirkte? Haben Sie zum Beispiel gesehen, dass Drogen ausgetauscht wurden? Bargeld? Oder irgendetwas anderes, das seltsam erschien?"

„Hmm. Ich erinnere mich, dass einer dem anderen immer etwas gab. Aber es war zu klein, um zu sehen, was es war."

„Und wann haben Sie diese beiden Männer zuletzt gesehen?"

„Nicht letzte Nacht und auch nicht die Nacht davor. Aber vor drei Nächten habe ich einen von ihnen gesehen, aber nicht den anderen."

„Und das war das letzte Mal, dass Sie einen der beiden gesehen haben?"

„Ja, und ..." Sie hielt inne und fuhr dann fort. „Letzte Nacht war da noch etwas Seltsames."

„Während der Halloween-Party im Club?"

Sie runzelte die Stirn. „Gestern Abend war es noch lauter als sonst. Ich bin mehrmals aufgewacht. Ein Mann kam heraus, zumindest denke ich, dass es ein Mann war. Er trug eine Maske, wissen Sie, eine von denen, die man beim Karneval in Venedig trägt?"

„Ich weiß, wovon Sie sprechen."

„Und er war in eine Art Schwarz-Weiß-Kostüm gekleidet. Er trug etwas. Er schaute über seine Schulter und stolperte. Etwas machte ein Geräusch, als würde Glas zerbrechen. Ich habe gesehen, wie er etwas in den Müllcontainer geworfen hat, aber er hat ihn verfehlt. Es machte einen schrecklichen Lärm."

„Welcher Müllcontainer?"

Mrs. Zhang zeigte aus dem Fenster. „Der in der Mitte."

„Und warum fanden Sie die Person seltsam?"

„Na ja, es war gegen 3 Uhr morgens und er sah aus, als würde er nicht dorthin gehören."

„Aber gestern Abend war dort eine Kostümparty."

„Ich weiß. Aber wie er sich umsah, das war, als hätte er Angst, dass ihn jemand sehen könnte."

„Sie sagten, er trug eine Maske. Sie konnten doch sein Gesicht nicht sehen."

„Ich konnte es an der Art erkennen, wie er sich bewegte."

„Hmm." Naomi nahm ihr diese Aussage nicht ganz ab. „Und haben Sie gesehen, wohin die Person danach gegangen ist?"

„Er eilte die Gasse hinunter und stieg in ein Auto."

„Erinnern Sie sich an das Modell des Autos?"

„Ich kenne mich mit Autos nicht aus. Irgendein amerikanisches Auto, glaube ich."

„Haben Sie sich das Nummernschild notiert?"

„Nein, warum? Deswegen habe ich mich nicht beschwert. Sie haben gefragt, ob ich noch etwas Seltsames gesehen habe. Also habe ich es Ihnen gesagt. Aber es geht um diese Männer, die Blut an sich haben. Der Sache sollten Sie nachgehen."

„Natürlich, aber ich möchte gerne gründlich sein, nur für den Fall, dass es einen Zusammenhang gibt."

Mrs. Zhang nickte. „Sie werden sich also darum kümmern?"

„Das mache ich."

Die Informationen, die Mrs. Zhang ihr gegeben hatte, waren nicht viel. Es war möglich, dass sie einen Typen gesehen hatte, der die Tatsache ausnutzte, dass der Club wegen der Party voll war, und eine Flasche Alkohol aus dem Club gestohlen und sie dann in seiner Eile, wegzukommen, zerbrochen hatte. Die beiden Leute, die sich am Hintereingang trafen und etwas austauschten, könnten leicht einen kleinen Drogendeal abgewickelt haben. Vielleicht nahm einer der Angestellten des Clubs Drogen und die andere Person war sein Dealer. Daran war nichts Seltsames. Und das Blut? Naomi bezweifelte, dass Mrs. Zhang sehen konnte, dass das, was auf der Kleidung und den Gesichtern der Männer war, wirklich Blut war. Es könnten genauso gut Make-up oder Weinflecken gewesen sein.

„Danke, Mrs. Zhang. Sie haben mir viele Hinweise gegeben, die ich genauer untersuchen muss. Und wenn es etwas zu finden gibt, werde ich es finden", versprach sie.

Nicht, dass sie sich Hoffnungen machte, über eine pikante Story zu stolpern. Und wenn es stimmte, dass Mrs. Zhang immer nur zwei Männer gesehen hatte, war es zweifelhaft, dass im Keller des Clubs satanische Rituale durchgeführt wurden. Ein geheimer BDSM-Club machte auch keinen Sinn, denn daran wären mehrere Personen beteiligt, genau wie an einem satanischen Kult.

Nachdem sie Mrs. Zhangs Wohnung verlassen hatte, blickte Naomi über die Gasse zum Hintereingang des Clubs. Dort war es ruhig. Die Tür, die in das Gebäude führte, war geschlossen. Auf dieser Seite des Gebäudes, an die ein kleiner Parkplatz für nicht mehr als vier Autos angrenzte, gab es keine Fenster. Der Parkplatz war leer. Links standen drei große Müllcontainer. Naomi blickte über ihre Schulter, überquerte dann die Gasse und ging zu der Stelle, wo Mrs. Zhang zufolge die Person im Harlekinkostüm gestolpert war.

Überall auf dem Parkplatz waren Risse, und es sah aus, als wären mehrere Versuche unternommen worden, diese mit Asphalt zu füllen, was zu einer unebenen Oberfläche geführt hatte. Im Dunkeln konnte man hier leicht stolpern. Als sie zu dem Müllcontainer in der Mitte ging, bemerkte sie verschiedene Flecken auf dem Boden, die höchstwahrscheinlich von undichten Mülltüten oder Schnapsflaschen verursacht worden waren. Es roch nach altem Bier und dem süßlichen Aroma von Limonade und abgestandenem Wein. Nichts Ungewöhnliches für einen Nachtclub.

Bei dem großen Müllcontainer in der Mitte ging sie in die Hocke und suchte den Boden ab. Sie sah Glasscherben, was mit Mrs. Zhangs Behauptung übereinstimmte, dass die Person, die sie gesehen hatte, eine Flasche in den Müll geworfen, diesen jedoch verfehlt hatte. Sie beugte sich weiter nach unten, spähte unter den Container und sah eine Flasche aus durchsichtigem Glas, deren Hals abgebrochen war, der Rest intakt. Sie griff danach und zog die Flasche hervor, darauf achtend, den gebrochenen Hals nicht zu berühren, als sie eine kleine Glasphiole bemerkte, die hinter der zerbrochenen Flasche versteckt lag. Sie nahm auch die Phiole an sich und untersuchte dann beide Gegenstände.

Die Flasche mit dem abgebrochenen Hals konnte ungefähr einen Liter Flüssigkeit aufnehmen. Es waren noch Überreste darin. Sie kippte die Flasche zur Seite. Die rote Flüssigkeit war zähflüssig, viel dickflüssiger als Wasser oder Wein. Sie führte sie an ihre Nase, um daran zu riechen. Die Flüssigkeit hatte einen deutlich metallischen Geruch. Das war kein gewöhnliches Getränk. Sie drehte die Flasche, um das weiße Etikett zu lesen.

A+ abgefüllt von Scanguards, stand in schwarzer Schrift darauf. Es gab keine weiteren Informationen auf dem Etikett, keine Nährwertangaben wie Kalorien oder

Alkoholgehalt. Sie ahnte, warum: Das musste Blut sein. Es roch danach. Es war beschriftet, als wäre es Blutgruppe A positiv. Aber es wurde von Scanguards, einer Sicherheitsfirma, in Flaschen abgefüllt, und der Nachtclub gehörte zwei ihrer Direktoren. Vielleicht lag Mrs. Zhang doch nicht falsch mit ihrer Anschuldigung. Vielleicht ging hier etwas Schändliches vor, und es ging um Scanguards – und um Blut. Aber zuerst musste sie bestätigen, dass der rote Rückstand auch wirklich menschliches Blut war und nicht etwas anderes wie das Zeug, das sie in Filmen verwendeten, um die Illusion von Blut zu erzeugen.

Als sie die kleine Phiole untersuchte, die sie hinter der zerbrochenen Flasche gefunden hatte, stellte sie fest, dass sich im Inneren des winzigen Fläschchens die gleiche Art von rotem, klebrigem Rückstand befand. Sie schnupperte. Es hatte auch einen metallischen Geruch. Aber warum sollte jemand eine so winzige Phiole verwenden, wenn er bereits eine Ein-Liter-Flasche der Flüssigkeit hatte?

Vielleicht war das etwas anderes. Der Sache musste sie unbedingt nachgehen.

Mit der zerbrochenen Flasche und der Phiole in der Hand kehrte Naomi zum Eingang der Gasse zurück, wo sie ihren blauen Mini Cooper geparkt hatte. Sie öffnete den Kofferraum, in dem sie eine kleine Reisetasche mit Kleidung und einigen Toilettenartikeln aufbewahrte für den Fall, dass sie als Reporterin zu einer Story gerufen wurde und keine Zeit hatte, davor zum Umziehen nach Hause zu gehen. Sie öffnete die Tasche und holte ihren Toilettenbeutel heraus. Sie leerte die kleinen Plastikbeutel aus, in denen sie Wattestäbchen, Wattepads und Tampons aufbewahrte, und wischte mit einem Wattestäbchen das Innere der zerbrochenen Flasche ab, bis sie eine ausreichende Probe hatte, damit ein Test durchgeführt werden konnte. Sie verschloss das Wattestäbchen in einen Plastikbeutel und tat dann dasselbe mit der Phiole und steckte eine Probe des Inhalts davon in ein separates Plastiktütchen. Dann zog sie einen Stift aus ihrer Tasche und beschriftete den ersten Beutel mit einem F für Flasche und den zweiten mit P für Phiole.

Sie zückte ihr Handy und machte Fotos von der Glasflasche und der Phiole, bevor sie beides in eine alte Einkaufstüte aus Plastik steckte und diese in eine Seitentasche im Kofferraum stopfte. Sie schloss ihre Reisetasche, schnappte sich die beiden Plastikbeutel mit den Proben und schloss den Kofferraum.

Naomi sprang auf den Fahrersitz und fuhr los. Der Verkehr war dicht, aber sie musste nicht weit fahren. Das Labor, in dem ihre Freundin Heather arbeitete, lag nur eine halbe Meile südlich der 3rd-Street-Brücke, die in die Mission-Bay-Gegend führte, wo in den vergangenen Jahren neue Luxuswohnsiedlungen entstanden waren und die UCSF ein neues Krankenhaus sowie mehrere neue Forschungseinrichtungen für ihre Fakultät gebaut hatte.

Naomi parkte auf einem der Besucherparkplätze und zückte ihr Handy. Sie schrieb Heather eine SMS, sie solle sie in der Lobby des Gebäudes treffen, wartete aber nicht auf deren Antwort. Stattdessen schnappte sie sich ihre Handtasche mit den beiden Plastiktütchen und stieg aus dem Auto. Als sie den Eingang der Forschungseinrichtung erreichte, piepste ihr Handy mit einer Antwort von Heather.

Bin gleich unten.

Naomi betrat die Lobby und wartete ungeduldig. Endlich öffneten sich die Fahrstuhltüren und Heather kam heraus.

„Halli-hallo, was ist los?", fragte Heather. „Ich kann aber heute nicht zu Mittag essen gehen. Ich habe heute Morgen spät angefangen und muss noch einiges aufholen ..."

„Nein, nein, ich bin nicht zum Mittagessen hier. Aber kannst du mir bitte einen Gefallen tun?" Naomi zog die beiden Plastiktütchen aus ihrer Handtasche.

„Was ist das?"

„Blut, glaube ich. Ich muss wissen, ob es sich bei diesen Proben um menschliches oder tierisches Blut handelt."

Heather runzelte die Stirn. „Warum um alles in der Welt –"

„Es ist für einen Zeitungsartikel. Mehr kann ich dir jetzt nicht sagen. Glaubst du, du könntest heute noch einen Schnelltest machen?"

Heather nahm die beiden Plastikbeutelchen entgegen. „Ich kann heute Nachmittag einen Präzipitintest durchführen. Du willst nur wissen, ob es sich um menschliches oder tierisches Blut handelt, aber du brauchst keine DNA, oder?"

„Richtig."

„Das ist ganz einfach. Aber ich muss warten, bis mein Chef später zu seinem Meeting geht. Er ist schon sauer, dass ich heute Morgen zwei Stunden zu spät gekommen bin." Heather beugte sich vor. „Coole Party letzte Nacht. Du hättest voll punkten können. Die Bude wimmelte nur so von heißen Typen."

„Schön, dass du Spaß hattest", sagte Naomi.

„Du hättest wirklich dabei sein sollen. Ich wünschte, du würdest mehr ausgehen. Ich schwöre, das nächste Mal schleppe ich dich mit. Da bleibst du nicht zu Hause, wenn du genauso gut Spaß haben könntest."

„Ich war letzte Nacht nicht zu Hause", sagte Naomi mit einem Grinsen.

„Was?"

Sie zwinkerte. „Ich musste an einer Story arbeiten."

„Das zählt nicht als Spaß."

„Tut es schon, wenn es bedeutet, dass ich zu einer Kostümparty im Mezzanine gehen musste." Naomi genoss es, den überraschten Ausdruck auf Heathers Gesicht zu sehen.

„Ach du lieber Gott! Du bist ins Mezzanine gegangen? Das ist derzeit der angesagteste Club der Stadt. Darüber musst du mir alles erzählen."

„Werde ich auch, aber nicht jetzt. Ich muss ein paar Dinge für diese Story recherchieren. Also vielleicht am Wochenende?"

„So lange kann ich nicht warten. Sag mir wenigstens, ob du jemanden kennengelernt hast."

„Habe ich."

„Und? Komm schon, zwing mich nicht, es dir aus der Nase zu ziehen."

„Ich dachte, du wirst im Labor gebraucht und dein Chef ist sauer."

Heather machte eine wegwerfende Handbewegung. „Wen interessiert das? Also, wer ist er, und hast du mit ihm geschlafen?"

Naomi spürte Hitze in ihre Wangen schießen. Ihre Freundin kam immer sofort zur Sache. „Er ist einer der Manager des Clubs, und ja, das habe ich."

Heather quietschte fast vor Aufregung und zog sie in eine Umarmung. „Ich will Einzelheiten!"

„Am Wochenende, okay?"

„Spaßverderberin", sagte sie und seufzte. „Ich rufe dich später mit den Ergebnissen der Tests an."

„Danke, ich schulde dir was."

In dem Wissen, dass sie sich auf ihre Freundin verlassen konnte, ging Naomi zurück zu ihrem Auto und fuhr in ihr Büro, um zu sehen, ob sie noch mehr über Scanguards und das Mezzanine herausfinden konnte.

12

Damian hatte die Sicherheitsaufzeichnungen innerhalb und außerhalb des Clubs durchforstet, um nach Hinweisen auf die Identität des Diebes zu suchen. Ohne Erfolg. Die Person im Harlekinkostüm mit der venezianischen Maske war nirgendwo anders im Club aufgetaucht als in dem Korridor, der zum Lagerraum führte. Das deutete darauf hin, dass er – oder sie – entweder durch die Hintertür hereingekommen war, für die ein Schlüssel oder der Fingerabdruck einer autorisierten Person erforderlich war, oder dass er in den Toiletten, die nicht von Kameras erfasst wurden, das Kostüm übergezogen hatte.

Damian telefonierte mit Sam und Andrew. Orlando ging nicht ans Telefon. Er würde sich später bei ihm melden, Orlando musste heute Nacht sowieso arbeiten. Frustriert kehrte er nach Hause zurück, um etwas zu essen und ein paar Stunden zu schlafen. Er würde mit seinem Vater sprechen, der im Penthouse über der Wohnung, die sich Damian mit Benjamin teilte, wohnte, bevor Amaury zu Scanguards Hauptquartier fuhr. Doch es stellte sich heraus, dass Damians Körper erschöpfter war, als er gedacht hatte, denn als er wieder wach wurde, war die Sonne schon untergegangen und sein Vater war bereits ins Büro gefahren.

Damian sprang in seinen schwarzen Porsche und fuhr zum Hauptquartier von Scanguards im Mission-Viertel. Er war froh, dass Scanguards eine eigene Tiefgarage unter dem Gebäude hatte, denn in dem beliebten Viertel, das für seine vielfältigen Restaurants und Bars bekannt war, gab es nie freie Parkplätze. Er parkte an seinem zugewiesenen Platz und fuhr dann mit dem Aufzug in die oberste Etage, wo sich die Büros der Direktoren befanden.

Im Gebäude war viel los. Tagsüber arbeiteten hauptsächlich Menschen und Hybriden im Hauptquartier, während nachts die vollblütigen Vampire, die das Sonnenlicht meiden mussten, übernahmen. Das Gebäude war vampirsicher mit bruchsicherem, speziell beschichtetem Glas ausgestattet. Es filterte die gefährlichen UV-Strahlen heraus, die für einen Vampir tödlich sein konnten.

Damian marschierte zu Amaurys Büro und freute sich nicht gerade auf das Gespräch, das er führen musste, doch der Diebstahl menschlichen Blutes stellte ein Sicherheitsrisiko dar und musste bereinigt werden.

Damian klopfte und trat ein, als er die Einladung seines Vaters hörte.

„Hi, Dad."

„Hey, Damian, wie geht's? Schöne Party gestern Abend im Club? Ich hoffe, du hast noch etwas Energie für die Hauseinweihungsparty heute Abend übrig."

„Das ist heute Abend?" Fast hätte er das vergessen.

„Ja, Ryder und Scarlet freuen sich darauf, endlich ihr Zuhause herzuzeigen. Es hat lange genug gedauert, es wieder aufzubauen. Wurde auch Zeit." Amaury lächelte. „Du kommst doch, oder? Denn Benjamin hat einen Auftrag, und er wird es nicht schaffen."

„Ja, sicher, ich werde es nicht verpassen."

„Ich werde wahrscheinlich gegen zwei Uhr dort sein. Ich bezweifle, dass es irgendjemand früher schaffen wird. Wir sehen uns dort, Sohn."

Als Amaury auf die Akte vor sich hinabblickte, räusperte sich Damian. Er sah wieder auf. „Stimmt etwas nicht?"

„Ja, leider." Damian fuhr sich mit der Hand durch sein dichtes Haar. „Letzte Nacht hat jemand eine Kiste mit menschlichem Blut aus dem Lagerraum des Mezzanines gestohlen."

„Verdammt!", zischte Amaury. „Hast du den Bastard erwischt? Wo ist er?"

„Nein, wir haben ihn noch nicht." Oder sie. „Die Kameras haben ihn aufgezeichnet."

„Dann holen wir ihn uns und kümmern uns um ihn."

„Er trug ein Kostüm mit einer venezianischen Gesichtsmaske. Ich weiß nicht, wer er ist. Ich habe bereits das gesamte Filmmaterial von gestern Abend durchgesehen, um zu sehen, ob er die Maske irgendwann abnimmt, aber er muss durch den Hintereingang hineingelangt sein."

„Wie? Hast du den biometrischen Scanner überprüft? Wurde er manipuliert?"

„Habe ich mir angesehen. Aber er funktioniert einwandfrei, und niemand kam um die Zeit, als der Diebstahl passierte, herein. Er muss einen Schlüssel benutzt haben, denn ich kann keine Hinweise auf einen Einbruch finden. Ebenso wenig im Lagerraum. Es sah nicht so aus, als hätte er einen Dietrich benutzt. Dafür war er zu schnell. Er musste einen Schlüssel haben."

„Schlüssel haben nur die Mitarbeiter."

„Ich weiß. Patrick hat mit den Garderobenmädchen und Tanja gesprochen, und ich habe bereits mit Sam und Andrew gesprochen. Sie alle hatten ihre Schlüssel zu jeder Zeit bei sich. Niemand hätte sie klauen können. Orlando habe ich noch nicht erreicht. Aber alle Mitarbeiter, die letzte Nacht Dienst hatten, hatten zu jeder Zeit ein Alibi."

Sich selbst erwähnte er nicht. Seine Schlüssel hatte er nicht immer bei sich gehabt. Tatsächlich hätte Naomi, als er nach dem Sex eingeschlafen war, leicht seine Schlüssel nehmen, sich verkleiden, das Blut stehlen und dann zurückkommen und seine Schlüssel zurückstecken können. Aber er konnte seinem Vater nicht sagen, dass er so nachlässig gewesen war. Er würde ihm das Fell über die Ohren ziehen.

„Glaubst du, dass einer der Mitarbeiter die Kiste gestohlen haben könnte?", fragte Amaury. „Sie hätten von den Kameras gewusst und wären darauf vorbereitet gewesen, sich zu verkleiden."

„Das ergibt keinen Sinn", sagte Damian schulterzuckend. „Warum sollten sie eine Kiste Blut stehlen, wenn sie alles Blut, das sie brauchen, umsonst bekommen können? Und noch etwas: Der Dieb war nicht sehr groß. Es hätte leicht eine Frau sein können." Das konnte er zumindest zugeben.

Amaury grunzte unzufrieden. „Ihr hattet letzte Nacht nur drei Barkeeper?"

„Mick ist nicht zu seiner Schicht erschienen. Ich musste Buffy überreden, in letzter Minute einzuspringen. Ich werde mit ihr sprechen, aber sie hatte keinen Schlüssel für den Vorratsraum. Ich meine, du denkst nicht, dass Buffy … Nein, das ist nicht möglich."

Amaury schüttelte den Kopf. „Buffy würde niemals unsere Sicherheit gefährden. Aber du solltest dir Mick genauer ansehen. Ich meine, ich mag den Typen und ich dachte, er sei zuverlässig, also warum ist er nicht zu seiner Schicht erschienen?"

„Ich habe mehrmals versucht, ihn anzurufen. Alle Anrufe gehen direkt zur Voicemail. Als Nächstes schaue ich bei ihm zu Hause nach, ob er da ist. Aber genau wie bei allen anderen Mitarbeitern verstehe ich nicht, warum sich jemand die Mühe machen sollte, eine Kiste mit Blut zu stehlen, wenn er weiß, dass wir den Diebstahl bemerken und mit der Kamera aufzeichnen würden. Und was würden sie damit überhaupt machen, außer es zu trinken?"

Natürlich gab es noch die andere Möglichkeit. Die Möglichkeit, dass Naomi ihr Geheimnis irgendwie herausgefunden hatte und vorhatte, sie als Vampire zu entlarven, und sie Beweise brauchte und deshalb die Kiste mit Blut gestohlen hatte. Trotzdem machte auch das keinen kompletten Sinn. Wozu würde sie eine ganze Kiste Blut brauchen? Würde eine Flasche nicht reichen? Eine Flasche, die zu Scanguards führte?

„Was denkst du, Sohn?"

Damian schüttelte den Kopf. „Nichts, ich versuche nur, es zu verstehen. Ich halte dich auf dem Laufenden. Ich fahre jetzt gleich zu Mick."

„Ja, lass mich so schnell wie möglich wissen, wenn du etwas herausfindest."

Damian nickte und verließ das Büro seines Vaters. Draußen auf dem Korridor blieb er stehen. War es seine Schuld, dass jemand das Blut gestohlen hatte? Wenn der Dieb Naomi war, dann war die Antwort ein eindeutiges Ja. Verdammt! Was, wenn er seine ganze Familie und alle bei Scanguards in Gefahr gebracht hatte, weil er von Naomi so in ihren Bann gezogen worden war, dass er alle Vorsichtsmaßnahmen über Bord geworfen hatte? Wenn das der Fall war, dann war er derjenige, der die Sache bereinigen musste. Er musste die Gefahr eindämmen.

13

Naomi war im Auto, als Heather sie endlich mit den Ergebnissen der Labortests anrief.

„Du hattest recht. Die Probe, die du mit einem F markiert hast, ist menschliches Blut. Blutgruppe A positiv."

Verdammt! Das bedeutete, dass das Etikett auf der Flasche korrekt war. Es hatte A+ darauf gestanden.

„Und die andere?", fragte Naomi eifrig, während sie an einer roten Ampel anhielt.

„Hmm. Nicht sicher. Ich weiß, dass es Blut ist. Aber es ist weder von einem Menschen noch von einem Tier", sagte Heather und klang verblüfft.

„Wie ist das möglich? Willst du damit sagen, dass es synthetisch ist?"

„Nein, definitiv nicht. Es ist … äh, sonderbar. Vielleicht war die Probe kontaminiert. Ich kann den Test nochmal durchführen. Hast du noch eine andere Probe aus derselben Quelle?"

„Ja, es dürfte noch genug für einen zweiten Test übrig sein. Kann ich es morgen irgendwann bei dir vorbeibringen?"

„Ja, sicher. Also, kannst du mir jetzt sagen, worum es geht?"

„Noch nicht. Ich bin noch dabei, die Puzzleteile zusammenzufügen", sagte Naomi ausweichend. Sie wollte ihre Freundin nicht beunruhigen. Und wenn wirklich Blutrituale im Mezzanine stattfanden, was bedeutete das dann für Damian? War er daran beteiligt? Plötzlich erinnerte sie sich an seinen Vorschlag, während des Sex ein Rollenspiel zu spielen. Er hatte so getan, als würde er sie mit seinen falschen Reißzähnen beißen, und später hatte er sogar in ihre Brüste gebissen – allerdings sehr zärtlich, ohne Spuren zu hinterlassen. War das sein Fetisch? Und wenn ja, geriet er manchmal außer Kontrolle? Tat er das auch mit anderen Frauen? Tat er Menschen weh?

Oh Gott, worauf hatte sie sich da eingelassen? Endlich hatte sie einen Mann kennengelernt, dem die Tatsache zu gefallen schien, dass sie nicht spindeldürr war, und der sie ansah, als wäre sie die schönste Frau der Welt, und dieser Mann könnte in einen satanischen Blutkult verwickelt sein? Da hatte sie sich ja wieder mal den Richtigen ausgesucht. Kein Wunder, dass sie mit dreißig noch Single war.

„Naomi?"

„Oh, äh, Entschuldigung, Heather, viel Verkehr in der Mission. Wir reden morgen. Und vielen Dank", sagte sie.

„Gute Nacht", sagte Heather und beendete das Gespräch.

Das Hupen hinter ihr erinnerte sie daran, dass sie immer noch an der Ampel stand, die jetzt grün geworden war. Sie überquerte schnell die Kreuzung und setzte ihren Weg zum Hauptquartier von Scanguards fort.

Sie wusste nicht wirklich, was sie sich von einem Besuch im Scanguards Hauptquartier versprach, aber sie wollte gründlich sein. Es war zu früh, um ins Mezzanine zurückzukehren. Der Club war wahrscheinlich schon geöffnet, aber so früh würde noch nicht viel los sein und jemand würde sie vielleicht erkennen.

An dem Block angekommen, in dem sich das Bürogebäude von Scanguards befand, hielt sie den Wagen an. Das Gebäude hatte eine verglaste Lobby, die der belebten Mission Street zugewandt war, und nahm den größten Teil des Blocks ein. Die zwei Stockwerke hohe Lobby war erleuchtet und wimmelte von Menschen, die kamen und gingen. Naomi sah auf ihre Uhr. Es war schon fast 21 Uhr. Doch das Büro war noch geöffnet. Zwei Sicherheitsleute flankierten den Eingang, überprüften Ausweise und führten die Besucher zu einer Rezeption im Inneren. Sie würde es auf keinen Fall an der Lobby vorbei schaffen. Sie musste sich etwas anderes einfallen lassen, wie sie mehr über die Firma herausfinden könnte und darüber, warum sie menschliches Blut abfüllten.

Da sie keine Aufmerksamkeit auf sich ziehen wollte, bog sie an der nächsten Ecke ab und hielt in der Seitenstraße, die das Scanguards-Gebäude flankierte, als sie bemerkte, dass ein schwarzer Porsche aus einer Garage darunter herausfuhr. Für einen Augenblick beleuchteten ihre Scheinwerfer das Gesicht des Fahrers: Damian.

Das war ein Glücksfall, den sie nutzen wollte. Sie konnte Damian folgen und sehen, wohin er unterwegs war. Vielleicht konnte sie ihn bei etwas erwischen, das die Vorgänge im Club und Scanguards' Beteiligung an einem satanischen Blutkult erhellen würde.

Naomi legte den Gang ein und folgte Damians Porsche. Sie hatte erwartet, dass auf seinem Nummernschild so etwas stand wie HENGST oder DAMIAN oder HOT, aber zu ihrer Überraschung war es ein normales Nummernschild ohne offensichtliche Bedeutung.

Sie hatte noch nie einen Kurs darüber besucht, wie man ein anderes Auto beschattete, aber sie hatte viele Filme gesehen und wusste, dass sie Damians Porsche nicht zu nahe kommen durfte. Das machte es leider auch schwer, ihn im dichten Abendverkehr nicht zu verlieren. Wie machten die Profis das? Glücklicherweise war ihr Mini Cooper klein genug, um sich an anderen Autos vorbeizwängen zu können und Damian zu folgen, der durch die Stadt fuhr, als hätte er kein Ziel. War er nur zum Spaß unterwegs? Oder suchte er jemanden oder irgendetwas?

Als Damian nach rechts abbog, hielt das Auto vor ihr plötzlich an und blockierte sie, während der Fahrer einer alten Dame mit zwei Einkaufstüten bedeutete, ins Auto einzusteigen. Naomi versuchte, das Auto links zu überholen, aber genau in diesem Moment kam ein Bus entgegen und hinderte sie daran.

„Beweg dich!", grummelte sie.

Als die Frau eingestiegen war und sie endlich in die Straße abbiegen konnte, in die Damian kurz zuvor eingebogen war, war von dem schwarzen Porsche nichts mehr zu sehen.

Sie schlug mit den Händen auf das Lenkrad. „Scheiße!"

Was hatte sie sich dabei gedacht, Damian zu folgen, als wäre sie eine Undercover-Polizistin?

Ein paar Minuten, nachdem er das Scanguards-Hauptquartier hinter sich gelassen hatte, hatte Damian bemerkt, dass ihm ein blauer Mini Cooper folgte. Er war auf dem Weg zu Mick Solvangs Wohnung gewesen, um herauszufinden, warum er nicht ans Telefon ging und nicht im Club aufgetaucht war – und ob er etwas mit dem Diebstahl der Kiste Blut zu tun hatte. Aber er konnte es nicht riskieren, dass ihm jemand zu Mick folgte. Um sicherzugehen, dass er nicht nur paranoid war, war er mehrmals wahllos abgebogen, aber das Auto folgte ihm weiterhin. Er brauchte noch ein paar Minuten länger, um herauszufinden, wer die Fahrerin des anderen Wagens war: Naomi.

Diese Tatsache verstärkte nur noch seinen Verdacht bezüglich des Motivs für ihr Auftauchen in seinem Büro. Wegen einer Wette! Als ob! Sie hatte ihn von dem Moment an manipuliert, als er sie zum ersten Mal gesehen hatte. Und sie war so weit gegangen, mit ihm zu schlafen. Und wofür? Um ihn und seine vampirischen Freunde und Familie auszuspionieren. Um Scanguards zu entlarven. Und er war so dumm gewesen, darauf hereinzufallen. Aber jetzt nicht mehr. Jetzt würde er den Spieß umdrehen.

Es war nicht schwer, sie im dichten Abendverkehr abzuhängen. Und dank seiner Ausbildung bei Scanguards hatte er keine Probleme, Naomis Auto zu folgen, als sie im Zickzack durch die Innenstadt fuhr und offensichtlich versuchte, seine Spur wieder aufzunehmen. Aber sie hatte Pech, denn er wusste, wie er sie verfolgen konnte, ohne dass sie bemerkte, dass der, den sie suchte, hinter ihr war.

Mal sehen, wie es dir gefällt, manipuliert zu werden.

Nachdem sie zwanzig Minuten durch die Innenstadt gefahren war, schien Naomi aufgegeben zu haben. Sie fuhr plötzlich in eine Richtung und es war nicht schwer zu erraten, was ihr Ziel war: das Mezzanine. Er blieb mit seinem Porsche ein paar Autos hinter ihr. Als sie den Block erreichten, in dem sich das Mezzanine befand, begann Naomi, sich nach einem Parkplatz umzusehen.

Damian bog in die Gasse neben dem Club ein und stellte den Motor ab. Er zückte sein Handy und machte einen Anruf.

„Orlando?"

„Hallo, Damian."

„Tu mir einen Gefallen. In ein paar Minuten wird eine vollbusige blonde Frau, etwa 1,65 Meter groß, an der Tür zum Mezzanine auftauchen. Sie will hinein. Sag ihr, dass heute Abend eine private Party ist, und schick sie weg."

„Wie du willst."

„Vielen Dank."

Damian steckte sein Handy in die Tasche und stieg aus dem Auto. Er verließ die Gasse. Er blickte die Straße hinunter und sah, dass Naomi nur einen Block weiter einen Parkplatz gefunden hatte. Ihr Mini Cooper war leicht zu erkennen. Er blickte zum Eingang des Clubs und sah, dass Naomi mit Orlando sprach. Damian timte es so, dass er, als sie zu ihrem

Auto zurückging, auf sie zuging, als wäre er auf dem Weg zum Club.

Als sich ihre Blicke trafen, lächelte Damian: „Hey, was machst du hier?"

Sie sah fassungslos aus, aber dann fing sie sich wieder. „Eigentlich wollte ich sehen, ob du im Club bist."

Damian blieb nur einen Meter von ihr entfernt stehen und ließ seine Hand an ihre Taille gleiten. „Du hast dich heute Morgen rausgeschlichen."

Zu seiner Überraschung errötete sie. „Ich war mir nicht sicher, ob du wolltest, dass ich noch da bin, wenn du aufwachst."

Das war eine schwache Ausrede. Offensichtlich hatte sie sich das gerade erst ausgedacht. „Und warum denn nicht?"

„Ist das nicht das, was du von einem One-Night-Stand erwartest?"

Oh, sie wollte ihm die Schuld geben? Ja, nicht so schnell. „So siehst du mich also? Als einen deiner One-Night-Stands? Bedeutet das, dass du nicht an einer Wiederholung interessiert bist?" Er zog sie an seinen Körper und konnte spüren, wie ihre Brüste seine Brust berührten und ihr Herzschlag an seinem widerhallte. Er war sich nicht zu schade, die sexuelle Anziehungskraft zwischen ihnen auszunutzen, um herauszufinden, was sie wirklich wollte.

„Oh, ich hatte nicht gedacht, dass du ... ähm, an mehr interessiert bist." Ihre Stimme zitterte.

Gut. Sie hatte keine Ahnung, dass er ihr schon auf der Spur war.

„Wenn du bis heute Morgen geblieben wärst, hättest du herausgefunden, dass ich noch viel mehr wollte." Er drückte sein Becken an ihres und bemerkte, dass er bereits hart war. Allein sie in den Armen zu halten und ihren verführerischen Duft einzuatmen, hatte diese Wirkung auf ihn.

„Oh." Ihre Lippen bildeten einen perfekten Kreis, als sie nach Luft schnappte.

„Wie wäre es, wenn wir etwas trinken gehen?", schlug er vor.

„Sicher. Im nächsten Block ist eine Bar", antwortete sie.

„Ich habe an etwas Privateres gedacht", sagte er, wobei er einen absichtlich heiseren

Ton anschlug, als er seinen Mund an ihr Ohr senkte. „Es sei denn, du willst eine Wiederholung dessen, was letzte Nacht auf der Tanzfläche passiert ist."

Naomi holte hörbar Luft, und einen Moment lang dachte er, sie würde seinen Vorschlag ablehnen. „Okay, wie wäre es mit deiner Wohnung?"

Er zog seinen Kopf zurück, um sie anzusehen. „Tut mir leid, ich habe erst heute meine Wohnung streichen lassen. Es stinkt nach frischer Farbe. Wie wäre es stattdessen mit deiner Wohnung?"

Sie zögerte, und er konnte sehen, wie die kleinen Rädchen in ihrem Kopf Überstunden machten. Hatte sie etwas in ihrer Wohnung, das sie verraten könnte? Etwas, das verraten würde, dass sie daran arbeitete, ihn und Scanguards als Vampire zu entlarven?

„Sicher. Mein Auto steht dort drüben." Sie zeigte an ihm vorbei.

„Ich folge dir mit meinem Auto." Er sah über seine Schulter. „Welches ist dein Auto?"

„Der blaue Mini Cooper."

„Meins ist in der Gasse da drüben. Gib mir

einen Moment, um es zu holen, und ich fahre dir hinterher." Dann drückte er ihr einen keuschen Kuss auf die Lippen, bevor er zurück in die Gasse ging und in seinen Porsche sprang.

Augenblicke später folgte er Naomis Mini Cooper ins Mission-Viertel. Er hatte sich ihre Adresse eingeprägt und wusste, dass sie ihn nicht nur irreführte und versuchte, ihn abzuhängen. Als sie vor einem Wohnhaus anhielt, hielt er neben ihr an und kurbelte das Fenster herunter.

„Wie ist deine Wohnungsnummer?"

„3B, oberste Etage", antwortete sie.

„Ich suche einen Parkplatz und komme dann rauf."

„Okay."

Er beobachtete, wie sie in die Garage unter dem Gebäude fuhr, und bog um die Ecke.

Zuerst würde er seinen Charme einsetzen, um sie zum Reden zu bringen, doch wenn das nicht funktionierte, würde er sie zur Rede stellen. So oder so würde er heute Abend die Wahrheit aus ihr herausholen.

Showtime.

14

Naomi parkte auf ihrem zugewiesenen Platz unter ihrem Wohnhaus und wollte sich selbst eine Ohrfeige verabreichen. Warum zum Teufel hatte sie sich überreden lassen, Damian in ihre Wohnung einzuladen? War sie lebensmüde? Wenn Damian hinter dem satanischen Blutkult steckte, von dem sie jetzt allen Grund hatte anzunehmen, dass er existierte, brachte sie sich dann nicht selbst in Gefahr? Aber in dem Moment, als er seine Arme um sie gelegt und sie an seinen sündigen Körper gedrückt hatte, hatte sie die Fähigkeit verloren, klar zu denken.

Verärgert über sich selbst schloss sie das

Auto ab und ging nach oben in die Lobby. Sie musste das Beste aus dieser Situation machen. Vielleicht konnte sie ihm doch Informationen entlocken. Es gab so etwas wie Bettgeflüster. Solange sie sich normal verhielt, würde er nicht herausfinden, dass sie vermutete, im Mezzanine ginge etwas Schlimmes vor sich. Und es bestand noch immer die Möglichkeit, dass er nicht beteiligt war und nur einer seiner Angestellten hinter Damians Rücken etwas Schändliches tat. Doch wenn sie ehrlich zu sich selbst war, musste sie zugeben, dass es unrealistisch war, dass Damian keine Ahnung hatte, was im Club vor sich ging. Es war nur Wunschdenken, damit sie sich nicht eingestehen musste, dass sie scharf auf einen verdorbenen Verbrecher war.

In der Lobby ihres Gebäudes holte sie tief Luft und ließ dann Damian herein. Es gab keinen Aufzug, also gingen sie die Treppe in den zweiten Stock hinauf.

„Wie lange wohnst du schon hier?", fragte er beiläufig.

„Sieben Jahre. Es ist mietpreisgebunden. Ich kann es mir nicht leisten, auszuziehen. So etwas Billiges finde ich nie wieder." Sie hoffte, dass er nicht spürte, wie nervös sie war.

„Das verstehe ich." Als sie die Wohnung betraten, knipste Naomi das Licht an und Damian ließ seinen Blick schweifen. „Es ist gemütlich."

Sie zwang sich zu einem Glucksen und versuchte so zu tun, als würde sie die Spannung zwischen ihnen nicht spüren, und schloss die Tür. „Es ist winzig."

Es war eine ziemlich kleine Zwei-Zimmer-Wohnung mit einem Badezimmer aus den Fünfzigern und einer Küche, die dringend renoviert werden musste.

„Also, was möchtest du trinken?", fragte sie.

„Was hast du?"

„Bier, Wein und vielleicht ist noch etwas Vodka übrig."

„Wein ist in Ordnung."

Naomi ging in die Küche und öffnete den Kühlschrank, um eine Flasche Weißwein herauszuholen, als sie Damian hinter sich spürte, seinen heißen Atem an ihrem Ohr. Sie zitterte unwillkürlich. War es Angst, was sie verspürte? Oder etwas anderes?

„Also, was machst du, wenn du keine Nachtclubmanager verführst?", fragte er in einem viel zu verführerischen Ton.

Sie schloss die Kühlschranktür und stellte die Flasche auf den Tresen, um sich etwas Zeit zum Antworten zu verschaffen. Sie wusste, dass sie nicht direkt lügen konnte und sich so nahe wie möglich an die Wahrheit halten musste.

„Ich arbeite für den Chronicle."

„Du bist Reporterin?", fragte er und Überraschung färbte seine Stimme.

„Ich bin im Grunde eine verherrlichte Lektorin", log sie. „Es ist nichts Aufregendes. Aber die Bezahlung stimmt. Und die Arbeitszeiten sind gut." Sie griff nach zwei Weingläsern und schenkte den Weißwein ein, bevor sie Damian ein Glas reichte.

„Ich verstehe", sagte er mit einem seltsamen Gesichtsausdruck.

Im Wohnzimmer nahm Naomi auf der Couch Platz und erwartete, dass Damian den Sessel nehmen würde, aber stattdessen gesellte er sich zu ihr auf das Sofa. Sie nippte an ihrem Drink und beobachtete, wie Damian das Gleiche tat. Dann nahm er ihr das Glas aus der Hand und stellte seines und ihres auf den Wohnzimmertisch.

Einen Moment später rutschte er näher und drehte sich zu ihr um, eine Hand hinter ihr auf der Rückenlehne des Sofas, die andere auf ihrem Oberschenkel. Der Kontakt sandte eine sengende Flamme durch ihr Inneres. Seine blauen Augen waren durchdringend, als er sie damit fixierte. Was hatte er jetzt vor?

„Also, was hast du letzte Nacht wirklich in meinem Büro gemacht?"

Ihr Herzschlag beschleunigte sich. „Das habe ich dir doch bereits gesagt. Es war eine Wette."

„Also hast du da nicht herumgeschnüffelt?"

Verdammt! Hatte sie seinen Verdacht letzte Nacht nicht zerstreut? Warum brachte er das jetzt zur Sprache? Sie musste mutig kontern, sonst würde er sie überrumpeln. Sie kniff die Augen zusammen. „Beschuldigst du alle Frauen, mit denen du schläfst, dich auszuspionieren?" Sie schob seine Hand von ihrem Bein.

„Nein, nur diejenigen, die versuchen, mich als Mittel zum Zweck zu verführen."

„Wie bitte? Du glaubst, ich habe dich verführt?" Sie schüttelte den Kopf und ließ Empörung in ihrer Stimme mitklingen. „Das ist lächerlich. Darf ich dich daran erinnern, dass du derjenige warst, der mich praktisch ... ähm ... auf der Tanzfläche berührt hat? Und du denkst, ich habe dich verführt? Warum denn?"

„Um meine Schlüssel zu stehlen."

Naomi sprang vom Sofa auf. „Was zum Teufel würde ich mit deinen Schlüsseln machen?", fragte sie, dieses Mal wirklich fassungslos. Sie hatte seine Schlüssel nicht berührt, obwohl sie zugeben musste, dass sie danach gesucht hatte, aber das war, bevor sie sich geküsst hatten.

Damian erhob sich langsam. In diesem Moment erinnerte er sie an einen Tiger, der sich an seine Beute heranpirschte.

„Jemand ist heute früh mit einem Schlüssel in den Lagerraum eingebrochen, kurz nachdem ich eingeschlafen bin, nachdem wir das zweite Mal Sex hatten."

„Du beschuldigst mich des Einbruchs? Wie kannst du es nur wagen?"

„Ich weiß, dass du am Abend versucht hattest, die Tür zu öffnen. Ich habe es auf der Überwachungskamera gesehen. Dein roter Umhang war nicht zu übersehen."

Schockiert schnappte sie nach Luft. Ja, sie hatte mehrere Türen im Angestelltenbereich ausprobiert, aber bis auf den Pausenraum waren alle verschlossen gewesen. Sie war nicht eingebrochen, und wenn er sie auf der Kamera hatte, dann wusste er das bereits. „Ich habe mich verlaufen, okay? Ich suchte nach den Toiletten, und ja, also ich war ein bisschen beschwipst. Aber ich bin nicht in einen Lagerraum oder sonst irgendwo eingebrochen." Was auch die Wahrheit war, denn die Tür zu Damians Büro war nicht abgeschlossen gewesen. „Und wenn du mich wirklich auf Video hast, dann hättest du gesehen, dass ich auch später, nachdem wir Sex hatten, nicht eingebrochen bin. Wenn du also jemanden mit einem roten Umhang auf dem Überwachungsvideo gesehen hast, war das nicht ich."

„Der Einbrecher trug beim Einbruch ein anderes Kostüm, schwarz-weiß mit einer venezianischen Gesichtsmaske."

Bei der Beschreibung wurde Naomi klar, dass Mrs. Zhang die Person, die vermutlich in den Lagerraum eingebrochen war, gesehen hatte, als sie sich aus dem Staub machte. Aber das konnte sie Damian nicht sagen, weil sie sonst preisgeben würde, dass sie Recherchen über den Club anstellte.

„Wahrscheinlich hast du zu diesem Zeitpunkt gemerkt, dass dort eine Kamera ist und dass ich dein Outfit erkennen würde, also hast du dich verkleidet."

Naomi sah ihn mit zusammengekniffenen Augen an. Sie musste sich verteidigen, ohne das, was sie wusste, preiszugeben. Tatsächlich lieferte Damian ihr den perfekten Vorwand, um ihn loszuwerden. „Ich habe dir nichts geklaut. Nicht deine Schlüssel und nicht das, was im Abstellraum deines verdammten Clubs war. Mach schon, durchsuch meine Wohnung. Du wirst nichts finden. Und dann möchte ich, dass du verschwindest. Und wenn ich daran denke, dass ich es wirklich genossen habe, mit dir zu schlafen! Wie dumm von mir! Ich sollte mir meinen Kopf untersuchen lassen!"

Sie erkannte jetzt, dass es so am besten war. Dieser Streit war der perfekte Vorwand, um ihn aus ihrer Wohnung und aus ihrem Leben zu werfen. Sie würde einen anderen Weg finden, herauszufinden, was im Mezzanine vor sich ging. Es war ohnehin sicherer, nicht in Damians Gegenwart zu sein.

Sie verschränkte die Arme vor der Brust und drehte ihm den Rücken zu. „Du weißt, wo die Tür ist."

Hinter ihr herrschte Schweigen. Sie hörte nur Damians Atem und ihren eigenen Herzschlag. Worauf wartete er?

„Beantworte mir noch eine Frage. Warum bist du mir heute Abend gefolgt?"

Verdammt! Er hatte bemerkt, dass sie ihn verfolgt hatte? Was jetzt? Wie konnte sie erklären, warum sie ihm gefolgt war? Sie musste sich so nahe wie möglich an die Wahrheit – oder eine Version davon – halten.

„Okay, ich bin dir gefolgt!" Sie wirbelte herum und funkelte ihn an. „Ich war auf dem Heimweg und sah dich in deinem Auto, als du in der Mission an einer Ampel angehalten hast. Ich bin dir gefolgt, okay? Es war impulsiv, das gebe ich zu. Und ja, ein bisschen stalkerhaft. Aber ich habe keinen Schaden angerichtet. Ich … ich … ähm, ich wollte dich wiedersehen, aber ich wollte nicht zu offensichtlich sein, also dachte ich, ich könnte es einrichten, dir zufällig zu begegnen. Aber dann habe ich dich im Verkehr verloren, also bin ich ein bisschen herumgefahren, um dich zu finden. Als das nicht funktioniert hat, fuhr ich zum Mezzanine. Jetzt weißt du, wie erbärmlich ich bin. Du hast mich letzte Nacht nicht nach meiner Telefonnummer gefragt. Deshalb bin ich gegangen. Ich wollte uns diese Peinlichkeit am Morgen ersparen, wo du versprechen würdest, mich anzurufen, wenn du eigentlich nicht die Absicht hast, das zu tun."

Oh Gott, sie schwafelte. Kaufte er ihr das ab?

„Ich hätte dir nie folgen sollen. Es war dumm." Sie deutete zur Tür. „Ich habe nichts aus dem Club gestohlen, und ich habe deine Schlüssel nicht berührt. Aber du vertraust mir offensichtlich nicht. Und an etwas anderem bist du sowieso nicht interessiert. Also, was machst du noch hier? Geh einfach."

Naomi wandte sich ab, nicht weil sie nicht bei einer Lüge ertappt werden wollte, sondern weil ihr plötzlich klar wurde, dass ein Teil von dem, was sie gesagt hatte, der Wahrheit entsprach: Sie hatte befürchtet, dass der Morgen danach unangenehm werden würde und Damian erkennen würde, dass sie im Tageslicht nicht so sexy und begehrenswert war wie unter den gedämpften Lichtern des Clubs, trotz allem, was er während ihrer leidenschaftlichen Begegnung behauptet hatte. Sie hatte Angst davor, dass er sie zurückwies und bedauerte, mit ihr geschlafen zu haben. Deshalb war sie gegangen, ohne sich zu verabschieden. Um die Erinnerung an ihre leidenschaftliche Nacht zu bewahren. Ja, sie war erbärmlich.

15

Damian ließ Naomis Worte auf sich wirken. Hatte er sich doch in ihr geirrt? Hatte sie wirklich nichts mit dem Diebstahl der Blutflaschen zu tun? Ihre Behauptung, sie sei ihm gefolgt, um ein zufälliges Treffen zu initiieren, war nicht allzu weit hergeholt. Auch andere Frauen hatten das schon einmal getan: seine Gewohnheiten herausgefunden, damit sie ihm über den Weg laufen und es wie zufällig aussehen lassen konnten. Und Naomi wohnte in der Mission. Es war durchaus möglich, dass sie ihn in seinem Auto gesehen hatte, nachdem er Scanguards verlassen hatte.

Schließlich führten nur eine begrenzte Anzahl Hauptstraßen von ihrem Büro im San Francisco Chronicle zu ihrer Wohnung in der Mission, und eine dieser Straßen führte direkt am Hauptquartier von Scanguards vorbei.

Sogar Naomis Erklärung, warum sie gegangen war, während er noch schlief, war nachvollziehbar. Er hatte während ihrer gemeinsamen Nacht bemerkt, dass sie sich ihres Körpers nicht so sicher war, wie sie es sein sollte. Wahrscheinlich hatten ihr Männer und Frauen oft genug gesagt, dass sie fett aussah, obwohl er sich nicht erklären konnte, warum. Ihre Kurven waren perfekt, und jeder Mann, der das nicht sah, war blind.

Damian fuhr sich mit der Hand durchs Haar. Seine Nacht mit Naomi war zu schön gewesen, um wahr zu sein, und vielleicht war das der Grund, warum er ihre Motive infrage stellte. Er hatte nach einer Frau wie ihr gesucht, seit er angefangen hatte zu daten, und jetzt, wo er genau das gefunden hatte, was er wollte, hatte er Angst, dass es eine Fata Morgana war oder ein Streich, den ihm jemand spielte. Wenn er dazu noch den Diebstahl des abgefüllten Blutes und das daraus resultierende Risiko der Enthüllung hinzufügte, könnte ihm da wirklich jemand übelnehmen, dass er irrational reagierte? Trotzdem rechtfertigte das nicht, wie er sie behandelt hatte.

„Ich will nicht gehen", sagte er schließlich und trat näher an sie heran. „Es tut mir leid, Naomi. Ich wollte dich nicht so anklagen. Es ist nur ..." Er seufzte. „Wenn Frauen mich anmachen, haben sie immer einen Hintergedanken, sei es, dass sie denken, ich sei reich, oder dass ich die richtigen Verbindungen habe, oder dass sie einen Trophäenfreund wollen, aber sie wollen nie wirklich mich."

„Das glaube ich nicht ganz", sagte Naomi, sah ihn aber immer noch nicht an.

„Versteh mich nicht falsch: Ich mag die Aufmerksamkeit. Das kann ich nicht bestreiten. Aber ich scheine nie die Art von Frau anzuziehen, die mich wirklich anspricht. Eine Frau wie du."

Sie spöttelte. „Ach bitte."

„Es ist wahr. Aber ich schulde dir eine Erklärung."

Endlich sah Naomi ihn an.

„Der Einbruch hat mich und mein Team aufgerüttelt. Und als ich sah, zu welcher Zeit der Einbruch geschah und dass die Person ungefähr so groß zu sein schien wie du, begann ich zu zweifeln, warum du mit mir ins Bett gegangen bist."

„Bitte, ein kleiner Einbruch macht dich ganz nervös? Was hat der Dieb denn gestohlen? Eine Flasche Alkohol?" Sie schüttelte den Kopf.

Er wusste, dass er ihr nicht die Wahrheit darüber sagen konnte, was aus dem Lagerraum verschwunden war, aber er musste ihr klarmachen, dass es wichtig war. „Ich habe dort etwas Wertvolles für meinen Vater aufbewahrt. Und mein Kopf liegt auf dem Hackklotz, wenn ich das nicht zurückbekomme."

Sie zögerte, dann holte sie Luft. „Willst du damit sagen, dass du Drogen dort unten aufbewahrt hast?"

Verblüfft schüttelte Damian den Kopf.

„Drogen? Oh Gott, nein! Wie kommst du darauf?"

„Ich meine, das ist in vielen Nachtclubs so. Die Leute handeln mit Drogen."

„Nicht in meinem Club", protestierte Damian. Dafür hatte er gesorgt. Alle seine Mitarbeiter waren angewiesen, jeden Verdacht auf Drogenhandel und Drogenkonsum durch Gäste oder Mitarbeiter direkt ihm oder Patrick zu melden. „Ich bin sehr streng in Bezug auf Drogen im Club. Wenn ein Gast Drogen bei sich hat, bekommt er sofort Zutrittsverbot auf Lebenszeit. Der Club ist sauber. Wir tolerieren keine Drogen. Sie bringen nur Gewalt und Ärger mit sich."

„Tut mir leid, ich wollte dich nicht beleidigen."

„Das hast du nicht." Er griff nach ihrer Hand. „Naomi, kannst du mir verzeihen, was ich dir vorgeworfen habe? Ich möchte dir vertrauen, aber es könnte eine Weile dauern, bis ich das schaffe."

Er sah sie zögern. „Bitte, Naomi. Ich glaube, zwischen uns entwickelt sich etwas Gutes." Er zog ihre Hand an seine Lippen und küsste ihre Handfläche. „Ich habe es genossen, gestern Abend mit dir zusammen zu sein. Ich habe mich noch nie so gut gefühlt wie in dem Moment, als du mit meinem Schwanz in dir zum Höhepunkt gekommen bist."

Naomi atmete sichtbar ein und ihre Lippen öffneten sich. Er konnte hören, wie sich ihr Herzschlag beschleunigte, und das Aroma ihrer Erregung stieg ihm plötzlich in die Nase.

„Bitte, sag, dass du mir verzeihst", murmelte er und ließ all seinen verführerischen Charme in seine Stimme fließen.

Verdammt, er wollte diese Frau mehr als alles, was er je gewollt hatte. Und es war ihm egal, was er tun musste, um sie zu bekommen. Auch wenn das bedeutete zu betteln.

Ihre Blicke trafen sich plötzlich und Naomis Lippen bewegten sich. „Ich vergebe dir."

„Darf ich es wiedergutmachen?", fragte er, und sein Mund schwebte jetzt über ihrem.

Ihr Atem neckte seine Haut. „Wie?"

„Indem ich Liebe mit dir mache."

Ihre Lippen trafen sich und Damian küsste

sie zärtlich, wissend, dass er vorsichtig mit ihr umgehen musste und sich nicht wie ein Elefant im Porzellanladen benehmen und zerstören durfte, was er gerade ins Reine gebracht hatte. Als Naomi ihre Arme um ihn legte und eine Hand in seinen Nacken gleiten ließ, drückte er sie näher an sich und tauchte tiefer in ihren Mund ein, erkundete sie und duellierte sich mit ihrer Zunge.

Für einen Moment unterbrach er den Kuss. „Bitte sag mir, dass du Kondome im Haus hast.“

„In meinem Schlafzimmer.“

„Gut.“

Er senkte seine Lippen wieder auf ihre und hob sie in seine Arme, um sie ins Schlafzimmer zu tragen. Die Tür war nur angelehnt, und er trat sie auf. Er legte Naomi auf das Doppelbett, griff nach der Nachttischlampe und legte den Schalter um. Sofort wurde der Raum in ein warmes Licht getaucht. Diesmal bat Naomi ihn nicht, das Licht auszuschalten.

Langsam fing er an, sie auszuziehen, schälte Schicht für Schicht ab, bis sie nur noch mit BH und Höschen bekleidet vor ihm lag. Beide waren rosa und ließen sie unschuldig aussehen, obwohl er wusste, dass nichts an ihrem Körper unschuldig war. Sie war die reine Sünde. Und er hatte vor, heute Abend reichlich zu sündigen.

Damian stand neben dem Bett. „Schau mir beim Ausziehen zu."

Er nahm sich Zeit, sich von seiner Jacke und seinem Hemd zu befreien, dann von seinen Schuhen und Socken, bevor er seine Hose öffnete und sie abstreifte. Als er sich ganz davon befreite, bemerkte er, dass Naomi ihn mit leidenschaftlichen Augen ansah. Verdammt, wie er diesen Blick liebte. Ihre Augen wanderten zu seinen Boxershorts, und obwohl er vorgehabt hatte, sie noch eine Weile anzubehalten, während er sie beglückte, konnte er nicht widerstehen, sie loszuwerden, nur damit Naomi ihn so ansehen würde, als ob sie seinen Schwanz verschlingen wollte.

Sein Schaft war hart und schwer. Und obwohl das für einen Vampir keine Überraschung war, wusste er dennoch, dass die Geschwindigkeit, mit der Naomi ihn erregen konnte, ein Beweis für die Anziehungskraft war, die zwischen ihnen prickelte. Nur ein Blick auf sie, und er war dem Höhepunkt nahe. Und sie jetzt anzusehen, bekleidet mit ihrem rosafarbenen BH und Höschen, die kaum den Schatz darunter bedeckten, ließ sein Herz in Erwartung der Leidenschaft, die sie bald teilen würden, und der Freude, die sie einander bereiten würden, rasen.

Ihre Augen auf seine Erektion gerichtet, setzte sich Naomi plötzlich auf und kroch auf Händen und Knien zu ihm, bis ihr Kopf nur noch Zentimeter von seinem Schwanz entfernt war.

„Ich will dich lecken", murmelte sie und sah zu ihm auf.

„Wenn du das tust, werde ich nicht lange durchhalten", warnte er sie.

„Das ist mir egal."

Verdammt! So wie sie schmollte, sah sie sexyer aus denn je. Der Gedanke, dass sie diese Lippen um seine Erektion legen wollte, machte ihn heißer als die Hölle, und obwohl er geplant hatte, ihre köstliche Muschi zu lecken, konnte er ihrem Angebot nicht widerstehen.

„Worauf wartest du dann?", fragte er mit heiserer Stimme und packte seine Erektion an der Wurzel.

Ein sündiges Lächeln kräuselte sich um ihre Lippen und sie leckte sie mit ihrer Zunge. Sie brachte ihr Gesicht näher und Damian spürte, wie sich sein Herzschlag beschleunigte. Einen Moment später leckte Naomi die Spitze seines Schwanzes mit ihrer rosa Zunge und sein ganzer Körper stand in Flammen.

„Fuck!"

Naomi teilte ihre Lippen weiter und nahm ihn in ihren Mund, glitt so weit sie konnte auf ihm hinab. Damian keuchte unkontrolliert. Er war kein Anfänger, wenn es um Blowjobs ging. Tatsächlich beglückten ihn viele Frauen gerne auf diese Weise, aber Naomis sexy rote Lippen um seinen Schwanz zu spüren und zu fühlen, wie ihre Zunge ihn leckte, während sie sich auf ihm auf und ab bewegte, machte ihn heißer als alles andere. Er konnte nicht anders, als der Versuchung nachzugeben, seine Hüften hin und her zu bewegen, und begann langsam, in ihren willigen Mund zu pumpen. Er legte seine Hände auf ihre Schultern, und Naomi hob ihre Lider und sah zu ihm auf. Ihre blauen Augen waren pure Sünde, und als sein Blick auf ihre Brüste fiel – die immer noch von ihrem BH festgehalten wurden, aber deswegen nicht weniger erotisch waren, als würden sie frei auf und ab hüpfen – brachte ihn der Anblick beinahe zum Höhepunkt.

Mit einem abgehackten Atemzug zog er sich aus ihrem Mund. „Genug!"

„Hat es dir nicht gefallen?", fragte sie unschuldig und neigte ihren Kopf zur Seite.

„Als ob du nicht wüsstest, was du mir antust. Versuchst du, mich dazu zu bringen, die Kontrolle zu verlieren?" Er schüttelte den Kopf und zog sie dann hoch, sodass er spürte, wie sich ihre Brüste an seine Brust drückten. „Ich habe jede Sekunde davon geliebt. Vielleicht lasse ich dich mich das nächste Mal länger lutschen, aber im Moment habe ich andere Pläne."

Sie hob ihre Augenbrauen. „Welche Pläne?"

„Ich will deine Muschi lecken. Es sei denn, dir gefällt das nicht.“

Ein sanftes Lächeln bog ihre Lippen nach oben. „Ich bin sicher, es wird mir gefallen.“

Sie legte sich wieder auf den Rücken und griff nach ihrem Höschen, aber er legte seine Hand auf ihre. „Lass mich das machen.“

Er gesellte sich zu ihr aufs Bett und zog ihren Slip dann langsam über ihre Beine nach unten und warf ihn auf den Boden. Er genoss den verlockenden Anblick ihrer wunderschönen Muschi, bevor sein Blick zu ihren Brüsten wanderte.

„Der Verschluss ist vorne“, sagte Naomi.

Damian griff danach und öffnete ihren BH. Fast sofort entkamen ihre Brüste aus dem unzureichenden Käfig. Rund und schön, gekrönt von dunklen, harten Nippeln, und er hatte sie noch nicht einmal berührt. Naomi wand sich aus dem BH und warf ihn zu Boden.

„Ich liebe es, wie deine Brustwarzen reagieren“, sagte er und beugte sich über sie. Mit beiden Händen drückte er das üppige Fleisch, bevor er seinen Kopf senkte und zuerst über eine Brustwarze leckte, dann über die andere.

Ein ersticktes Stöhnen rollte über Naomis Lippen.

„Ganz ruhig, *Chérie*", murmelte er gegen ihre erhitzte Haut. „Ich habe noch gar nicht angefangen."

Damian rutschte an ihrem Körper hinunter, bis er zwischen ihren gespreizten Schenkeln lag und sein Gesicht über ihrer Muschi schwebte. Er rieb mit seinen Fingern über ihren Schlitz und spürte die warmen Säfte, die bereits aus ihr tropften.

„Und Naomi? Wenn dir etwas nicht gefällt, sagst du es mir gleich, nicht wahr?"

„Ja."

Damian tauchte sein Gesicht zu ihrer Muschi und leckte über ihre Spalte, kostete ihre Säfte auf seiner Zunge und spürte, wie ein entsprechender Lustblitz durch seinen Körper und in seine Eier schoss. Er liebte ihren Geschmack und die Art, wie sie sich an seiner Zunge rieb, während ihre Hände sich in die Laken krallten. Stöhnen um Stöhnen prallte gegen die Wände des kleinen Raums, während

Damian ihre Schamlippen mit seiner Zunge erkundete und nach oben strich, bis er auf ihren Kitzler traf. Das winzige Organ war geschwollen und er konnte nicht widerstehen und leckte mit seiner Zunge darüber und verteilte ihre Säfte, bevor er den Druck erhöhte, mit dem er sie streichelte.

„Oh, oh!", rief Naomi aus. Ihr Atem war jetzt unregelmäßig, ihr Herz schlug wie ein außer Kontrolle geratener Zug, während sich winzige Schweißtropfen auf ihrer Haut bildeten, den Geruch ihres Körpers intensivierten und ihn mit ihrem Aroma betäubten.

Mit einer Hand drückte er ihre Schenkel weiter auseinander, mit der anderen streichelte er ihr Geschlecht, während er unerbittlich ihren Kitzler leckte. Sie bewegte ihr Becken gegen seinen Mund und er passte sich ihrem Rhythmus und Tempo an, während er gleichzeitig seinen Mittelfinger in ihren engen Kanal stieß.

Ein Keuchen kam über ihre Lippen. „Oh, ja, Damian, bitte, bitte."

Er hätte ihr versichert, dass er sich um sie kümmern würde, aber er wollte seine Lippen nicht von ihr nehmen. Stattdessen verdoppelte er seine Anstrengungen und leckte ihre Klitoris härter und schneller, während er in ihre Muschi eintauchte und nun einen zweiten Finger zum ersten hinzufügte.

Er spürte, wie sie sich unter ihm versteifte, und einen Moment später verkrampften sich ihre inneren Muskeln um seine Finger, als sie ihren Höhepunkt erreichte. Als ihr Orgasmus verebbte, zog er seine Finger aus ihr und hob seinen Kopf.

„Damian", flüsterte sie atemlos, „das war ... wow."

Er lächelte und rutschte an ihrem Körper hoch. „Das wollte ich heute Morgen tun, aber du bist zu früh gegangen."

„Das wird mich lehren." Sie kicherte leise.

„Das hoffe ich doch. Für eine Wiederholungsstunde stehe ich aber jederzeit zur Verfügung." Er drückte ihr einen Kuss auf die Lippen. „Kondome?"

Naomi deutete auf den Nachttisch, öffnete die Schublade und zog eins heraus. So schnell er konnte, öffnete er die Folienverpackung und streifte es sich über seine Erektion.

Einen Moment später richtete er seinen Schwanz an ihrer Muschi aus. Er blickte ihr in die Augen und tauchte dann mit einem langen, kontinuierlichen Stoß in ihre seidigen Tiefen ein, bis er bis zum Anschlag in ihr steckte.

„Verdammt, das fühlt sich gut an", sagte er und begann sich in ihr zu bewegen. Ihre Scheide war eng und warm, und ihre reichlichen Säfte hießen ihn willkommen.

Er ritt sie langsam und versuchte, sich Zeit zu nehmen, während er seinen Kopf senkte, um ihre Brüste zu küssen. Er liebte deren Fülle und liebte es, sein Gesicht an ihr Dekolleté zu drücken und ihren Duft einzusaugen. Er verstand jetzt, warum Amaury gerne von Ninas Brüsten trank. Er wollte die gleiche Intimität, von den Brüsten einer Frau Blut zu trinken, und er wollte sie mit Naomi. Diese Erkenntnis traf ihn wie ein Vorschlaghammer in die Magengrube. Er wollte diese Frau nicht nur in seinem Bett, sondern in seinem Leben, in seinem unsterblichen Leben.

Als er miterlebt hatte, wie schnell sich sein Freund Ryder in Scarlet verliebt hatte, die Frau, der er als Leibwächter zugeteilt worden war, hatte er heimlich in sich hineingeschmunzelt, weil er dachte, es sei unmöglich, nach so kurzer Zeit zu wissen, dass sie füreinander bestimmt waren. Aber er zweifelte nicht mehr daran. Seine eigenen Eltern hatten sich aneinander gebunden, nachdem sie sich erst ein paar Tage kannten. Und sie waren immer noch so verliebt wie eh und je.

Aber konnte er jetzt seiner Intuition vertrauen? Schon einmal hatte er sich geirrt und Naomi beschuldigt, eine Diebin zu sein. Was, wenn er jetzt auch falsch lag? Was, wenn sie nicht für ihn bestimmt war? Er musste es langsam angehen. Er durfte nichts überstürzen, egal wie sehr er sich danach sehnte, wieder ihr Blut zu trinken. Heute Abend konnte er jedoch keinen vorgetäuschten Biss vorschlagen. Letzte Nacht hatte sie ihm die Illusion wegen seines Kostüms abgenommen, und es hatte ihr gefallen, aber heute Abend konnte er es nicht riskieren. Er musste warten, bis er sich ihrer sicher war.

Damian sah Naomi an und schwelgte in der Leidenschaft, die aus ihren Augen strahlte. „Du bist so schön." Er nahm ihre Lippen und küsste sie hart, unfähig, sich jetzt zurückzuhalten. Er war nah dran, zu nah, um langsamer zu werden. Er musste in ihr kommen. Er wollte, dass sie fühlte, was sie ihm antat, wie sehr sie ihn erregte, wie sehr er sie wollte.

Mit seinem letzten Quäntchen Kontrolle veränderte er seinen Winkel, sodass sein Beckenknochen an ihre Klitoris rieb, als er das nächste Mal in sie stieß. Beim dritten Stoß fühlte er Naomi in seinen Mund stöhnen und eine Sekunde später verkrampften sich ihre Muskeln um seinen Schwanz. Er ließ sich gehen und kam zum Orgasmus, und alle Luft strömte aus seiner Lunge.

„Fuck!"

Er spürte, wie sich seine Reißzähne hungrig nach einem Biss ausfuhren, und löste seine Lippen von ihren, um sein Gesicht im Kissen zu verbergen. Als sie beide von ihrem Hoch herunterkamen, atmete Damian schwer und zwang seine Reißzähne dazu, sich wieder in sein Kiefer zurückzuziehen, bevor er seinen Kopf hob und Naomi ansah.

„Du machst mich fertig."

Sie atmete aus. „Dito."

16

Naomi lag schweratmend auf dem Rücken, während Damian das Kondom entsorgte, bevor er sich wieder zu ihr ins Bett gesellte. Er zog sie halb auf sich, ihr Kopf ruhte auf seiner Brust, ein Bein war über seine Schenkel gelegt, während er einen Arm um ihre Schultern legte und mit der anderen Hand ihren Oberschenkel streichelte.

„Ich könnte das eine Million Mal mit dir machen, und ich würde nie genug davon bekommen", murmelte er in ihr Haar.

Meinte er das? Sie wusste nicht einmal, was sie sagen sollte. Stattdessen kuschelte sie sich an ihn und streichelte seine muskulöse Brust.

„Du bist ein sehr leidenschaftlicher Mann", sagte Naomi. „Und ein sehr talentierter."

Er gluckste. „Ich bin froh, dass du das denkst. Weil ich vorhabe, das wieder zu tun, sobald ich mich etwas erholt habe. Gib mir ungefähr zwanzig Minuten."

Sie hob den Kopf, um ihn anzusehen. „Du musst mir dein Können nicht beweisen. Ich bin mir dessen bewusst."

„Dennoch dachtest du, du könntest ohne Konsequenzen aus meinem Bett entkommen."

„Konsequenzen?"

„Mmh-hmm", brummte er mit geschlossenen Augen. Dann schlug er ihr sanft auf den Hintern.

„Wofür war das?"

„Das ist Teil deiner Strafe dafür, dass du mein Bett verlassen hast, ohne mir die Möglichkeit zu geben, dich zu kontaktieren." Er öffnete seine Augen und fixierte sie mit seinem intensiven Blick. „Zum Glück weiß ich jetzt, wo du wohnst."

„Lass mich raten: Deine Wohnung wurde überhaupt nicht frisch gestrichen."

Er hatte den Anstand, verlegen auszusehen. „Kleine Notlüge, um herauszufinden, wo du wohnst. Du kannst mich später dafür bestrafen."

„Wie?"

„Das überlasse ich dir. Ich bin für alles zu haben. Willst du mich fesseln?"

Da sie bemerkte, dass er in einer spielerischen Stimmung war, beschloss sie, ihm ein paar Fragen zu stellen, die Aufschluss darüber geben könnten, ob er in einen satanischen Blutkult verwickelt war. Gleichzeitig stieg ein Schuldgefühl in ihr auf. Damian hatte mit ihr geschlafen und sich ihr gegenüber geöffnet, und sie nutzte diese Gelegenheit, um ihm Informationen zu entlocken. Wie tief war sie nur gesunken? Sie sollte sich schämen.

„Stimmt etwas nicht?", fragte er.

„Nein, nein, nichts."

„Wenn du nicht auf Fesselung stehst, komme ich dir mit allem anderen entgegen."

Er legte seine Hand an ihre Brust und drückte die schwere Kugel. „Ich habe es genossen, dich gestern Nacht hier zu beißen."

Sie schauderte bei der Erinnerung an den sinnlichen Biss in ihre Brüste. „Stehst du auf so etwas? Deine Sexpartnerinnen zu beißen?"

„Partnerinnen? Plural?" Er lachte leise. „*Chérie*, ich bin monogam."

Sein Geständnis erwärmte ihr Herz, während ihr Gewissen seinen hässlichen Kopf erhob. Sie sollte ihm jetzt die Wahrheit sagen. Ihm gestehen, warum sie überhaupt in sein Büro gegangen war, und ihm sagen, dass sich die Dinge geändert hatten, dass sie nicht glaubte, dass er in einen satanischen Kult verwickelt war. Aber da waren noch die Flasche und die Phiole, die sie direkt hinter dem Club gefunden hatte. Sie konnte diese Beweise nicht einfach ignorieren.

Und wie würde er ihr Geständnis überhaupt aufnehmen? Würde er sich betrogen fühlen? Würde er sie verlassen und nie wieder mit ihr sprechen? Verdammt! In was war sie da hineingeschlittert? Sie war nicht gut im

Täuschen. Sie mochte Damian, verdammt nochmal, *mochte* beschrieb es nicht wirklich. Sie war verrückt nach ihm, obwohl sie praktisch nichts über ihn wusste. Aber wann immer sie in seinen Armen war, fühlte sie sich komplett, wie eine richtige Frau, sie fühlte sich begehrt und verehrt. Und sie hatte sich noch nie zuvor so gefühlt. Aber was, wenn alles in dem Moment zusammenbrach, in dem sie ihm die Wahrheit sagte, ihm gestand, dass sie Anschuldigungen über einen satanischen Kult nachging, der im Mezzanine existieren sollte?

Verdammt! Sie musste es ihm sagen. Sie konnte nicht einfach mit ihm im Bett liegen und sich an ihn kuscheln, als wären sie ein verliebtes Paar, wenn sie wusste, dass alles auf Täuschung beruhte. Vielleicht war es besser, wenn sie es jetzt gestand, bevor sie noch ernstere Gefühle für ihn entwickelte. Sie musste ins Reine kommen oder das alles bedeutete nichts. Sie konnte nicht mit dieser Lüge leben. Nicht, wenn sie etwas Echtes wollte, etwas Bleibendes mit Damian.

„Damian, ich muss dir etwas sagen ...“
„Was?“

Plötzlich klingelte ein Handy.

„Warte kurz. Da muss ich rangehen", sagte Damian und stand auf. Er durchwühlte seine Hose auf dem Boden und zog sein Handy heraus. „Patrick? Was ist los?"

Naomi beobachtete ihn, während er aufmerksam zuhörte. Er sah plötzlich besorgt drein.

„Scheiße! Ist sie sicher?" Es gab eine kurze Pause, dann sagte er: „Okay, ich bin in zwanzig Minuten da."

Er beendete das Gespräch und griff bereits nach seinen Boxershorts. „Tut mir leid, Naomi, ich muss gehen."

Sie setzte sich auf. „Was ist los?"

„Einer unserer Barkeeper ist verschwunden."

„Was meinst du mit verschwunden?"

Damian stieg in seine Hose. „Mick sollte auf der Halloween-Party arbeiten, aber er ist nicht aufgetaucht und hat sich auch nicht krankgemeldet. Und gerade ist seine Freundin im Club aufgetaucht und hat Patrick mitgeteilt, dass sie seit über zwei Tagen nichts mehr von ihm gehört hat. Ich muss mit ihr sprechen."

Naomi sprang aus dem Bett. „Ich komme mit."

„Ich glaube nicht, dass das eine gute Idee ist."

Doch Naomi zog sich bereits an. Sie wollte nicht hierbleiben und auf ihn warten. Sie würde nur noch nervöser werden, weil sie wusste, dass sie ihm die Wahrheit über ihr Interesse am Mezzanine sagen musste. Mit so einer Last herumzusitzen und zu warten, würde ihr nicht gut tun.

„Ich kann helfen", beharrte sie. „Bitte. Ich kann sowieso nicht schlafen."

Damian seufzte. „Na gut. Wir nehmen mein Auto."

Erleichtert zog sie sich fertig an und griff nach ihrer Handtasche. Gemeinsam verließen sie ihre Wohnung und Damian führte sie zu seinem Porsche, den er einen Block entfernt geparkt hatte.

Als sie losfuhren, legte Damian seine Hand auf ihren Oberschenkel. „Tut mir leid wegen dieser Unterbrechung. Glaub mir, ich würde viel lieber wieder mit dir im Bett liegen." Seine Hand glitt die Innenseite ihres

Oberschenkels hoch und der intime Kontakt machte sie heiß.

„Ich auch", gestand sie. Und das machte es noch dringender, ihm die Wahrheit zu sagen. Aber sie musste warten, bis er sich um das Verschwinden seines Barkeepers gekümmert hatte. „Hat die Freundin deines Barkeepers ihn schon bei der Polizei als vermisst gemeldet?"

Damian schüttelte den Kopf. „Das regeln wir lieber selbst."

Sie runzelte die Stirn. „Was meinst du damit? Die Polizei ist viel besser geeignet, eine vermisste Person zu finden."

„Das hier ist anders. Jeder, der mit Scanguards verbunden ist, erhält eine Sonderbehandlung. Wir kümmern uns um unsere Leute."

Sie schauderte. Sagte das nicht auch die Mafia über ihre Leute? „Wie ist Scanguards daran beteiligt?"

Er warf ihr einen Seitenblick zu und zögerte einen Moment, bevor er antwortete: „Mein Vater und sein bester Freund sind die Eigentümer des Mezzanine. Sie sind beide Direktoren bei Scanguards, tatsächlich ist

Samson der Eigentümer und Gründer von Scanguards. Es ist eine Sicherheitsfirma, weißt du, die Leibwächter stellt. Aber die Firma ist noch mehr. Wir haben unsere eigenen Ermittler, unsere eigenen Patrouilleneinheiten, unseren eigenen Sanitätsdienst, unsere eigenen Rettungsdienste. Damit können wir umgehen."

Überrascht dachte Naomi über seine Worte nach. „Willst du damit sagen, dass die Polizei sich da nicht einmischt?" War das der Grund, warum die Polizei Mrs. Zhangs Anschuldigungen zurückgewiesen hatte?

„Der Bürgermeister vertraut darauf, dass wir alle Probleme bezüglich Scanguards selbst lösen. Und dazu gehört auch das Wohl unserer Mitarbeiter. Stell es dir wie eine große Universität vor, die ihre eigene Polizei hat."

Wenn er es so ausdrückte, klang es fast vernünftig. Fast. „Interessant. Aber du arbeitest nicht für Scanguards, du arbeitest für das Mezzanine, richtig?"

„Eigentlich arbeite ich für beide. Deshalb teile ich die Geschäftsführung mit Patrick, damit ich Teilzeit bei Scanguards arbeiten kann."

„Oh! Und was machst du bei Scanguards?"

„Ich bin Leibwächter."

„Tatsächlich?"

Er nickte. „Ich habe ein hartes Training absolviert." Er zwinkerte ihr zu, gerade als er an einer roten Ampel anhielt. „Aber ich habe noch nie einen so schönen Körper wie deinen bewacht."

Bevor sie auf seine Worte reagieren konnte, beugte er sich zu ihr und küsste sie auf die Lippen. Langsam gewöhnte sie sich an den Gedanken, dass Damian wirklich alles an ihr mochte. Das machte die Notwendigkeit, alles ins Reine zu bringen, noch dringender. Wenn sie ihm heute Nacht die Wahrheit sagte, dann war es vielleicht noch nicht zu spät, um ihre aufblühende Beziehung zu retten.

Ein ungeduldiges Hupen hinter ihnen brachte Damian dazu, den Kuss abzubrechen und weiterzufahren. Augenblicke später fuhr er auf den Parkplatz hinter dem Mezzanine und stieg aus dem Auto. Sie folgte ihm, und er nahm ihre Hand und führte sie zum

Hintereingang des Clubs. Es gab ein Schloss, das mit einem Schlüssel geöffnet werden konnte, aber auch einen Scanner. Als Damian seinen Daumen darüberlegte, erkannte Naomi, dass es sich um einen biometrischen Scanner handelte.

„Das ist eine tolle Sicherheitsvorkehrung", kommentierte sie.

„Es ist praktisch."

Im Club war es laut. Damian führte sie direkt in sein Büro, wo bereits ein junger Mann, von dem Naomi annahm, dass er Patrick Woodford war, mit einer hübschen Frau mit langen roten Haaren wartete.

Als Patricks Blick auf Naomi fiel, warf er Damian einen genervten Blick zu.

„Hey Patrick, Abend, Angelica", sagte Damian und ging direkt zu seinem Co-Manager und flüsterte ihm etwas ins Ohr.

„Na gut", erwiderte Patrick, bevor er Naomi einen weiteren Blick zuwarf. „Ich bin Patrick. Ich glaube, ich habe dich auf der Halloween-Party gesehen. Rotkäppchen-Kostüm?"

„Ja, das war ich." Die Art, wie Patrick sie jetzt ansah, ließ sie vermuten, dass er gesehen hatte, wie sie und Damian auf der Tanzfläche rumgemacht hatten. „Schön, dich kennenzulernen, Patrick." Dann sah sie die junge Frau an. „Hallo Angelica, ich bin Naomi."

„Hi", sagte Angelica und sah Damian an. „Damian, du musst mir helfen, Mick zu finden. Irgendetwas muss ihm zugestoßen sein."

Damian bedeutete ihr, sich zu setzen, und nahm ihr gegenüber Platz. „Sag mir, was los ist. Wann hast du ihn zuletzt gesehen?"

„Mick war zwei Nächte vor Halloween bei mir", begann Angelica. „Alles war in Ordnung. Ich wusste, dass er in der Nacht vor Halloween sowie während der Halloween-Party arbeiten musste, also ging ich zu einer privaten Party im Haus von Freunden. Mick sollte nach der Party im Mezzanine zu mir kommen, aber er ist nicht aufgetaucht." Sie schniefte. „Ich dachte mir, dass es vielleicht nach der Party zu spät geworden war, dass er woanders pennen musste, und machte mir zunächst keine Sorgen. Aber als er mich nicht zurückrief, ging ich zu ihm nach Hause. Weißt du, ich habe einen Schlüssel. Also ging ich hinein, aber er war nicht da. Es sah so aus, als wäre er seit ein paar Tagen nicht mehr zuhause gewesen."

Damian nickte. „Wir haben seine Handynummer. Ich lasse Eddie sein Handy orten, um zu sehen, wo er ist. Das dürfte einfach sein."

Angelika schüttelte den Kopf. „Er hat sein Handy nicht dabei." Sie kramte in ihrer Handtasche und zog ein Handy heraus. „Ich habe es in der Küche gefunden. Ohne dieses Telefon geht er nirgendwohin."

„Darf ich?", fragte Damian und streckte die Hand aus.

Angelica reichte es ihm.

„Kennst du sein Passwort?"

Sie schüttelte den Kopf. „Mick ist da wirklich privat."

Naomi beobachtete, wie Damian einen Blick mit Patrick austauschte.

„Eddie oder Thomas können es wahrscheinlich hacken", sagte Patrick mit einem Schulterzucken. „Sie können herausfinden, mit wem er Kontakt hatte, bevor er verschwand."

„Ja, das machen wir. Ich bringe es zu Eddie

und Thomas", stimmte Damian zu. Dann blickte er zurück zu der sichtlich verstörten Angelica. „Hat sich Mick in den Tagen und Wochen vor seinem Verschwinden anders benommen?"

Angelica zuckte mit den Schultern. „Nein, er war wie immer. Tatsächlich war er in letzter Zeit sogar noch besserer Laune." Sie sah Damian direkt an und dann Patrick. „Ich meine, seit ihr ihm letzten Monat eine so tolle Gehaltserhöhung gegeben habt, hat er viel mehr Geld zum Ausgeben, und ich denke, das hat ihn in gute Laune versetzt."

„Gehaltserhöhung?", fragte Damian und sah Patrick an. „Hast du –"

Patrick schüttelte sofort den Kopf. „Die letzte Gehaltserhöhung für unsere Mitarbeiter war im Februar."

Angelica sah verwirrt drein. „Aber er sagte, er habe eine Gehaltserhöhung bekommen. Und ich habe das Bargeld gesehen. Ich bin mir sicher."

„Bargeld?", fragte Damian. „Wir bezahlen unsere Mitarbeiter per Direktüberweisung auf ihre Bankkonten."

Naomi bemerkte das Stirnrunzeln auf Damians Gesicht. Könnte es sein, dass Mick der Typ war, den Mrs. Zhang gesehen hatte, als er sich mit einer anderen Person hinter dem Club traf? Hatte er doch mit Drogen gehandelt? Offensichtlich wusste Damian nichts davon, und nach dem, was er ihr zuvor erzählt hatte, würde er es auch nicht gutheißen.

„Danke, Angelica, wir werden nach ihm suchen", versprach Damian. „Hoffentlich können wir auf seinem Handy etwas finden, das uns hilft herauszufinden, wo er ist. Wir melden uns bald." Er stand auf und auch Angelica erhob sich.

„Danke, Damian und Patrick. Ich weiß, dass ich auf euch zählen kann." Dann ging sie zur Tür und verschwand.

In dem Moment, als sich die Tür hinter ihr schloss, tauschten Damian und Patrick besorgte Blicke aus.

„Ich bringe das Telefon zu Eddie", sagte Damian. „Könntest du heute Abend mit dem Personal sprechen? Frage sie, ob ihnen in letzter Zeit etwas Merkwürdiges an Mick aufgefallen ist.“

Patrick nickte. „Ja, mache ich.“ Er ging zur Tür und öffnete sie, schaute dann über seine Schulter und warf Naomi einen schnellen Blick zu, bevor er Damian wieder ansah. Es sah so aus, als wollte er etwas sagen, aber dann verließ er einfach das Büro.

Damian seufzte. „Verdammt.“ Er steckte das Handy in seine Tasche. „Lass uns gehen, ich muss das Telefon bei unserer IT-Abteilung abgeben.“

Das Herz schlug ihr bis zum Hals. Naomi holte tief Luft. Sie musste ihm jetzt die Wahrheit sagen, denn nicht nur konnte sie ihn nicht weiter belügen, es war unverantwortlich, ihm Informationen vorzuenthalten, die etwas mit Micks Verschwinden zu tun haben könnten.

„Ich muss dir etwas sagen“, begann sie.

„Du kannst es mir unterwegs sagen.“

„Nein“, sagte sie bestimmt. „Es ist etwas, für das du dich lieber hinsetzen solltest. Weil es dir nicht gefallen wird. Und ich möchte lieber, dass du nicht hinter dem Steuer eines Autos sitzt, wenn du wütend wirst.“

Damian wirbelte seinen Kopf zu ihr und

fixierte sie mit seinem Blick. In diesem Moment hatte sie Angst, aber sie konnte jetzt nicht mehr zurück. Sie musste ihm die Wahrheit sagen.

„Ich habe dich angelogen."

17

Naomis Worte sandten eine Schockwelle durch seinen Körper. Damian erstarrte, unfähig, etwas anderes zu tun, als sie anzustarren. Er spürte, wie sich sein Atem beschleunigte, sein Vampirkörper verhärtete und sich auf das Schlimmste vorbereitete.

„Ich hätte es dir früher sagen sollen, aber ich war mir nicht sicher, ob ich dir vertrauen kann oder ob du in die Sache verwickelt bist ..." Sie verstummte und holte noch einmal Luft, bevor sie fortfuhr: „Aber nach allem, was passiert ist, kann ich das nicht länger für mich behalten. Ich bin in deinen Club gekommen, um für einen Artikel für den San Francisco Chronicle zu recherchieren."

Enttäuschung durchströmte ihn. „Du hast mich benutzt." Die Worte klangen in seinen eigenen Ohren tonlos, ohne jegliche Emotion. Im selben Moment wurde eine Sache kristallklar: Er war in Naomi verliebt. Innerhalb von vierundzwanzig Stunden hatte er sich verliebt, ohne zu wissen, wie es passiert war. Oder wann. Naomi hatte sein Herz gestohlen, und jetzt trampelte sie darauf herum.

„Das war keine Absicht. Ich wollte nicht, dass das alles passiert."

Sie schniefte, als würde sie gleich in Tränen ausbrechen. War das wieder eine Täuschung?

„Mein Redakteur hat mir gesagt, dass es Anschuldigungen über einen satanischen Kult oder Blutrituale im Club gegeben hat."

Blutrituale? Satanischer Kult? Verdammt! Er wusste, dass es so etwas im Club nicht gab, aber er vermutete auch, dass jemand gesehen haben könnte, wie einer der Vampire, die den Club frequentierten, einen Menschen gebissen hatte, und jetzt annahm, dass es etwas mit einem satanischen Kult zu tun hatte. Das war nicht gut.

„Das ist eine lächerliche Anschuldigung", protestierte er, denn er wusste, dass er etwas sagen musste.

„Das dachte ich auch, aber mein Redakteur wollte, dass ich es mir anschaue, also bin ich zur Halloween-Party gekommen, um mich umzusehen. Aber ich bin nicht in den Vorratsraum gegangen und ich habe nichts gestohlen. Ich fand die Tür zu diesem Büro angelehnt. Das ist die Wahrheit. Ich ging hinein, um mich umzusehen, ob ich etwas Belastendes finden könnte."

Er kniff die Augen zusammen. „Und, hast du etwas gefunden?"

Naomi schüttelte den Kopf. „Nicht in deinem Büro."

Das bedeutete zumindest, dass sie die Blutflaschen im Kühlschrank nicht gesehen hatte.

„Aber draußen", fügte sie schnell hinzu.

Er hob eine Augenbraue. „Was meinst du damit?"

„Ich habe eine kaputte Flasche gefunden.

Auf dem Etikett stand *A+ von Scanguards abgefüllt.*"

Scheiße! Das Personal wusste, dass es niemals gebrauchte Blutflaschen in den Müll werfen durfte. Sie wurden recycelt und direkt an Scanguards zurückgegeben.

„Ich habe die Rückstände darin analysieren lassen. Es war menschliches Blut."

„Das ist unmöglich", log er. „Darf ich die Flasche sehen?"

Sie zückte ihr Handy. „Sie ist im Kofferraum meines Autos, aber ich habe ein Foto gemacht." Sie scrollte zu ihrer Foto-App und er, jetzt in vollem Schadensbegrenzungsmodus, trat näher. „Hier. Das habe ich gefunden."

Er nahm ihr das Telefon aus der Hand und betrachtete das Foto. Es bestand kein Zweifel. Dies war eine der Flaschen, die Scanguards mit menschlichem Blut aus einer Blutbank gefüllt hatte. Das war belastendes Beweismaterial.

„Du sagtest, du hättest die Rückstände testen lassen?"

„Ja, meine Freundin Heather arbeitet in

einem Labor an der UCSF. Sie hat die Proben für mich getestet."

„Proben? Es gibt mehr als eine?"

Sie wischte zum nächsten Foto. „Ich habe auch diese Phiole gefunden, in der ein klebriger roter Rückstand war. Heather hat ihn getestet, aber sie sagte, er muss kontaminiert gewesen sein, weil sie nicht herausfinden konnte, ob es menschliches oder tierisches Blut war, aber sie war sich ziemlich sicher, dass es Blut war."

Mist! Das konnte nur eines bedeuten: Es war Vampirblut. Er würde es an seinem Geruch erkennen können. Kein Labortest, zumindest keiner, der in menschlichen Labors verfügbar war, würde in der Lage sein, festzustellen, was es war.

„Hast du die Phiole noch?"

„Ja, sie ist mit der anderen Flasche in meinem Auto."

Gut. Das bedeutete zumindest, dass er die Beweise in die Hände bekommen und verschwinden lassen konnte. Aber es gab noch andere ungeklärte Dinge. Und noch mehr Fragen.

„Aber das ist noch nicht alles", sagte Naomi.

„Was sonst noch?"

„Ich habe mit der Nachbarin gesprochen, die die Behauptungen über einen satanischen Kult aufstellte. Na ja, das hat sie nicht wirklich gesagt ... mein Redakteur hat das so genannt. Aber sie hat mir erzählt, dass sie zwei Männer gesehen hat, die sich an mehreren Abenden in der Woche in der Nähe des Hintereingangs des Clubs getroffen haben, und dass sie etwas ausgetauscht haben. Ich vermutete, dass es sich um einen kleinen Drogendeal handelte, wie in jedem Club. Aber Mrs. Zhang bestand darauf, dass sie Blut an ihnen gesehen hat, an ihrer Kleidung und ihren Gesichtern."

Das bestätigte es. Jemand war unvorsichtig gewesen und hatte sich wahrscheinlich von einem Menschen ernährt, ohne zu wissen, dass er dabei beobachtet worden war.

„Vielleicht gab es dort eine Schlägerei?"

„Nein, einen Kampf hat sie nicht erwähnt. Aber sie sagte, dass sie in der Nacht der Halloween-Party eine Person gesehen hat, die durch den Hintereingang herauskam und etwas getragen hat."

„Hat sie gesagt, was?"

„Das konnte sie nicht sehen. Aber die Person trug ein Harlekinkostüm mit einer venezianischen Gesichtsmaske." Sie begegnete seinem Blick. „Und du sagtest, dass der Dieb, der das gestohlen hat, was du für deinen Vater aufbewahrt hast, eine venezianische Gesichtsmaske trug. Was, wenn er das war?"

Das war die erste gute Nachricht, die er in der letzten halben Stunde vernommen hatte.

„Hat sie gesagt, wann es passiert ist?", fragte er eifrig.

„Irgendwann gegen drei Uhr morgens."

Das stimmte mit dem Zeitpunkt des Einbruchs überein.

„Sie sagte, er sei gestolpert und etwas sei heruntergefallen, und dann habe er etwas in den Müllcontainer geworfen, aber diesen verfehlt. Und dort fand ich später die Flasche und die Phiole. Zuerst dachte ich, er hätte vielleicht nur eine Flasche Alkohol geklaut."

Langsam nickte Damian. Er hatte jetzt ein

paar Hinweise, denen er nachgehen konnte. Darüber sollte er sich freuen. Aber die Tatsache, dass Naomi nur mit ihm geschlafen hatte, damit sie für ihren Artikel herumschnüffeln konnte, tat weh. Trotzdem musste er die Tatsache respektieren, dass sie ihm jetzt die Wahrheit gestanden hatte. Doch der Schmerz in seinem Herzen verschwand nicht. Er hatte sich in eine Frau verliebt, die nur aus Eigennutz mit ihm geschlafen hatte. Eine Frau, die nicht dasselbe für ihn empfand wie er für sie.

„Danke für die Informationen, das weiß ich zu schätzen." Dann holte er tief Luft und sagte, was er sagen musste. „Dann ist es wohl zwischen uns aus. Du warst also nicht wirklich an mir interessiert. Ich hätte wissen müssen, dass etwas, das zu gut ist, um wahr zu sein, nicht wahr sein kann."

Er wandte sich zur Tür. „Ich lasse dich von einem meiner Mitarbeiter nach Hause fahren." Denn mit ihr auf engstem Raum in seinem Auto zu sein und ihren verführerischen Duft einzuatmen, würde alles noch schlimmer machen.

„Damian, bitte."

Er spürte ihre Hand auf seinem Unterarm und blieb stehen.

„Es tut mir so leid, dass ich dich verletzt habe. Das wollte ich nicht. Aber als du mich letzte Nacht geküsst hast, konnte ich dich nicht aufhalten, weil –"

„Willst du andeuten, dass ich mich dir aufgezwungen habe?", fauchte er und wirbelte herum, wütend, weil er den Schmerz in seinem Herzen loswerden musste. Wut war das perfekte Gefäß dafür.

„Nein, nein! Was ich versuche zu sagen, ist, dass ich dich nicht aufhalten konnte, weil ich nicht wollte, dass du aufhörst. Ich wollte dich. Ich will dich immer noch. Jetzt noch mehr als gestern Abend. Deshalb musste ich dir die Wahrheit sagen. Weil du mir wichtig bist. Wenn ich in deinen Armen liege, fühle ich mich glücklich und vollkommen und besser als je zuvor. Das wollte ich nicht verlieren. Ich will dich nicht verlieren."

Tränen traten ihr plötzlich in die Augen und sie senkte ihren Blick.

„Ich verstehe, dass du mir nicht verzeihen

kannst. Aber ich wollte, dass du eines weißt: Ich habe nicht mit dir geschlafen, weil ich Informationen haben wollte. Ich habe mit dir geschlafen, weil ich *dich* wollte. Und das bereue ich nicht. Ich würde es wieder tun."

Ihre Worte drangen tief in ihn ein. Er wusste nicht, warum, aber er glaubte ihr. Er sah die Wahrheit in ihren Tränen und hörte sie in ihrer Stimme. Wer war er, jemanden zu verurteilen, der lügen musste, um ein Geheimnis zu wahren? Er selbst war keinen Deut besser. Er verheimlichte ihr immer noch sein größtes Geheimnis. Aber er wusste, dass er es nicht mehr lange für sich behalten konnte, denn wenn er ihr jetzt ihre Täuschung verzieh, dann musste auch er ehrlich sein. Aber nicht hier. Sie mussten allein sein, wo niemand sie stören würde, wenn er ihr gestand, dass er ein Vampir war.

„Naomi, willst du mich immer noch?"

„Ja, aber –"

„Kein Aber." Er legte seine Finger unter ihr Kinn und hob ihr Gesicht an, sodass sie ihn ansehen musste. „Ich will dich auch, *Chérie*." Er drückte ihr einen sanften Kuss auf die

Lippen und sah, wie sich ihr Gesicht aufhellte. „Wir müssen uns unter vier Augen unterhalten, denn es gibt Dinge, die du über mich wissen musst."

„Welche Dinge?"

„Wichtige Dinge." Er ergriff ihre Hand. „Komm, wir gehen zu mir, wo wir reden können. Aber zuerst müssen wir die Flasche und die Phiole holen, die du gefunden hast. Ich muss sie untersuchen lassen. Und ich muss unseren IT-Leuten Micks Handy geben. Und dann reden wir, nur du und ich, okay?"

Er hoffte, dass Naomi ihn nicht abweisen würde, sobald sie herausfand, dass er ein Vampir war, der sich nach ihrem Blut sehnte.

18

Während der Rückfahrt zu Naomis Wohnhaus in der Mission hielt Damian Naomis Hand. In den letzten vierundzwanzig Stunden hatte er eine Achterbahn der Gefühle durchgemacht. Aber jetzt fühlte er sich erleichtert. Er bedeutete Naomi etwas, genug, dass sie eingestand, ihn getäuscht zu haben. Und er hoffte, ihr lag genug an ihm, um den Vampir in ihm zu akzeptieren.

Auf der Fahrt sprachen sie nicht viel. Stattdessen breitete sich zwischen ihnen eine kameradschaftliche Stille aus, die nur von liebevollen Blicken und gestohlenen Küssen an roten Ampeln unterbrochen wurde.

In der Garage unter Naomis Wohngebäude öffnete sie den Kofferraum ihres Mini Coopers und holte eine kleine Plastiktüte aus einer Seitentasche.

„Hier sind sie", sagte sie und reichte ihm die Tüte.

Damian schaute hinein und zog zuerst die zerbrochene Flasche heraus, obwohl er wusste, dass sie echt war. Er schnupperte daran. Ja, *A-positives* Blut, genau wie auf der Flasche stand. Er steckte sie zurück in die Tüte und holte dann die Phiole heraus. Als er sie an seine Nase hielt und daran roch, bestätigte sich sein Verdacht: Jemand hatte Vampirblut in dieses Fläschchen abgefüllt. Zu welchem Zweck, wusste er noch nicht, aber er würde es herausfinden.

„Die nehme ich mit." Dann zeigte er auf die Reisetasche im Kofferraum. „Enthält die Tasche Kleidung für eine Nacht?"

„Ja, ich habe das Nötigste immer im Auto", antwortete sie.

„Lass uns die mitnehmen", sagte Damian

und griff danach. „Du übernachtest bei mir." Doch wenn alles gut lief, würde sie nicht viel Schlaf bekommen, weil er zu sehr damit beschäftigt wäre, mit ihr Liebe zu machen.

Naomi lächelte ihn an und schloss den Kofferraum. „Ich mag es, wenn du genau sagst, was du willst."

„Dann wirst du das zu schätzen wissen." Er beugte sich zu ihr und brachte seinen Mund an ihr Ohr. „Ich will, dass du nackt und keuchend unter mir liegst, mit meinem Schwanz in dir, bis keiner von uns auch nur noch einen einzigen Muskel bewegen kann."

„Du machst mich ganz heiß", murmelte sie.

Er zog seinen Kopf zurück, um sie anzusehen. „Gewöhne dich daran."

Als er bemerkte, dass ihre Wangen sich hübsch röteten, grinste er. Sie war empfänglich für seinen Charme, und heute Abend würde er jeden Funken davon einsetzen müssen, um sie davon zu überzeugen, dass von einem Vampir geliebt zu werden genau das war, was sie brauchte.

Zurück in seinem Porsche sah er auf die Uhr im Armaturenbrett. Es war bereits weit nach 2 Uhr morgens, und die Leute, mit denen er bei Scanguards sprechen wollte, waren bereits zu Ryders und Scarlets Hauseinweihungsparty aufgebrochen.

„Ich muss schnell bei einem Freund in Pacific Heights vorbeischauen", sagte er zu Naomi. „Mein Onkel wird dort sein und er ist derjenige, der versuchen wird, Informationen von Micks Telefon zu bekommen."

„Dein Onkel ist der IT-Typ, von dem du gesprochen hast?", fragte sie interessiert.

„Ja, Eddie und sein Ehemann Thomas leiten die IT-Abteilung bei Scanguards. Sie können sich in so ziemlich jedes System hacken, das sie sich vornehmen. Wenn es etwas auf Micks Handy gibt, das uns helfen könnte herauszufinden, wohin er verschwunden ist, werden sie es finden."

„Ich bin beeindruckt. Aber ist das nicht illegal? Ich meine, hacken?"

Er warf ihr einen Seitenblick zu und zuckte mit den Schultern. „Was auch immer hilft, Mick zu retten."

„Du glaubst also nicht, dass er freiwillig

verschwunden ist. Du denkst, er wurde entführt."

„Ja, da bin ich mir ziemlich sicher. Er ist ein zuverlässiger Typ. Und mir ist nicht bekannt, dass er und seine Freundin irgendwelche Beziehungsprobleme haben, also würde er nicht einfach verschwinden, ohne ihr zu sagen, wohin er geht. Jemand hat ihn entführt."

Oder ihn getötet, obwohl er hoffte, dass ersteres der Fall war. Mick wäre nicht das erste Entführungsopfer, das Scanguards gerettet hätte. Die Frage war jedoch: Warum wollte jemand einen Barkeeper entführen?

„Trotzdem muss es einen Grund geben, warum ihn jemand entführt", überlegte Naomi.

„Wir werden es herausfinden."

Damian hielt den Wagen vor der Garage vor dem brandneuen viktorianischen Haus an, das Scarlet und Ryder wieder aufgebaut hatten, nachdem es Opfer einer Brandstiftung geworden war. Er blockierte die Einfahrt zur Garage.

„Ich brauche nur zwanzig Minuten."

„Ich kann mitkommen", sagte Naomi und löste bereits ihren Sicherheitsgurt.

Damian legte seine Hand auf ihren Unterarm. „Ich glaube, es ist das Beste, wenn du bleibst. Wenn ich da reingehe und dich als meine Freundin vorstelle, bombardieren sie dich mit Fragen, und wir kommen da heute Abend nie wieder raus. Und wir müssen wirklich alleine sein, um zu reden."

Naomis blaue Augen funkelten. „Hast du Freundin gesagt?"

Er beugte sich zu ihr hinüber. „Na, bist du das nicht? Meine Freundin? Oder möchtest du, dass ich dich als nur eine Frau vorstelle, mit der ich Sex habe? Denn das wäre eine Lüge."

Ihre Lippen teilten sich und sie kam näher. „Wie wäre es mit einer Freundin, mit der du viel Sex hast?"

„Exklusiv?", neckte er.

„Ja, exklusiv."

„Das passt mir." Damian legte seine Lippen auf ihre und küsste sie. Naomi schmolz sofort in seine Arme, und wenn er jetzt nicht aufhörte, würden sich im Handumdrehen die Scheiben seines Porsches beschlagen.

Er löste seine Lippen von ihren und holte tief Luft. „Fünfzehn Minuten dürften auch reichen", versprach er, schnappte sich die Plastiktüte mit der zerbrochenen Flasche und der Phiole von hinter seinem Sitz und stieg aus dem Auto.

Die Tür zum Haus war unverschlossen und Damian trat ein. Er war während der Bauarbeiten viele Male im Haus gewesen und hatte Ryder und Scarlet einen Monat zuvor beim Einzug geholfen, genau wie einige der anderen Hybriden, obwohl ein von Scanguards beauftragtes Umzugsunternehmen die schwere Arbeit übernommen hatte.

Das große Wohnzimmer und das Esszimmer, die durch große offenstehende Schiebetüren verbunden waren, waren voll mit Scanguards Personal und dessen Frauen, Ehemännern und Partnern. Scarlet sprach mit Maya, ihrer Schwiegermutter, während ihre Hand auf ihrem Bauch ruhte. Noch zwei Monate, und sie würde Ryder zum Vater machen. Wer hätte gedacht, dass die beiden, die sich erst ein Jahr zuvor kennengelernt hatten, so schnell eine Familie gründen würden? Aber es war nicht zu leugnen, wie glücklich Ryder war. Damian entdeckte ihn im Gespräch mit Samson und Brandon, Scarlets Vater. Trotz des angeregten Gesprächs, in das die drei Männer verwickelt waren, wanderte Ryders Blick immer wieder zu Scarlet. Seine Augen schimmerten golden, ein Zeichen dafür, dass er an seine blutgebundene Gefährtin dachte und nicht an das Gespräch mit Samson und Brandon.

Damian grinste. Ja, seine Gefährtin zu finden, konnte einem Vampir so etwas antun. Er riss seinen Blick von dem Bild des häuslichen Glücks los und ließ seine Augen über die Menge schweifen, bis er seinen Vater entdeckte. Amaury unterhielt sich mit Blake, einem Vollblutvampir, der seinen zweijährigen Sohn Harry, einen Vampirhybriden, in den Armen hielt. Als Chef der Hybriden-Sicherheit hatte Blake eine besondere Verbindung zu allen Vampirhybriden, die in die Scanguards-Familie hineingeboren wurden.

Damian bahnte sich einen Weg durch die Menge und begrüßte seine Freunde und Kollegen beiläufig. Bevor er seinen Vater erreichte, wurde er von der Seite gerammt und verlor beinahe das Gleichgewicht. Er reagierte schnell und schnappte sich den Jungen, der ihn angerempelt hatte. Es war der zehnjährige Dean, der Sohn von John und Savannah.

„Hey, Dean, was ist los? Versuchst du zu fliehen, oder was?"

Dean sah über seine Schulter und verdrehte dann die Augen, als wäre er doppelt so alt, wie er war. „Meine Schwester kann wirklich keinen Witz vertragen."

Buffy eilte bereits auf sie zu. „Gib es zurück, Dean, oder ich sorge dafür, dass Daddy dir Hausarrest gibt."

„Ich habe es nicht genommen!", protestierte Dean.

Damian stellte den Jungen wieder auf die Beine und schüttelte den Kopf. „Ich mische mich nicht in einen Streit zwischen Geschwistern ein." Während Buffy hinter Dean herjagte, ging Damian auf Amaury zu. „Hey, Dad, Blake."

Beide begrüßten ihn und der kleine Harry streckte seine Arme nach Damian aus. Damian zerzauste das dunkle Haar des Jungen und dieser stieß ein gurgelndes Lachen aus, wobei seine winzigen Reißzähne sichtbar wurden. „Ich wünschte, ich hätte Zeit zum Spielen, Harry, aber ich muss mit meinem Vater reden."

„Pass auf", warnte Blake. „Oder er beißt dich. Er ist in dem schrecklichen Alter, in dem er gerade den Geschmack von Blut entdeckt hat."

Amaury lachte leise. „Zumindest hast du nur einen. Es ist schwieriger, wenn zwei Kleine gleichzeitig auf den Geschmack des Beißens kommen."

Damian grinste. „Ich bin mir sicher, dass wir nicht so schlimm waren."

„Ihr wart beide bezaubernd", sagte Nina.

Damian blickte über seine Schulter und sah, wie seine Mutter Nina sich zu ihnen gesellte. „Aber die Kinder werden zu schnell erwachsen."

„Gott sei Dank", erwiderte Amaury und zog Nina an seine Seite. „Es hat lange genug gedauert, bis sie ausgezogen sind und uns in Ruhe gelassen haben."

Nina boxte ihn in die Seite. Dann sah sie Damian an. „Hör nicht auf deinen Vater. Er liebt dich und Benjamin. Und er macht sich immer noch Sorgen um euch. Oder warum glaubst du, hat er dir und deinem Bruder die Wohnung direkt unter unserer gegeben?"

Amaury knurrte. „Frau, versuchst du, mich wie einen großen Softie darzustellen?"

Nina kicherte und flüsterte ihm etwas ins Ohr. Damian versuchte es auszublenden, hörte es aber trotzdem.

„Du bist nie weich, Baby, du bist immer hart, so wie ich es mag."

Als Ergebnis von Ninas Worten verfärbten sich Amaurys Augen plötzlich in einen goldenen Farbton, ein sicheres Zeichen dafür, dass ihre Worte ihn erregten.

„Ich würde sagen, Leute, nehmt euch ein Zimmer", sagte Damian, „aber ich muss Dad für ein paar Minuten stehlen."

Amaury nickte. „Gehen wir ins Arbeitszimmer, dort ist es ruhiger."

„Hast du Eddie gesehen?", fragte Damian, als sie sich auf den Weg zum Arbeitszimmer machten.

„Er ist hier, wahrscheinlich in der Küche."

„Ich hole ihn. Ich habe etwas, das er sich ansehen muss."

Während Amaury die Tür zum Arbeitszimmer öffnete, ging Damian in die Küche und winkte Eddie zu, der gerade mit Isabelle, Samsons Tochter, plauderte.

„Hast du eine Minute?", fragte Damian.

„Sicher. Entschuldige, Isabelle", erwiderte Eddie und ging auf ihn zu.

„Im Arbeitszimmer."

Als sie das holzgetäfelte Büro mit den deckenhohen Bücherregalen und der sanften Beleuchtung betraten, war Amaury nicht mehr allein. Samson hatte sich zu ihm gesellt.

Damian hob eine Augenbraue, trat aber mit Eddie ein und schloss die Tür hinter ihnen.

„Hast du Samson eingeweiht?", fragte Damian seinen Vater.

„Nur in das Wenige, das ich weiß: dass jemand eine Kiste mit abgefülltem Blut aus dem Mezzanine gestohlen hat. Ich nehme an, du hast inzwischen mehr herausgefunden?", fragte Amaury.

„Ja. Lasst mich euch auf den neuesten Stand bringen."

Er öffnete die Plastiktüte und zog die Beweise heraus, die Naomi gefunden hatte, und begann, seinen drei Mitvampiren zu erzählen, was passiert war, erwähnte jedoch Naomi nicht mit Namen. Er wollte nicht, dass Scanguards sich Sorgen machte, dass sie ihre Geheimnisse preisgeben würde, denn sobald er heute Abend mit ihr alles ins Reine gebracht hatte und sie ihn als das akzeptierte, was er war, würde alles unter Kontrolle sein.

19

Naomi sah auf die Uhr ihres Handys. Nach zwanzig Minuten war Damian immer noch nicht zurückgekehrt. Normalerweise hätte sie nichts dagegen, noch ein paar Minuten zu warten, aber sie musste ziemlich dringend auf die Toilette. Vielleicht könnte sie sich einfach schnell reinschleichen, auf die Toilette gehen und dann genauso schnell wieder verschwinden. Durch die Fenster, die die Straße überblickten, konnte sie sehen, dass die Party immer noch voll im Gange war, obwohl es fast drei Uhr morgens war, aber sie konnte keine lauten Geräusche aus dem Haus hören, was gut war. Die Nachbarn würden sich sonst bestimmt beschweren.

Da sie nicht länger warten konnte, stieg sie aus dem Auto und ging die Stufen zum Eingang hinauf. Sie drehte den Knauf, und die Tür öffnete sich. Sie trat in die Diele, von der aus sie den langen Flur hinuntersehen konnte. Eine Holztreppe führte in den ersten Stock. Wenn dieses Haus wie so viele andere viktorianische Häuser in San Francisco gebaut war, dann würde sie eine Gästetoilette unter der Treppe entlang des Gangs finden. Mehrere Leute gingen in der Küche am Ende des Flurs ein und aus, und zu ihrer Linken führte ein offener Bogen ins Wohnzimmer, wo sich die meisten Gäste versammelten.

Da sie keine Aufmerksamkeit erregen wollte, ging Naomi schnell den Korridor entlang und prüfte die erste Tür zu ihrer Rechten. Sie öffnete sie und sah, dass sie recht gehabt hatte. Es war eine Gästetoilette. Sie ging schnell hinein und schloss die Tür ab. Sie konnte sofort erkennen, dass alles in dieser gut ausgestatteten Toilette brandneu war. Von diesem Luxus war ihr eigenes

Badezimmer weit entfernt. Von so etwas Schönem und Elegantem konnte sie nur träumen.

Obwohl sie in der Gästetoilette verweilen wollte, um die nach Lavendel duftende Seife und Lotion zu genießen, beeilte sie sich, weil sie nicht wollte, dass Damian dachte, sie sei verschwunden, wenn er zum Auto zurückkam. Als sie die Tür aufschloss und zurück in den Flur trat, stieß sie beinahe mit einem Mann zusammen.

„Hoppla", sagte sie und wich zurück.

Er war jung, hatte rabenschwarzes Haar und durchdringende grüne Augen. Obwohl er lässig mit einer tiefsitzenden schwarzen Hose und einem Leinenhemd, dessen obere zwei Knöpfe offen waren, bekleidet war, hatte er etwas Imposantes an sich. Die Art, wie er sie ansah, wie er seinen Blick über sie schweifen ließ, als würde er sie abmessen, beunruhigte sie.

„Wer bist du?", fragte er unverblümt und benahm sich fast wie der Türsteher im Mezzanine. Nur noch arroganter.

„Äh, ich bin Naomi."

„Wer hat dich hereingelassen?"

Sie dachte, dass ihre Antwort, die Haustür sei nicht verschlossen gewesen, ihn wahrscheinlich nicht zufriedenstellen würde, also entschied sie sich für eine andere Antwort. „Ich bin mit Damian gekommen."

Das schien ihn zu überraschen. „Damian? Bist du sicher?" Er ließ seine Augen noch einmal über ihren Körper wandern. „Du siehst nicht so aus, als wärst du mit ihm gekommen."

Das war geradezu unhöflich, aber sie würde sich auf keine Konfrontation mit diesem arroganten Kerl einlassen. „Ich warte draußen auf ihn."

Sie versuchte, an ihm vorbeizukommen, aber er rührte sich nicht. Sie wollte gerade ihre Stimme erheben, um ihm zu sagen, er solle ihr aus dem Weg gehen, als ein Kleinkind auf sie zukam und gegen ihre Beine prallte. Instinktiv beugte sie sich nach unten und fing den kleinen Kerl auf. Der Junge konnte nicht älter als zwei Jahre sein.

„Was machst du noch so spät auf?", gurrte sie. „Solltest du nicht im Bett sein?"

Der kleine Junge streckte ihr die Arme entgegen, und sie wollte ihn gerade hochheben, als eine junge schwarze Frau mit athletischer Figur angerannt kam.

„Harry! Du sollst nicht weglaufen", wies sie den Jungen zurecht, bevor sie Naomi ansah. „Vielen Dank." Dann sprach sie den Mann an, der sich endlich ein paar Schritte von ihr entfernt hatte, um ihr Platz zu machen. „Grayson, weißt du, wo Lilo ist? Ich glaube, Harry wird unruhig."

„Schau in der Küche nach." Grayson drehte sich um und ging den Flur entlang.

„Gehört der dir?", fragte Naomi das Mädchen und deutete auf den Jungen, der ihr immer noch die Arme entgegenstreckte.

„Oh Gott, nein! Der kleine Teufel gehört Blake und Lilo. Blake hat ihn mir einfach übergeben, als wäre ich hier der designierte Babysitter." Die Frau, die nicht älter als zwanzig sein konnte, lächelte sie an und streckte dann ihre Hand aus. „Ich bin Buffy. Ich glaube, ich habe dich hier noch nie gesehen."

Naomi schüttelte ihr die Hand. „Ich bin Naomi. Ich bin mit Damian gekommen."

Plötzlich leuchtete Buffys Gesicht in

Erkenntnis auf. „Oh, du bist Rotkäppchen."

Naomi spürte, wie ihr Gesicht vor Verlegenheit rot wurde. Wussten alle, dass sie und Damian auf der Tanzfläche rumgemacht hatten wie Weltmeister in Mundgymnastik? Hatte er ihr deshalb geraten, sie solle im Auto bleiben, um ihr die peinlichen Blicke und Fragen zu ersparen? Und hatte Grayson sie deshalb gemustert, als wäre sie eine Art Zootier?

Als der kleine Junge anfing zu jammern, nutzte Naomi die Gelegenheit, um das Thema zu wechseln, und hob den Jungen einfach in ihre Arme. „Wahrscheinlich ist er müde. Es ist wirklich spät für ein Kind in diesem Alter."

Buffy zuckte mit den Schultern. „Harry ist rund um die Uhr wach."

Naomi wiegte ihn in ihren Armen und er hörte endlich auf zu weinen.

Grayson warf noch einen Blick auf die sterbliche Frau, die jetzt mit Buffy sprach. Als er den Korridor hinunterging, sah er Cooper und zog ihn beiseite. Cooper war Havens und Yvettes Hybridsohn und hatte superkurze dunkle Haare und einen muskulösen Körperbau. Er war locker, es machte Spaß, mit ihm abzuhängen, und er war ein gut ausgebildeter Leibwächter, dem es nichts ausmachte, Befehle zu befolgen.

„Siehst du die blonde Sterbliche, die mit Buffy spricht?"

„Ja, was ist mit ihr?"

„Beobachte sie. Ich glaube, sie ist ein Party-Crasher. Sorg dafür, dass sie nicht in die Nähe der Küche oder sonst irgendwo hingeht, wo sie Blut sehen könnte."

„Und was wirst du tun?"

„Damian finden. Sie behauptet, sie sei mit ihm gekommen. Sehr unwahrscheinlich."

„Ich habe gesehen, wie Damian vorhin ins Arbeitszimmer gegangen ist."

„Danke, Coop. Ich bin gleich wieder da."

Er klopfte Cooper mit der Hand auf die Schulter und ging zum Arbeitszimmer. Grayson klopfte kurz, dann öffnete er die Tür und schaute hinein. Damian war tatsächlich im Raum, aber er war nicht allein. Amaury, Eddie und sein eigener Vater, Samson, waren bei ihm. Und sie sahen aus, als würden sie über Geschäftliches reden. Ohne ihn. Verdammt, wie er das hasste. Er mochte es nicht, wenn sie ihn von Geschäftsgesprächen ausschlossen. Immerhin war er der Erbe des Scanguards-Imperiums. Aber manchmal behandelten sie ihn, als wäre er nicht zur Führung fähig.

Er würde ihnen und besonders seinem Vater beweisen, dass er sich stets um Scanguards kümmerte und nur das Beste für ihre Art im Sinn hatte, besonders wenn es darum ging, sie vor Außenstehenden zu schützen – wie vor der blonden Frau, die sich ins Haus geschlichen hatte, ohne dass es jemandem aufgefallen war.

„Wir haben ein Problem", verkündete er. „Ein Party-Crasher. Diese fette Tussi behauptet, sie sei mit Damian hier, aber das ist offensichtlich eine Lüge –"

„Naomi ist nicht fett!", fauchte Damian und stürzte sich auf ihn. Seine Faust traf Graysons Kinn, bevor er überhaupt begreifen konnte, was geschah.

Graysons Kopf schnellte zur Seite und

sofort fuhren sich seine Reißzähne zu voller Länge aus und er war kampfbereit. Er zog seine Faust für einen Gegenschlag zurück, aber sein Vater stoppte ihn, packte seine Faust und hielt sie fest.

„Hört auf! Ihr beide!", befahl Samson. Dann sah er Damian an. „Diese Naomi, weiß sie, was du bist?"

Damian schüttelte den Kopf. „Nein. Noch nicht. Ich habe vor, es ihr noch heute Abend zu sagen."

Grayson starrte ihn an. „Warum willst du ihr das sagen?"

„Warum glaubst du denn, du Idiot? Weil ich will, dass sie mir gehört."

Damians Erklärung brachte alle im Raum zum Schweigen. Nur ihre Atmung war zu hören, zusammen mit ihren Herzschlägen.

„Du machst keine Witze, oder?" Grayson spürte, wie seine Kinnlade aufklappte. „Ich hatte keine Ahnung, dass du auf f–"

„Wenn du das Wort fett noch einmal sagst", warnte Damian, „dann kannst du dein Gehirn vom Boden aufsammeln."

„Hitzköpfe", sagte Samson in beiläufigem

Ton, an seinen ältesten Freund Amaury gewandt.

„Ja, beide", antwortete Amaury.

„Ich glaube, wir müssen reden", sagte Samson.

„Wisst ihr, Leute", unterbrach Eddie. „Da muss ich nicht dabei sein. Ich schlage vor, ich gehe und sorge dafür, dass das Mädchen nicht über unsere Geheimnisse stolpert."

„Gute Idee", stimmte Samson zu, „nimm Grayson mit."

„Aber Cooper beobachtet sie bereits", protestierte Grayson.

Samson warf Grayson einen genervten Blick zu. „Raus. Jetzt sofort. Was ich mit Damian besprechen muss, geht dich nichts an."

Grayson grunzte unzufrieden. Eddie öffnete bereits die Tür, schaute dann über seine Schulter und hob seine Hand, in der er ein Handy hielt. „Ich schaue es mir gleich mal an. Ich lass euch wissen, was ich finde."

Grayson folgte Eddie aus dem Zimmer und zog die Tür hinter sich zu, verärgert darüber, dass er keine Gelegenheit bekommen hatte,

Damian im Gegenzug eine zu verpassen, obwohl er jetzt verstand, warum Damian ihn geschlagen hatte.

Damian war verliebt.

20

In dem Moment, als die Tür hinter Eddie und Grayson zufiel, richtete Samson seinen Blick wieder auf Damian und betrachtete ihn mit anderen Augen. Amaurys Sohn war erwachsen geworden. Wo war die Zeit geblieben? Es fühlte sich an wie gestern, als er und Amaury Seite an Seite gekämpft hatten, um die Frauen zu retten, die sie liebten. Und nun war die zweite Generation bereit, ihren eigenen Weg einzuschlagen, eigene Familien zu gründen. Ryder war der Erste gewesen, der sich auf diesen Weg begeben hatte, und es schien, dass Damian der Zweite sein würde.

Doch bevor er gratulieren konnte, mussten noch einige Dinge geklärt werden, denn Samson wurde nun klar, dass Damian in seinem Bericht über die Vorgänge im Nachtclub praktischerweise ein paar Dinge ausgelassen hatte.

„Diese Naomi war nicht zufällig die Person, die dich darauf aufmerksam gemacht hat, dass Mrs. Zhang gesehen hat, wie der Dieb das Mezzanine verließ?"

Damian nickte. Er hatte sich sehr vage darüber ausgedrückt, wie er an die Information gekommen war, dass eine Nachbarin den Dieb gesehen hatte, was dazu geführt hatte, dass er die zerbrochene Blutflasche und die Phiole gefunden hatte, die zweifellos mit Vampirblut gefüllt gewesen war. Sie alle hatten den unverwechselbaren Geruch erkannt.

„Und du hast es nicht als nötig empfunden, das zu erwähnen?"

„Nein, habe ich nicht."

Das störrische Heben von Damians Kinn entging Samsons Aufmerksamkeit nicht. Genauso wenig wie Amaurys.

„Und warum nicht?", fügte Samson hinzu.

„Aus diesem Grund." Damian deutete auf ihn und Amaury. „Weil ihr mir beide die Leviten lesen würdet. Und nach heute Nacht wird es sowieso kein Problem mehr sein."

„Wer ist sie, Sohn?", fragte Amaury.

Damian zögerte, und Samson ahnte bereits, dass ihm die Antwort nicht gefallen würde.

„Sie ist die Journalistin, von der ich euch erzählt habe. Diejenige, die Anschuldigungen über einen satanischen Kult oder Blutrituale im Mezzanine nachgeht."

Samson stieß einen Atemzug aus, während Amaury mit einer Hand durch sein langes Haar fuhr.

„Und du willst ihr sagen, was du bist? Was wir alle sind?", fragte Samson kopfschüttelnd. „Ausnahmsweise muss ich Grayson zustimmen. Ich rate davon ab. Du kennst sie nicht. Du hast keine Ahnung, wie sie reagieren wird. Und alles, was du tust, ist, ihr Beweise für ihren Artikel zu liefern."

Damian stieß ein bitteres Lachen aus. „Als ob einer von euch seine Gefährtin länger als ein paar Tage gekannt hätte, bevor sie herausfand, was ihr seid. Wie unterscheidet sich das von dieser Situation? Erklärt mir das mal."

Als Samson antworten wollte, stoppte Amaury ihn. „Nicht, Samson. Er hat recht. Es spielt keine Rolle, dass sie Journalistin ist oder dass er sie erst seit ein paar Tagen kennt. Er könnte es schlimmer getroffen haben. Als ich Nina das erste Mal begegnete, wollte sie mich umbringen. Und am Ende ist es gut ausgegangen."

Amaury grinste.

„Ja, Mom hat Benjamin und mir diese Geschichte oft erzählt, als wir jünger waren." Damian lächelte jetzt genauso wie sein Vater, und die Ähnlichkeit zwischen ihnen, abgesehen von den Haaren, war unglaublich.

„Und was, wenn sie das, was du ihr erzählst, dazu verwendet, ihren Artikel zu veröffentlichen?", fragte Samson.

„Das wird sie nicht", behauptete Damian. „Sie ist die Eine."

„Und wenn sie nicht dasselbe empfindet?"

„Das ist nicht möglich."

Samson musste über die stoische Aussage des Hybriden schmunzeln. „Es geht nicht nur um Sex." Dabei wusste er aus eigener Erfahrung, dass im Bett kompatibel zu sein eine fantastische Grundlage für eine glückliche Ehe war. Und wenn er bedachte, dass der Sexualtrieb eines Vampirs mit dem Alter nicht nachließ, war er froh, dass er und Delilah so verrückt nacheinander waren wie an dem Tag, an dem sie sich kennengelernt hatten. Und ebenso unersättlich, wenn es um ihre fleischlichen Freuden ging. Nur an sie zu denken, brachte ihn dazu, sie aus dem Wohnzimmer zerren zu wollen, um in einer dunklen Ecke mit ihr Sex zu haben, vorzugsweise mit seinen Reißzähnen tief in ihrem Hals vergraben.

Samson räusperte sich. „Tja, wenn du wirklich denkst, dass sie die Richtige ist, dann musst du tun, was du tun musst. Aber ich warne dich: Wenn sie dich nicht akzeptiert, musst du ihr Gedächtnis von allem löschen, was sie über dich oder das Mezzanine weiß. Wir können es uns nicht leisten, dass die Presse ihre Nase in unsere Angelegenheiten steckt."

„Ich verstehe", sagte Damian. Dann deutete

er auf die Tür. „Ich suche lieber nach ihr und bringe sie nach Hause."

„Lass es nicht überstürzt aussehen", riet ihm Amaury. „Du willst nicht, dass sie vermutet, dass du deine Familie versteckst. Außerdem glaube ich, dass deine Mutter sie gerne kennenlernen würde. Genauso wie ich."

Damian hob eine Augenbraue. „Überfordern wir sie lieber nicht gleich. Sie wird bald genug herausfinden, dass sie auch eine ganz neue Familie bekommen wird, wenn sie mich akzeptiert."

„Wir werden uns von unserer besten Seite zeigen", versprach Amaury.

Damian verdrehte die Augen, als würde er seinem Vater nicht glauben, verließ dann das Zimmer und schloss die Tür hinter sich.

„Das habe ich nicht kommen sehen", sagte Amaury.

„So wie ich es nicht kommen sah, als du dich an Nina gebunden hast", erwiderte Samson schmunzelnd. „Wenn es uns trifft, trifft es uns hart und schnell."

„Kein Wunder, dass er Grayson geschlagen hat", sagte Amaury.

„Keine Sorge, das wird Grayson guttun. Ich wünschte, er würde endlich von seinem hohen Ross herunterkommen und sich besser benehmen. Ich habe ihn sicher nicht dazu erzogen, sich schlecht zu benehmen."

Amaury lachte leise. „Nein, aber du hast ihn verwöhnt. Ihr beide habt ihn verwöhnt. Jetzt hat er sich daran gewöhnt, alles zu bekommen, was er will, und er glaubt nicht, dass es notwendig ist, nett zu anderen zu sein."

„Ich wünschte, er würde eine Frau finden, die ihn von seinem hohen Ross herunterwirft."

Amaury klopfte ihm auf die Schulter. „Ich fürchte, diese Frau muss erst noch geboren werden. Und sie darf nicht schüchtern oder schwach sein, denn dein Sohn braucht eine starke Hand."

„Das weiß ich selbst. Das Problem ist, so eine Frau zu finden."

„Es muss jemanden geben. Die Welt ist voll von eigensinnigen Frauen."

„Dessen bin ich mir sicher, aber die Frauen, mit denen Grayson normalerweise ausgeht, können ihn nicht im Zaum halten. Kein Wunder, dass sie ihn so schnell langweilen.

Wenn wir ihm nur jemanden in den Weg stellen könnten, der eine Chance hätte ...“

Amaury schüttelte den Kopf und lachte. „Versuch nicht einmal, ihn zu verkuppeln. Er wird es aus einer Meile Entfernung riechen und sie ablehnen, nur um dich zu verärgern.“

Samson grinste. „Dann muss ich nur dafür sorgen, dass er nicht weiß, dass er verkuppelt wird.“

„Ja, viel Glück dabei.“

21

„Er scheint dich zu mögen", sagte Buffy mit einem Lächeln auf das Kleinkind in Naomis Armen.

„Er ist ein süßer Kerl."

„Er ist anstrengend", korrigierte Buffy sie mit einem Augenzwinkern. „Macht es dir etwas aus, einen Moment auf ihn aufzupassen, während ich ihm einen Snack aus der Küche hole? Nur für den Fall, dass er wieder anfängt zu weinen."

„Kein Problem", erwiderte Naomi, während Buffy bereits den Flur entlang zum hinteren Teil des Hauses ging.

Grayson war nur wenige Augenblicke zuvor an ihnen vorbeigegangen, aber ein anderer junger Mann stand in der Nähe des Eingangs zum Esszimmer und warf ihr verstohlene Blicke zu. Wusste auch er, dass sie das berüchtigte Rotkäppchen war, das mit Damian auf der Tanzfläche des Mezzanine rumgemacht hatte? War das der Grund, warum er sie ansah? Vielleicht sollte sie versuchen, Damian zu finden, damit sie die Party verlassen konnten, bevor noch mehr Leute herausfanden, wer sie war.

Sie wäre zum Auto zurückgegangen, aber da Buffy sie gebeten hatte, sich einen Moment um Harry zu kümmern, konnte sie jetzt nicht verschwinden. Außerdem schien sich der Junge bei ihr wirklich wohl zu fühlen. Harry griff nach einer ihrer blonden Locken und zog daran. Für ein so kleines Kind war er ziemlich stark.

„Autsch!"

Sie versuchte, die Haarsträhnen aus seiner kleinen Faust zu befreien, aber er hielt sie fest.

„Harry, du musst loslassen", sagte Naomi sanft.

Aber der Junge lachte plötzlich und sie konnte seine scharfen Eckzähne sehen. Sie erinnerten sie an die Reißzähne, die Damian zu seinem Kostüm auf der Halloween-Party getragen hatte. Sie sahen genauso scharf und realistisch aus. Harry senkte plötzlich seinen Kopf und biss in ihren Finger, gerade als sie einen weiteren Versuch unternahm, ihr Haar aus seiner geballten Faust zu lösen.

„Autsch!" Der kleine Teufel hatte sie gebissen.

Plötzlich kam ein Mann aus dem Wohnzimmer gerannt und rief schimpfend: „Harry!" Er griff nach dem Kleinkind. „Du sollst nicht beißen!" Er schnappte sich den Jungen und warf ihr einen entschuldigenden Blick zu. „Tut mir leid, mein Sohn ist –"

„Naomi!"

Sie wirbelte ihren Kopf in Richtung der Stimme, da stand Damian auch schon neben ihr. „Bist du okay?"

„Harry hat sie gebissen."

Damian nahm ihre Hand und zog sie an seine Lippen. „Lass mich den Schmerz wegküssen."

„Schon gut", sagte sie, aber Damian küsste die Stelle, an der das Kleinkind zugebissen hatte, bevor sie überhaupt den Schaden inspizieren konnte.

„Es tut mir leid. Ich bin Blake, Harrys Vater. Und dieser kleine Junge" – der Mann warf seinem Sohn einen tadelnden Blick zu, und dieser senkte tatsächlich verlegen die Lider – „hat auf absehbare Zeit Hausarrest." Blake schüttelte den Kopf. „Er ist in diesem schrecklichen Alter, in dem er einfach alles erforschen will, indem er es in seinen Mund steckt."

„Ist schon in Ordnung. Es war nur ein kleiner Biss", sagte sie, um ihn nicht noch mehr für seinen Sohn in Verlegenheit zu bringen. „Ich habe es kaum gespürt."

Sie sah Damian an und dann auf ihren Finger. Trotz der Kraft, mit der Harry sich an ihrem Finger festgekrallt hatte, war keine Bisswunde zu sehen.

„Sieht so aus, als hätte er doch keinen Schaden angerichtet", sagte Damian mit einem Lächeln. Dann drohte er Harry mit dem Finger. „Kein Beißen mehr. Das ist unhöflich."

„Also, ähm", begann Blake, „willst du dein Date vorstellen, Damian?"

„Tut mir leid", sagte Damian. „Das ist Naomi. Wir hatten nicht wirklich vor zu bleiben."

Naomi warf ihm einen bedauernden Blick zu. „Ich habe draußen im Auto gewartet, aber ich musste auf die Toilette. Und dann reichte mir Buffy Harry, und ich konnte nicht einfach gehen, bevor sie –"

Damian drückte ihren Arm. „Ist schon in Ordnung."

„Na, jetzt, wo du hier bist, kannst du genauso gut ein bisschen bleiben", sagte Blake. „Und ich verspreche, dass ich diesen kleinen Kerl von dir fernhalten werde."

Damian sah sie an. „Wenn du bleiben willst, können wir bleiben."

„Ähm, ich will nicht stören", sagte sie, nicht sicher, ob Damian wirklich wollte, dass sie blieben.

„Du störst nicht", sagte Buffy plötzlich hinter ihr und griff mit einer kleinen Plastiktüte mit Crackern an ihr vorbei. „Hier, um Harry bei der Stange zu halten."

Blake grinste und nahm die Tüte. „Danke, Buffy. Hast du Lilo gesehen?"

„Nö." Buffy ging an ihnen vorbei ins Wohnzimmer.

„Ich sollte sie lieber finden. Und ihr solltet auf jeden Fall eine Weile bleiben. Ryder und Scarlet haben eine kleine Ankündigung zu machen", sagte Blake und marschierte mit seinem Sohn auf dem Arm ins Esszimmer.

„Ich schätze, wir können nicht sofort gehen", sagte Damian. „Bist du damit einverstanden?"

Naomi zuckte mit den Schultern. „Mir macht es nichts aus. Ich hoffe nur, dass nicht jeder weiß, wer ich bin."

„Was meinst du damit?"

Sie sah sich um, um sich zu vergewissern, dass niemand nahe genug war, um ihre Unterhaltung zu belauschen. „Buffy wusste, dass ich letzte Nacht Rotkäppchen war, und nach der Art zu urteilen, wie sie es gesagt hat, wusste sie, was wir auf der Tanzfläche gemacht haben. Was, wenn das hier jeder weiß?"

Damian lachte unerwartet. „Buffy weiß es, weil sie letzte Nacht im Mezzanine als

Barkeeper gearbeitet hat. Das bedeutet nicht, dass alle anderen es auch wissen. Sie ist keine Klatschtante. Na ja, jedenfalls keine große."

„Du sagst das, als ob es nichts zu bedeuten hätte, aber was, wenn sie es deinen Freunden und deiner Familie erzählt? Ich möchte keinen schlechten Eindruck hinterlassen."

Damian neigte seinen Kopf zu ihrem Ohr. „Du kannst auf niemanden einen schlechten Eindruck machen. Jeder wird dich mögen."

„Nicht jeder. Als ich reinkam, hat mich dieser unhöfliche Typ ausgefragt. Buffy hat ihn Grayson genannt."

Damian grummelte. „Ja, er kann ein pompöses Arschloch sein. Keine Sorge, er wird dir keine weiteren Schwierigkeiten bereiten."

„Wer ist er?"

„Patricks älterer Bruder."

„Das hätte ich nicht gedacht. Ohne dass ich jetzt Patrick besser kenne, scheint er doch viel netter zu sein als sein Bruder."

Plötzlich bat jemand aus dem Wohnzimmer um Stille und die Stimmen verebbten. Die Leute, die in der Küche und in anderen Räumen gewesen waren, machten sich auf den

Weg ins Wohnzimmer. Damian legte seine Hand um ihre Taille und führte sie zu dem Torbogen, der ins Wohnzimmer führte.

Damian hatte gerade noch rechtzeitig eingegriffen, denn Blakes kleiner Sohn hatte tatsächlich so fest zugebissen, dass Naomi geblutet hatte. Das war nicht ungewöhnlich für junge Vampirhybriden: Sie fühlten sich zu menschlichem Blut hingezogen. Und er wusste aus eigener Erfahrung, wie süß Naomis Blut schmeckte. Glücklicherweise war er in der Lage gewesen, die Stichwunden an ihrem Finger mit seinem Speichel zu versiegeln, bevor sie bemerkte, dass Harrys scharfe Reißzähne tatsächlich ihre Haut durchbohrt hatten.

Die Gespräche verstummten und alle Augen waren auf Ryder und seine blutgebundene Gefährtin Scarlet gerichtet. Scarlet trug ein langes rotes Kleid, das ihren Bauch betonte und sie strahlend aussehen ließ. Ryder hatte einen Arm um ihre Taille gelegt und lächelte sie überglücklich an. Scarlets Hand ruhte auf ihrem Bauch. Sie war sieben Monate schwanger, sah aber schon viel dicker aus.

„Scarlet und ich haben eine Ankündigung zu machen", begann Ryder.

„Lass mich raten: Scarlet ist schwanger", rief Ethan, Ryders Bruder, und der ganze Raum brach in Gelächter aus.

Ryder lachte. „Klugscheißer. Du wirst bald zur Arbeit herangezogen, denn als Onkel von zwei Jungs wirst du dauerhaft Babysitterdienst haben."

„Zwei?" Das überraschte Keuchen kam von Brandon King, Scarlets Vater. „Zwei Jungs?" Der Mann in den Fünfzigern, der ein Jahr zuvor ein Vampir geworden war, nachdem er bei dem Feuer, das sein viktorianisches Haus zerstört hatte, beinahe ums Leben gekommen wäre, breitete seine Arme aus und drückte Scarlet und seinen Schwiegersohn an sich. „Ich freue mich so für euch beide. Und für mich auch. Ich werde zwei Enkel haben, die ich verwöhnen kann."

Gabriel und Maya, Ryders Eltern, strahlten

stolz, und Glückwünsche hallten durch den Raum, als alle durcheinander sprachen.

Als Brandon Scarlet und Ryder aus seiner Umarmung ließ, schniefte Scarlet. „Bring mich jetzt nicht zum Weinen, Dad. Außerdem sind wir nicht die Einzigen, die etwas zu verkünden haben." Sie reckte den Hals. „Katie?"

Katie und Luther kamen nach vorne in den Raum. Luther war mit Damian praktisch verwandt. Er war Eddies Erschaffer, der Mann, der ihn in einen Vampir verwandelt hatte.

„Ich wusste, dass ich immer gesagt habe, dass ich keine Kinder will", begann Katie, „aber mitanzusehen, wie ihr Hybriden aufwachst …"

Verdammt! Hatten Grayson und Cooper es nicht geschafft, allen auf der Party zu sagen, dass es einen Menschen unter ihnen gab, der nichts über Vampire wusste? Er warf einen schnellen Blick auf Naomi, deren Stirn sich in Falten legte.

„… haben Luther und ich uns entschieden, dass es auch für uns endlich an der Zeit ist." Sie sah zu Luther auf, dem muskulösen Vampir, der sie überragte.

„Katie ist schwanger und ich könnte nicht glücklicher sein." Luthers Blick wanderte zu Samson, der nun auf seinen alten Freund zuging und ihn umarmte.

„Ich freue mich so für euch", sagte Samson.

Alle gratulierten dem Paar und Naomi wandte sich zu Damian um.

„Was meinte sie mit Hybrid?"

Damian machte eine wegwerfende Handbewegung. „Katie war Schauspielerin, bevor sie Luther heiratete, und manchmal verwendet sie noch Worte aus ihrer Zeit im Filmgeschäft."

Naomi schien ihm die Lüge abzunehmen.

„Zeit zum Tanzen", verkündete Ryder, und einen Moment später erfüllte Tanzmusik jeden Raum des Hauses.

Sofort begannen mehrere Paare zu tanzen. Vielleicht war es doch gar keine so schlechte Idee gewesen, zu dieser Party zu kommen. Naomi zu zeigen, wie normal seine Freunde und seine Familie waren, bevor er ihr offenbarte, dass sie Vampire waren, könnte es ihr tatsächlich leichter machen, ihn zu akzeptieren. Vielleicht würde sie ihn nicht als Monster sehen, wenn ihr klar wurde, dass sich Vampire genauso verhielten wie Menschen.

„Willst du tanzen?", fragte er und zog Naomi bereits in seine Arme, bevor sie überhaupt antworten konnte.

„Aber nicht …"

„Natürlich nicht", flüsterte er ihr ins Ohr und bemerkte sofort, dass sie sich Sorgen machte, dass er so intim sein würde wie im Mezzanine. „Ich will nicht mit meinen Eltern konkurrieren."

Naomi sah zu ihm auf. „Was meinst du damit?"

Er manövrierte sie weiter in den Raum hinein und zeigte dann auf ein tanzendes Paar, das so aussah, als würden sie für eine Wiederaufnahme des Films *Dirty Dancing* vorsprechen. „Das sind meine Eltern."

Naomi schnappte nach Luft.

„Schockierend, nicht wahr?", fragte Damian schmunzelnd. „Jetzt siehst du, warum ich mich im Mezzanine so verhalten habe. Wie der Vater, so der Sohn."

„Aber das können nicht deine Eltern sein",

sagte sie kopfschüttelnd. „Sie sind viel zu jung."

Das hatte er erwartet. „Fünfzig ist das neue Dreißig. Und beide haben gute Gene."

„Fantastische Gene, soweit ich sehen kann." Naomi lächelte ihn an. „Sie sehen aus, als wären sie frisch verheiratet."

„Ich werde dir irgendwann erzählen, wie sie sich kennengelernt haben. Es war Liebe auf den ersten Blick. Sie waren innerhalb einer Woche ein Paar und haben seitdem keinen Tag voneinander getrennt verbracht." Und er wollte dasselbe für sich. Eine Gefährtin finden, die ihn so ansah, wie Nina Amaury ansah. Wenn Naomi ihn nehmen würde, würde er sie für den Rest seines Lebens so anbeten, wie Amaury Nina verehrte.

„Wow. Von solchen Ehepaaren hört man selten. Das ist ungewöhnlich."

„Wirklich?" In seinen Kreisen war das nichts Ungewöhnliches. Blutgebundene Paare waren einander treu ergeben. Und die Machtdynamik innerhalb dieser Paare war auch interessant. „Willst du ein Geheimnis erfahren?"

„Hmm?"

„Meine Mutter trägt die Hosen in der Beziehung. Mein Vater ist Wachs in ihren Händen."

„Du machst Witze. Er ist riesig und … irgendwie einschüchternd."

„Er ist ein großer Teddybär. Und ich kenne viele solcher Paare." Er deutete auf Samson, der jetzt mit Delilah tanzte, die ein enganliegendes azurblaues Kleid trug. „Das sind Patricks Eltern, Samson und Delilah."

„Das ist der Besitzer von Scanguards? Die Art, wie er seine Frau ansieht … es ist, als ob … als wäre sie die einzige Frau hier." Naomi sah ihn an.

„Für ihn ist sie das." Damian lächelte. „Ich könnte weitermachen."

„Es muss schön sein, solche Vorbilder zu haben, all diese Ehepaare zu kennen, die nach Jahrzehnten der Ehe immer noch glücklich sind. Wenn ich mir Freunde meiner Familie anschaue, sehe ich nur eine Menge Scheidungen. Als ich in der High School war, waren die meisten Eltern meiner Freunde schon in ihrer zweiten Ehe. Es ist schön zu sehen, dass einige Leute es wirklich schaffen, eine gute Ehe zu führen."

Er bemerkte, wie sie einen lächelnden Blick auf Nina und Amaury warf. Ja, es war eine gute Idee gewesen, ihr zu zeigen, wie seine Familie war, bevor sie wusste, was sie waren. Im Moment sah sie sie ohne Vorurteile an, und mit etwas Glück würde sie sich an diese Eindrücke erinnern, wenn er ihr die Wahrheit über seine Familie und sich selbst erzählte.

„Sollen wir von hier verschwinden und zu mir gehen? Ich möchte mit dir allein sein, damit wir reden können, nur du und ich. Und dann will ich mit dir schlafen."

„Werden sie sich nicht wundern, warum wir so früh gehen?"

Er lachte an ihrem Ohr. „Glaubst du wirklich, dass irgendjemand bemerkt, dass wir gehen? Schau dich um. Sie haben doch alle nur Augen für ihren Partner."

„Dann lass uns gehen."

22

Naomi war erstaunt, als ihr klar wurde, dass Damians Wohnung mitten im Tenderloin lag, einem ziemlich heruntergekommenen Viertel in der Innenstadt von San Francisco. Aber als er sie in die Wohnung führte, die die ganze Etage einnahm, war sie positiv überrascht: Die Wohnung war purer Luxus, etwas, das sie von außen nicht erwartet hatte. Selbst das Tenderloin wurde eindeutig gentrifiziert.

„Gehört dir diese Wohnung?", fragte sie und wandte sich zu Damian um.

„Nein. Das Gebäude gehört meinen Eltern. Sie wohnen in der Wohnung über mir."

Überrascht fragte sie: „Macht es dir nichts aus, so nah bei deinen Eltern zu wohnen?"

„Wir haben ein gutes Verhältnis." Er kam näher und legte seine Hände an ihre Taille. „Aber lass uns über uns reden."

Plötzlich klingelte Damians Handy. Er seufzte und sah auf das Display. „Das ist Patrick. Da gehe ich lieber ran." Er nahm den Anruf entgegen. „Ja, was gibt's?" Es gab eine kurze Pause, dann legte Damian seine Hand über das Telefon und sagte zu ihr: „Fühl dich wie zu Hause, ich brauche nur eine Minute."

Er ging in Richtung Balkon und öffnete die Glasschiebetür, bevor er nach draußen trat, um sein Gespräch mit Patrick fortzusetzen.

Naomi nutzte die Gelegenheit, um ihren Blick schweifen zu lassen. Der Aufzug, mit dem sie von der Garage nach oben gefahren waren, hatte direkt in die Wohnung geführt. Der Wohnbereich war groß und offen, mit einem kleinen Balkon, einem riesigen Fernseher an einer Wand, einer offenen Küche an einem Ende des Raums und mehreren Türen links und rechts davon, von denen sie annahm, dass sie in Schlafzimmer und Badezimmer führten. Da dies die einzige Wohnung auf dieser Etage war, ging sie davon aus, dass es mindestens zwei oder drei Schlafzimmer und ebenso viele Badezimmer gab. Ihre eigene Wohnung passte dreimal hier hinein.

Damian war immer noch draußen auf dem Balkon und telefonierte mit Patrick. Naomi legte ihre Jacke und ihre Handtasche neben ihre Reisetasche, die Damian für sie heraufgetragen hatte, und ging in die Küche. Sie hatte Durst und war ein wenig nervös. Wenn ein Typ sagte, dass sie reden müssten, war das normalerweise eine schlechte Nachricht und beinhaltete eine Trennung. Damian hatte sie jedoch gebeten, über Nacht zu bleiben, und er hatte ihr auf der Party gesagt, dass er mit ihr schlafen wollte. Also war das, worüber er mit ihr reden wollte, wahrscheinlich etwas Gutes. Trotzdem war sie nervös, weil sie keine Ahnung hatte, was er ihr sagen wollte, was er nicht zuvor im Auto hätte sagen können.

Naomi öffnete den Kühlschrank und

schaute hinein. Für eine Junggesellenwohnung war er überraschend gut bestückt: Orangensaft, Sahne, frisches Obst und Gemüse, Dips, Käse, Aufschnitt und Weißwein. Sie suchte die Regale nach Wasserflaschen ab und fand sie schließlich im untersten Regal. Sie zog eine heraus und wollte gerade den Kühlschrank schließen, als ihr Blick auf zwei Flaschen mit roter Flüssigkeit fiel, die hinter den Wasserflaschen im Kühlschrank versteckt waren. Sie hatte diese Flaschen schon einmal gesehen.

Ihr Herz setzte einen Schlag aus. Die durchsichtigen Flaschen waren genauso beschriftet wie die zerbrochene Flasche, die sie unter dem Müllcontainer hinter dem Mezzanine gefunden hatte. Es gab nur einen Unterschied. Es stand *O+ abgefüllt von Scanguards* anstelle von *A+ abgefüllt von Scanguards* darauf. Sie ließ die Plastikwasserflasche fallen und griff nach der Flasche mit der roten Flüssigkeit. Täuschten ihre Augen sie? Halluzinierte sie?

Ihr Puls trommelte jetzt schneller. Damian hatte behauptet, er habe noch nie eine solche

Flasche gesehen. Dabei befanden sich in seinem Kühlschrank gleich zwei solcher Flaschen. Sie schraubte den Deckel ab und schnupperte an der Flüssigkeit. Der metallische Geruch stach ihr in die Nase und sie wich unwillkürlich zurück. Das war zweifellos Blut. Menschliches Blut.

„Naomi, Patrick hat gesagt …"

Beim Klang von Damians Stimme hinter ihr wirbelte sie so schnell herum, dass sie fast auf die Wasserflasche trat, die sie so achtlos auf den Boden fallen gelassen hatte, und stolperte. Damian griff nach ihr, um sie zu stützen, aber der Schaden war bereits angerichtet. Ihre Hand schnellte nach oben und der Inhalt der offenen Flasche ergoss sich über ihre Brust, spritzte auf ihr Oberteil und lief ihr Dekolleté hinunter. Sie war blutgetränkt.

„Fuck!"

Es war Damian, der geflucht hatte, aber es hätte genauso gut sie sein können, denn was sie jetzt sah, bereitete ihr Todesangst.

Damians Augen hatten ihre blaue Farbe verloren und glühten rot. Und zwischen seinen geöffneten Lippen sah sie scharfe, strahlend weiße Reißzähne hervorblitzen. Dieselben Reißzähne, die er auf der Halloween-Party als Teil seines Vampirkostüms getragen hatte. Aber sie wusste, dass er im Moment keine Plastikzähne oder farbigen Kontaktlinsen trug, genauso wie er in der Nacht im Mezzanine keine getragen hatte. Das wurde ihr jetzt klar, denn an beiden gab es nichts Falsches. Das war Damian, der echte Damian. Der Vampir. Das wusste sie jetzt. Und es erklärte so vieles. Eigentlich erklärte es alles.

„Du hast mich getäuscht." Sie presste die Worte heraus, während ihr Verstand Überstunden machte. Wie würde sie an ihm vorbeikommen? Wie konnte sie jetzt aus seiner Wohnung fliehen?

„Naomi, bitte, ich wollte es dir sagen. Heute Abend."

Sie wich vor ihm zurück und spürte die kühle Luft des offenen Kühlschranks in ihrem Rücken. „Du bist ein echter Vampir."

„Technisch gesehen bin ich ein Hybride, halb Vampir, halb Mensch."

Seine Stimme klang ruhig, aber sie ließ sich nicht täuschen. Seine Reißzähne waren ausgefahren, und sie konnte sehen, wie seine Nasenflügel bebten und sein Blick auf ihre Brust fiel, auf das Blut, das auf ihr war. Er wollte Blut. Das konnte sie sehen. Und noch etwas anderes war jetzt offensichtlich.

„Es war nicht nur ein Rollenspiel letzte Nacht, oder?"

Er schüttelte den Kopf und schien schuldig auszusehen. Wie war das möglich?

„Es tut mir leid, Naomi, ich habe mich gehen lassen. Ich wollte dich so sehr, ich konnte mich nicht beherrschen."

Das bestätigte es. Er hatte sie gebissen. Und dem Ausdruck in seinen Augen nach zu urteilen, die jetzt eher golden als rot schimmerten, war er nahe dran, es wieder zu tun. Aber das konnte sie nicht zulassen. Sie konnte sich nicht der Gnade eines Monsters ausliefern.

„Lass mich gehen, und ich werde nie ein Wort darüber verlieren", bettelte sie, weil sie wusste, dass sie etwas tun musste, um von ihm wegzukommen.

„Das kann ich nicht, Naomi."

Er machte einen Schritt auf sie zu, und

plötzlich verschwanden seine Reißzähne und sahen wieder wie normale Zähne aus, als hätte sie es sich nur eingebildet.

„Bitte lass mich gehen."

„Naomi, ich bin in dich verliebt."

Die Worte erschütterten sie bis ins Mark. Nein, ein Vampir konnte nicht lieben. Ein Vampir war eine blutrünstige Kreatur. Zum Teufel, Vampire sollten nicht einmal existieren.

„Es tut mir leid, dass ich dich letzte Nacht ohne deine Erlaubnis gebissen habe. Ich verspreche, das nächste Mal warte ich, bis du mir die Erlaubnis gibst."

„Nächstes Mal?" Sie schüttelte panisch den Kopf. „Warum sollte es ein nächstes Mal geben? Hältst du mich für verrückt?"

„Nein, aber warum glaubst du, bist du so heftig gekommen, als wir uns letzte Nacht liebten?"

Sie starrte ihn an und ihr Mund wurde trocken. Was wollte er damit andeuten? Dass sein Biss sie zum Höhepunkt gebracht hatte? Nein! Das war lächerlich.

„Der Biss eines Vampirs erhöht die

Erregung sowohl beim Vampir als auch beim Menschen."

Naomi schüttelte den Kopf. Sie wollte nicht zuhören, was er sonst noch zu sagen hatte. „Nein!" Dann starrte sie auf die Flasche, die sie immer noch in der Hand hielt. „Du hast mich angelogen, selbst nachdem ich dir die Flasche gezeigt habe, die ich gefunden habe. Nachdem ich dir von dem Artikel erzählt habe, den ich schreiben soll. Du hast mich immer wieder angelogen."

„Ich wollte es dir heute Abend sagen. Deshalb habe ich dich hierher gebracht. Damit wir uns in Ruhe unterhalten können und ich dir sagen kann, was ich bin."

„Damit ich mit dir allein bin, ohne dass mich jemand schreien hört", sagte Naomi. Sie wusste, dass sie niemals gegen ihn ankämpfen könnte. Er war zu stark. Sie war ihm wirklich ausgeliefert.

Zu ihrer Überraschung lachte er leise.

„Was ist da so lustig?", fuhr sie ihn an.

„Tut mir leid, *Chérie*, du wirst schreien, aber nicht vor Schmerz oder Angst, sondern vor Ekstase, denn wenn wir hier fertig sind, wirst du wollen, dass ich mit dir Liebe mache und dich beiße, während ich tief in dir bin."

Die Arroganz seiner Worte brachte sie dazu, die halbleere Flasche auf das Regal in der Kühlschranktür zu knallen und die Hände in die Hüften zu stemmen. „Wie kannst du es wagen, du eingebildeter, selbstzufriedener Idiot, anzunehmen, was ich tun werde?"

Als die Worte ihre Lippen verließen, wurde ihr klar, dass sie keine Angst vor ihm hatte. Sie war sauer auf ihn. Diese Erkenntnis traf sie wie ein Schlag in die Magengrube. Gleichzeitig erinnerte sie sich genau daran, wie sie sich gefühlt hatte, als sie Sex hatten und er sie in den Hals gebissen hatte. Sie hatte keine Schmerzen gehabt, und es hatte auch keine Anzeichen für den Biss gegeben. Und sie hatte sich in ihrem ganzen Leben noch nie so befriedigt gefühlt.

Damian seufzte. „Verdammt, Naomi, wie soll ich klar denken können, wenn deine Kleidung blutgetränkt ist und ich nur daran denken kann, es von dir abzulecken?" Er fuhr sich mit zitternder Hand durchs Haar. „So hatte ich dieses Gespräch nicht geplant."

„Na, dann sind wir uns ja einig, weil ich dieses Gespräch überhaupt nicht geplant hatte", fauchte sie.

„Zieh das verdammte Oberteil aus, Naomi!"

„Zwing mich doch!" Die wütenden Worte waren heraus, bevor sie sie zurücknehmen konnte.

„Na gut!"

Bevor sie auch nur blinzeln konnte, riss Damian ihr Top in zwei Teile und zerrte es von ihrem Körper. Aber das entfernte nicht das gesamte Blut von ihr, weil etwas davon ihren BH durchnässt hatte und an ihren Brüsten klebte.

„Fuck!", fluchte Damian.

Ihre Blicke trafen sich und in diesem Moment wusste sie, dass sie ihm niemals widerstehen könnte. Sie war dem Untergang geweiht.

Das Nächste, was sie spürte, war, wie Damian seinen Kopf zu ihren Brüsten senkte. Er leckte das Blut von ihrer Haut, und alles, was sie tun konnte, war, wie gelähmt dazustehen. Seine warme Zunge auf ihrer Haut zu spüren, als er ihre Brüste durch ihren BH leckte, katapultierte sie zurück zu dem Zeitpunkt, als sie Sex in ihrer Wohnung hatten ... als sie seinen Schwanz geleckt hatte. Den Schwanz eines Vampirs. War sie so verdorben, dass sie selbst jetzt nicht bereuen konnte, was sie getan hatte? Zu bereuen, dass sie es genossen hatte, mit ihm zusammen zu sein?

„Damian", murmelte sie plötzlich atemlos. „Wir müssen aufhören. Wir können nicht einfach ..." Aber die nächsten Worte fielen ihr nicht mehr ein.

Endlich hob er seinen Kopf von ihren Brüsten und sie sah das Blut auf seinen Lippen. Verdammt, warum fand sie diesen Anblick so erotisch? Er sollte sie anwidern.

„Naomi, gibst du mir bitte die Gelegenheit, alles zu erklären? Es gibt so viel, was ich dir sagen muss. Über mich, meine Familie, mein Leben. Kannst du mir das einräumen? Ich verspreche, dass ich dir nicht wehtun werde." Seine Augen waren jetzt blau. Und er sah wieder ganz menschlich aus.

Langsam nickte sie. „Gut. Wir reden." Und danach? Was würde sie tun, wenn sie alles wüsste? Sie hatte keine Ahnung, wie sie reagieren würde. Ihr Kopf drehte sich.

„Vielen Dank." Er deutete auf ihren BH. „Warum gebe ich dir nicht eins meiner T-Shirts, damit du dich wohler fühlst?"

23

Nachdem Naomi in eines seiner T-Shirts geschlüpft war, verspürte Damian einen Moment der Erleichterung. Er war kurz davor gewesen, sie erneut zu beißen, denn der Geruch von menschlichem Blut, der sich mit dem ihrer verlockenden Haut vermischte, war zu berauschend. Aber er hatte es geschafft, sich zu beherrschen, und hatte nur das abgefüllte Blut von ihrer Haut geleckt, bevor er von ihr abließ.

Als er sich auf das große Sofa im Wohnbereich setzte, nahm Naomi den Sessel, der am weitesten von ihm entfernt stand. Sie waren allein. Benjamin hatte einen 36-Stunden-Einsatz, um einen Kunden während einer Geschäftsreise nach Los Angeles zu beschützen, deshalb würden sie heute Nacht nicht gestört werden. Er hatte alle Zeit der Welt, Naomi von sich zu erzählen.

Ihr seine vampirische Seite zu zeigen, war nicht das Erste, das auf der Tagesordnung gestanden hatte. Er hatte gehofft, das für den Schluss aufzuheben, aber was geschehen war, war geschehen. Die Katze war aus dem Sack, und er konnte sie nicht wieder hineinstecken.

„Auf diese Weise wollte ich es dir nicht offenbaren." Er zuckte mit den Schultern. „Aber jetzt weißt du es, und es ist wichtig, dass ich dir alles über mich, meine Familie und Scanguards erzähle."

„Und das abgefüllte Blut, das ich gefunden habe", fügte sie hinzu.

„Das auch. Aber lass mich damit beginnen, dir von uns zu erzählen, von den Vampiren. Ich wurde nicht in einen Vampir verwandelt. Ich wurde als Vampir-Hybride geboren. Du hast meinen Vater und meine Mutter auf der Party gesehen und kommentiert, wie jung sie aussehen. Sie altern nicht, genauso wie auch ich nicht mehr altern werde."

Naomi starrte ihn mit großen Augen an. „Willst du damit sagen, dass deine Eltern Vampire sind? Und Vampire können Kinder haben?"

„Nur mein Vater ist ein Vampir. Meine Mutter Nina ist ein Mensch."

Naomi schüttelte sofort den Kopf. „Das kann nicht sein. Sie sieht noch jünger aus als dein Vater. Und du bist wie alt? Dreißig?"

„Einunddreißig."

„Sie kann unmöglich ein Mensch sein."

„Sag ihr nicht, dass ich es dir gesagt habe, aber sie ist Ende fünfzig."

Naomi schnappte nach Luft.

„Und der Grund, warum sie nicht altert, ist, weil sie mit meinem Vater blutgebunden ist. Er teilt seine Unsterblichkeit mit ihr durch sein Blut. Sie trinkt sein Blut."

„Das ist lächerlich. Was du wirklich sagen willst, ist, dass er sie in einen Vampir verwandelt hat, warum würde sie sonst sein Blut trinken?"

Er verstand, warum es Naomi schwer fiel zu

verstehen, was ein Blutbund bedeutete. „Du denkst wahrscheinlich, dass ein Mensch, der Vampirblut trinkt, zu einem Vampir wird, wie es die Filme darstellen. Das ist nicht der Fall. Nur wenn ein Mensch am Rande des Todes steht, kann Vampirblut den Menschen in einen Vampir verwandeln."

„Also ist sie immer noch ein Mensch, aber warum um alles in der Welt trinkt sie dann sein Blut?"

Damian musste lächeln. „Weil das Trinken seines Blutes sie erregt und die Bindung stärkt, die sie haben. Ihre Verbindung ist enger als die eines normalen Paares. Und durch den Blutbund mit ihr hat sich mein Vater völlig von ihr abhängig gemacht."

„Was meinst du damit?" Neugier flackerte in Naomis Augen auf.

„Seit dem Blutbund kann mein Vater nur noch das Blut meiner Mutter zur Ernährung trinken." Er deutete auf den Kühlschrank. „Wenn er das abgefüllte menschliche Blut trinken würde, das viele von uns trinken, würde er krank werden und letztendlich sterben."

Einen Moment lang herrschte

fassungsloses Schweigen, dann fragte Naomi: „Aber wenn ihr etwas passiert, wenn sie stirbt, würde das nicht bedeuten, dass dein Vater auch sterben wird, weil er verhungern wird?"

Damian schüttelte den Kopf. „Nein. Wenn ein blutgebundener Gefährte stirbt, macht der überlebende Gefährte eine Veränderung durch und er kann wieder das Blut jedes Menschen trinken. Ich kenne zwei Vampire, denen das passiert ist. Einen von ihnen hast du heute Abend gesehen: Luther. Katie ist seine zweite Gefährtin. Seine erste starb bei der Entbindung."

„Oh." Sie dachte über seine Worte nach, und er drängte sie nicht. „Also, da dein Vater für sein Überleben von deiner Mutter abhängig ist, hast du deshalb gesagt, dass deine Mutter in der Beziehung die Hosen anhat?"

„Das ist nicht der Grund. Meine Mutter würde ihm niemals ihr Blut verweigern. Sie liebt ihn. Aber sie hat ihn auch so fest um ihren kleinen Finger gewickelt, dass es ein Wunder ist, dass Dad atmen kann. Doch er liebt sie und würde sein Leben für sie geben, wenn er das müsste. Ich habe noch nie eine so starke Liebe gesehen wie die meiner Eltern."

„Wie kann sie einen Vampir lieben?" Naomi schüttelte den Kopf.

„Ich weiß, es ist schwierig, das zu verstehen, aber tief im Inneren ist mein Vater ein Mann mit mehr Menschlichkeit und tieferen Emotionen als jeder Mensch. Sie vertrauen einander vollkommen, und ungeachtet dessen, was man über eine Beziehung zwischen einem Menschen und einem Vampir denken mag, sind sie gleichberechtigte Partner."

Gleichberechtigte Partner? Naomis Kopf drehte sich noch mehr. Wie war das überhaupt möglich? Führte sie wirklich dieses Gespräch? Aber als sie an die Einweihungsfeier zurückdachte und daran, wie Damians Eltern einander angesehen hatten, konnte sie nicht leugnen, was sie gesehen hatte: Liebe und Hingabe. Aber noch etwas anderes: Verlangen. Selbst nachdem sie schon über dreißig Jahre zusammen waren, begehrten sie einander immer noch.

„Und du wurdest in das hineingeboren? Also bist du immer noch ein Teil Mensch?"

Er nickte. „Ich bin so stark wie mein Vater, aber ich bin nicht so anfällig für Sonnenlicht wie er. Ich kann menschliche Nahrung essen, aber ich brauche auch menschliches Blut, um stark zu bleiben."

Sie deutete auf den Kühlschrank. „Du trinkst Blut aus der Flasche?"

„Meistens."

Ein Schauer lief ihr über den Rücken. Meistens. Sie wusste, was das bedeutete. Wenn er nicht gerade Frauen während des Sex biss. Aber sie wollte das Gespräch nicht in diese Richtung lenken.

„Das Blut wird von Scanguards abgefüllt. Wieso denn? Was hat ein Sicherheitsunternehmen mit Blut zu tun? Und woher bekommen sie es?"

Sie bemerkte, wie Damian tief Luft holte.

„Es ist eigentlich kein Geheimnis, das ich verraten sollte, aber du bist zu schlau, du würdest es sowieso bald herausfinden, also kann ich dir genauso gut alles erzählen."

Sie nickte.

„Samson, der Gründer von Scanguards, ist ein Vampir. Über die Hälfte seiner Angestellten sind Vampire oder Hybriden. Einige sind Hexen. Der Rest sind Menschen. Die meisten Leute, die du auf der Einweihungsparty gesehen hast, sind Vampire oder Hybriden und ihre blutgebundenen Gefährten."

„Hybriden? Das hat die Frau gesagt."

„Katie. Ja."

„Ist sie ein Vampir?"

„Nein. Aber sie ist mit einem blutgebunden, Luther. Und ihr Bruder Haven ist ein Vampir. Ihr Bruder Wesley ist ein Hexer."

Naomi schüttelte den Kopf und versuchte, alles aufzunehmen. „Also Patrick und Grayson? Sie sind Vampire?"

„Hybriden. Sie wurden von einem Vampir und seiner menschlichen Gefährtin gezeugt. Du hast Samson und Delilah gesehen. Sie sind einander genauso ergeben wie meine Eltern."

„Und die schwangere Frau, Scarlet? Sie ist ein Mensch, richtig?"

„Ja, aber Ryder ist ein Vampir-Hybride wie ich. Und die Babys werden Vampir-Hybriden sein."

Bei der Erwähnung von Babys erinnerte sich Naomi daran, was sie gesehen hatte, als das Kleinkind gelacht hatte. „Harry, das Kleinkind, er ist ein Vampir-Hybride? Das waren wirklich Reißzähne, oder? Und er hat wirklich versucht, mich zu beißen."

„Er hat dich gebissen. Ich habe die Wunde versiegelt, bevor du sehen konntest, dass du tatsächlich geblutet hast."

„Was?" Sie starrte auf ihren Finger, aber es gab keine Spur des Bisses. „Das ist nicht möglich. Ich hätte es gesehen."

„Erinnerst du dich, dass ich die Stelle geküsst habe?" Er sah sie an, und seine Augen schimmerten plötzlich wieder golden. „Der Speichel eines Vampirs kann solche kleinen Wunden sofort heilen, und es werden auch keine Narben zurückbleiben." Er zeigte auf ihren Hals. „Genauso wie du keine Narbe hast, wo ich dich gestern Nacht gebissen habe."

Ihr Atem stockte ihr im Hals. „Du hast darüber geleckt." Und sie hatte keine

Schmerzen verspürt. Nur Vergnügen. „Wenn du mich wirklich gebissen hast, warum hat es dann nicht wehgetan?"

„Weil der Biss eines Vampirs nicht schmerzhaft sein muss. Ich habe deine Haut geleckt, bevor ich dich gebissen habe. Das hat dafür gesorgt, dass du keinen Schmerz verspürst, sondern nur das Vergnügen, das mit dem Biss eines Vampirs einhergeht." Er atmete merklich ein. „Und die Erregung. Allein der Gedanke daran macht mich jetzt hart."

Naomi schnappte nach Luft. Sie sah, wie Damian sie mit Verlangen in seinen Augen ansah, und plötzlich verstand sie, wie ein Mensch sich zu einer Kreatur wie ihm hingezogen fühlen konnte, wissend, was er war. Aber sie konnte dieser Versuchung nicht nachgeben, weil sie nicht wusste, was es mit ihr anstellen würde. Würde sie zu einer geistlosen Kreatur werden, die nur von Lust und anderen fleischlichen Trieben gesteuert wurde? Wäre sie immer noch sie selbst, wenn sie sich einem Vampir hingeben würde?

Ihr Verstand ließ sie nicht aufgeben, obwohl ihr Körper schwach war. Aber sie war

Journalistin, eine Person, die alle Seiten einer Geschichte betrachtete. Dieser Gedanke erinnerte sie an etwas.

„Dann sind die Behauptungen über Blutrituale oder einen satanischen Kult im Mezzanine doch wahr? Mrs. Zhang hat wirklich Vampire gesehen."

Damian seufzte. „Es gibt keinen satanischen Kult und keine Blutrituale. Das kann ich dir versichern. Aber ich bin mir nicht sicher, was sie gesehen hat. Das Personal und jeder Vampir, der den Club besucht, weiß, dass ich es nicht toleriere, wenn sich jemand in der Öffentlichkeit von einem Menschen ernährt. Es ist zu riskant."

„Du hast es im Club gemacht", erinnerte sie ihn.

„Bevor du mich einen Heuchler nennst ... was ich getan habe, ist in einem geheimen Raum passiert, wo niemand uns sehen konnte. Und es war Halloween. An Halloween sind wir etwas entspannter, weil alle verkleidet sind."

„Also waren alle Leute, die als Vampire verkleidet waren, echte Vampire?"

Er nickte. „Die meisten von ihnen. Nur so

können wir unsere Reißzähne in der Öffentlichkeit zeigen, ohne dass irgendjemand Angst bekommt oder Verdacht schöpft."

„Wie viele gibt es?"

„Im Club?"

„Nein, in San Francisco."

Damian zuckte mit den Schultern. „Ein paar tausend. Mehr als in den meisten Städten."

„Warum?"

„Scanguards bietet gute Beschäftigungs-möglichkeiten für Vampire, und sie stellen ihren Angestellten auch kostenlos abgefülltes menschliches Blut zur Verfügung, um sie zu ermutigen, nicht direkt von Menschen zu trinken."

„Aber sie tun es immer noch. Ich meine, du hast es getan."

„Dafür gibt es einen Grund. Die meisten Vampire und Hybriden, die nicht mit einem Menschen blutgebunden sind, müssen Menschen nicht mehr beißen, um Blut zu bekommen, um zu überleben. Sie können trinken, was Scanguards von den Blutbanken beschafft. Sie tun es jetzt aus anderen

Gründen. Heutzutage ist das Beißen meistens einvernehmlich und Teil des Sexaktes."

Da spürte sie, wie sie errötete, und Damian schien es zu bemerken, denn sie sah, wie sein Blick auf ihre Brüste fiel, und ihr wurde jetzt klar, dass ihre Brustwarzen hart waren und sich Flüssigkeit zwischen ihren Schenkeln sammelte. Sie war erregt.

„Sogar Vampire beißen sich gegenseitig, um das sexuelle Vergnügen zu steigern, aber einem Vampir, der einen Menschen beißt, widerfährt das erstaunlichste Gefühl der Welt. Deshalb würde mein Vater nie im Traum daran denken, meine Mutter in einen Vampir zu verwandeln. Er schätzt sie als Mensch zu sehr. Er würde es nur tun, um ihr Leben zu retten."

Je mehr sie über Damians Eltern erfuhr, desto weniger Angst konnte sie bei dem Wissen heraufbeschwören, dass es Vampire gab und dass Damian einer von ihnen war.

„Es gibt noch etwas, das du über Vampire wissen solltest", fügte Damian hinzu. „Wenn sie sich verlieben, verlieben sie sich schnell und vollkommen."

Er stand vom Sofa auf und ging zu ihrem

Sessel. Sie konnte sich nicht bewegen, hatte nicht die Kraft aufzustehen, obwohl sie es sollte. Stattdessen beobachtete sie, wie er sich ihr näherte und vor ihr in die Hocke ging.

„Ich bin in dich verliebt, Naomi. Deshalb habe ich dich hierher gebracht, um zu reden. Damit ich dir zeigen kann, wer ich wirklich bin, in der Hoffnung, dass du mich nicht abweisen wirst. Ich wurde in diese Welt hineingeboren. Ich habe nie etwas anderes gekannt. Und ich kenne keine besseren Leute als die, die Teil von Scanguards sind, denn alles, was sie tun, ist, andere vor Monstern zu beschützen, egal in welcher Form sie auftreten: menschlich oder übernatürlich."

Seine Worte erfüllten ihr Herz mit Wärme. Sie beugte sich zu ihm, und aus eigenem Antrieb bewegte sie ihre Hand. Sie berührte sein Gesicht und rieb mit dem Finger über seine Lippen. Sein warmer Atem strich über ihre Hand.

„Und du wirst mir nicht wehtun?"

„Niemals, *Chérie*."

Er legte seine Hände auf ihre Schenkel und sie holte tief Luft. Hitze stieg in ihr auf. War es verrückt, einen Vampir zu begehren? Sich nach seiner Berührung zu sehnen?

„Zeig es mir."

Erst als das letzte Wort ausgesprochen war, wurde ihr klar, dass sie eine Entscheidung getroffen hatte: alle Vorsicht in den Wind zu schlagen. Denn sie wollte fühlen, was sie gefühlt hatte, als er in dem geheimen Raum hinter seinem Büro mit ihr geschlafen hatte. Sie wollte seinen Biss spüren, diesmal mit dem Wissen, dass es seine echten Reißzähne waren, keine künstlichen Plastikeinsätze, wie sie angenommen hatte, und dass dies kein Rollenspiel, sondern Realität war.

Sie wollte spüren, wie dieser Vampir sie begehrte.

24

Damian öffnete seinen Mund weiter und zwang seine Reißzähne, sich zu ihrer vollen Länge auszufahren, während sein Herz einen Salto machte. Naomi hatte keine Angst vor seiner vampirischen Seite. Sie war neugierig.

Als sie fasziniert auf seine Reißzähne blickte, nahm er ihre Hand und führte sie zu seinem Gesicht. „Du kannst sie anfassen. Denk nur daran, dass es sich für mich anfühlen wird, als würdest du meinen Schwanz berühren."

Etwas leuchtete in ihren Augen auf und ein winziger Atemzug entwich ihrer Kehle. Langsam bewegte sie ihre Hand und streckte ihren Zeigefinger aus, um über die Außenseite seines Fangzahns zu gleiten.

Damian atmete tief ein und schloss die Augen, sein Herz schlug außer Kontrolle, sein Schwanz wurde in einer Sekunde hart.

„Magst du das?", fragte sie hauchend.

„Mögen? Ich liebe es." Er nahm ihre andere Hand, führte sie an die Vorderseite seiner Hose und drückte sie dort auf die Ausbuchtung. „Spürst du, was du mir antust?"

„Oh." Das kleine Luder drückte seinen Schwanz und brachte ihn als Reaktion zum Zucken.

„Fuck, Naomi, willst du, dass ich gleich hier komme, ohne mich auszuziehen?"

„So empfindlich sind deine Reißzähne?", fragte sie mit Staunen in ihren Augen.

„Sie sind sogar noch empfindlicher, wenn sie die Haut eines Menschen durchbohren." Er brachte sein Gesicht näher zu ihrem. „Ich möchte dich küssen. Darf ich das bitte?'

Sie bewegte ihre Lippen näher zu seinen. „Und wenn ich Nein sage?"

„Dann muss ich eiskalt duschen."

„Das wird nicht nötig sein", murmelte sie

und legte ihre Lippen auf seine.

„Gott sei Dank!"

Damian zog seine Reißzähne ein und eroberte Naomis Lippen. Dieser Kuss fühlte sich besser an als jeder vorherige Kuss, den er mit ihr geteilt hatte, weil sie ihn mit dem vollen Wissen küsste, wer er war. Es gab kein Verstecken mehr, kein Zurückhalten, keine Geheimnisse. Nur sie beide. Allein.

Damian zog sie in seine Arme, hob sie hoch und löste kurz seine Lippen von ihren. „Ich möchte mit dir schlafen."

„Wo ist dein Schlafzimmer?"

Er marschierte bereits mit ihr in seinen Armen darauf zu und senkte seine Lippen wieder auf ihre, tauchte in die süße Höhle ihres Mundes ein, kostete sie, erkundete sie. Er öffnete die Tür zu seinem Schlafzimmer, ging hinein und trat sie dann hinter sich zu.

Hungrig nach Naomi, sowohl nach ihrem Körper als auch nach ihrem Blut, ließ er sie auf sein Kingsize-Bett sinken und zerrte bereits an ihren Kleidern. Zum Glück hatte sie nichts dagegen, denn sie zog ihn genauso ungeduldig aus. Trotzdem dauerte es eine

Minute, bis sie beide nackt waren. Sie atmeten schwer, ihre Lippen verschmolzen, ihre Hände erkundeten einander eifrig.

Damian knetete ihre üppigen Brüste, liebte das Gefühl des Gewichts in seinen Handflächen und wie ihre Brustwarzen hart wurden, bevor er überhaupt darüber leckte. Er vergrub sein Gesicht in ihrem Dekolleté und liebte das Gefühl, wie ihr Fleisch ihn umarmte, Schweißperlen ihre Haut überzogen und sich mit dem süßen Aroma ihres Körpers vermischten. Er ließ seine Reißzähne wieder ausfahren.

Er liebte ihre Hände auf sich. Sie streichelte seinen Rücken, grub ihre Fingernägel in seinen Hintern, und sie drängte ihn, in sie zu stoßen. Aber er wollte sie an den Rand eines Orgasmus bringen, bevor er sich in ihr vergrub.

„Damian", murmelte sie und drückte ihren Kopf in das Kissen, um ihm ihre Brust entgegen zu drängen.

„Fuck, ich liebe deine Titten. Sie sind so voll, so schwer." Er drückte sie zusammen und saugte einen Nippel in seinen Mund, leckte mit seiner Zunge darüber, bevor er den Kopf hob, um sie anzusehen. „Wenn ich dich heute Nacht beiße, wird es hier sein." Er sah auf die Brustwarze, an der er gerade gesaugt hatte, und dann zurück zu Naomi. „Willst du das?"

Sie keuchte. „Ja, bitte, ja."

„Das macht dich an, oder? Zu wissen, was ich tun werde?" Er ließ seine Hand über ihren Oberkörper zu ihrem Geschlecht hinabgleiten. Sie war bereits warm und feucht und er strich mit seinen Fingern über ihre Scheide.

„Oh Gott, ja!"

Als er ihre vor Leidenschaft geweiteten Augen und ihren ganzen Körper in voller Erregung sah, konnte er es nicht länger hinauszögern. Er musste in ihr sein. Er schob ihre Schenkel weiter auseinander und positionierte sich, als Naomi plötzlich eine Hand gegen seine Brust drückte.

„Du hast das Kondom vergessen."

„Ich habe es nicht vergessen. Wir werden es nicht brauchen. Vampire übertragen keine Krankheiten."

„Aber ich nehme die Pille nicht. Ich könnte schwanger werden."

„Ich kann dich nicht schwängern."

„Aber du hast gesagt –"

„Nur blutgebundene Vampire können einen Menschen schwängern. Ich nicht. Noch nicht."

Ihre Stirn war immer noch gerunzelt. „Aber du hast schon von meinem Blut getrunken. Heißt das nicht –"

Er lächelte und schüttelte den Kopf. „Nein. Für einen Blutbund müssten wir beide das Blut des anderen trinken, während wir uns lieben. Heute Abend werde ich der Einzige sein, der Blut trinkt. Du musst dir also keine Sorgen machen."

Sie stieß einen erleichterten Seufzer aus, dann legte sie ihre Hände auf seine Hüften, bevor sie ihm einen verführerischen Blick zuwarf. „Worauf wartest du dann?"

Noch bevor das letzte Wort ihre Lippen verlassen hatte, stieß Damian in ihre Muschi, bis er bis zum Anschlag in ihr war. „Fuck!" Das war besser, als er erwartet hatte. Kondome hatte er schon immer gehasst, und von nun an würde er nie wieder eines benutzen müssen.

Langsam begann er, sich in ihr zu bewegen. Er stieß in ihren einladenden Körper hinein und zog sich wieder heraus, während er seine Lippen auf ihre senkte und ihren Mund für einen leidenschaftlichen Kuss eroberte. Ihre Zungen duellierten sich und ihre Atemzüge vermischten sich, während sich ihre Körper im Einklang bewegten. Er liebte die Art und Weise, wie Naomis innere Muskeln seinen Schwanz bei jedem Zurückziehen drückten und ihn bei jedem Versinken wieder willkommen hießen. Der Druck baute sich in seinen Eiern auf und er wusste, dass er nicht mehr lange durchhalten würde.

Er löste den Kuss und sah ihr in die Augen. „Bist du bereit für meinen Biss?"

„Ja", sagte sie, ohne zu zögern.

„Danke, dass du mir vertraust."

Er senkte seinen Mund zu ihrer Brust und leckte über die steife Brustwarze und saugte die kleine Rosenknospe in seinen Mund. Er atmete tief ein und strich mit seinen Fangzähnen über Naomis Haut. Der Kontakt jagte ihm einen Schauer über den Rücken. Unfähig, länger zu warten, trieb er seine Reißzähne in ihre Brust und steckte sie tief in ihr Fleisch. Als die ersten Blutstropfen seine

Zunge berührten, sandte der Geschmack einen Feuerspeer durch sein Inneres. Verdammt! Sie schmeckte heute Nacht sogar noch besser, weil das Schuldgefühl, sie in der vergangenen Nacht ohne ihre Erlaubnis gebissen zu haben, verschwunden war. Alles, was übrig blieb, war ihr süßes Blut, ihr Vertrauen und ihre Akzeptanz. Zusammen ergaben sie den köstlichsten Nektar, von dem er nicht genug bekommen konnte.

Naomi stöhnte unter ihm und ihre Hüften drängten sich gegen ihn, kamen seinen Stößen entgegen und forderten ihn auf, noch härter in sie einzudringen. Er erfüllte ihren Wunsch nur allzu gerne und rammte seinen Schwanz noch kräftiger in ihre feuchte Höhle. Naomi kreuzte ihre Knöchel unter seinem Hintern und hielt ihn fest, als hinge ihr Leben davon ab, während er spürte, wie sich ihr Herzschlag beschleunigte. Er wusste, dass sie kurz vor ihrem Höhepunkt stand. Er veränderte seinen Winkel ein wenig, und beim nächsten Stoß schrie Naomi auf. Er spürte ihren Orgasmus körperlich, hörte das aufgeregte Trommeln ihres Pulses, spürte, wie ihr Blut schneller durch ihre Adern strömte, und spürte, wie sich ihre inneren Muskeln um seinen Schwanz zusammenzogen und wieder lösten. Ihr Höhepunkt löste seinen eigenen aus, und er ließ sich gehen und schoss seinen Samen in die Frau, der er sein Herz anvertraut hatte.

Als ihre Orgasmen verebbten, zog Damian seine Reißzähne aus ihrer Brust und leckte über die Stichwunden, um sie sofort zu schließen. Als er den Kopf hob und Naomi ansah, bemerkte er, wie sie auf die Stelle blickte, wo er sie gebissen hatte.

„Ist alles in Ordnung?", fragte er und stützte sich über ihr ab.

Naomi stieß einen Atemzug aus, ihr Körper war knochenlos, ihr Verstand war überwältigt. „Ich bin mehr als nur in Ordnung."

Sie hatte sich noch nie in ihrem Leben besser gefühlt. Und der Biss? Sie hatte keine Worte dafür, wie es sich angefühlt hatte. Himmlisch.

Damian lächelte und rollte sich von ihr ab.

Er sprang aus dem Bett und ging ins angrenzende Badezimmer, wo er für einen Moment verschwand. Als er zurückkam, brachte er einen Waschlappen und wischte sanft ihr Geschlecht ab, bevor er sich zu ihr ins Bett gesellte und sie in die Kurve seines Körpers zog.

Damian drückte sanfte Küsse auf ihren Nacken und ihre Schulter. „Dein Blut hat nach Vanille und Orangen geschmeckt. Ich musste mich davon abhalten, zu viel zu nehmen."

„Ist das bei dir immer so? Wenn du eine Frau beim Sex beißt?"

Er lachte ihr leise ins Ohr. „Versuchst du herauszufinden, mit wie vielen Frauen ich das gemacht habe?"

War sie so durchschaubar? „Wenn du es mir nicht sagen willst, ist das in Ordnung."

„Natürlich will ich es dir sagen. Ich will dir alles über mich erzählen." Er seufzte. „Was andere Frauen angeht, kann ich nicht so tun, als wäre ich ein Mönch gewesen, bevor ich dich getroffen habe. Und ich habe mehrere Frauen beim Sex gebissen, aber nicht viele. Ich hatte nicht immer das Bedürfnis danach.

Aber mit dir kann ich nicht genug davon bekommen."

„Und ich kann nicht genug von dir bekommen", murmelte sie, denn sie fühlte sich unersättlich und schämte sich nicht im Geringsten, dass sie einen Vampir begehrte.

„Obwohl du jetzt die Wahrheit kennst?"

„Vielleicht deswegen. Letzte Nacht dachte ich, du wärst nur ein besonders intensiver Liebhaber, aber jetzt verstehe ich, warum. Alles an dir macht mich an. Sogar deine Reißzähne." Vor einer halben Stunde hätte sie sich nicht vorstellen können, dass sie so etwas jemals sagen würde.

„Ich freue mich, dass es dir so geht. Aber du musst mir etwas versprechen." Er saugte ihr Ohrläppchen zwischen seine Lippen und leckte sanft darüber. „Alles, was ich dir erzählt habe, über mich, meine Familie, Scanguards, muss in diesen vier Wänden bleiben. Versprich mir, dass du es niemals einem Außenstehenden erzählst, nicht deinem Redakteur, nicht deiner Familie, nicht deinen Freunden. Sonst bringst du uns in Gefahr. Du kannst diesen Artikel niemals schreiben."

Sie drehte sich halb um, damit sie ihn ansehen konnte. „Ich kann ein Geheimnis bewahren."

„Danke." Er küsste sie und drehte sie ganz zu sich.

Naomi atmete tief durch, denn sie hatte noch Fragen, wenn auch nur für sich selbst, nicht für die Zeitung. „Du sagtest vorhin, dass der Dieb etwas aus dem Mezzanine gestohlen hat, das du für deinen Vater verwahrt hast. Was war es?"

„Es war nichts, was ich dort für meinen Vater aufbewahrt habe. Der Dieb hat eine ganze Kiste mit Blutflaschen gestohlen, die wir für die Mitarbeiter dort aufbewahren, damit sie sich bei Bedarf ernähren können."

„Die Flaschen mit dem Scanguards-Etikett drauf?"

Er nickte.

„Kein Wunder, dass du so wütend warst, als du dachtest, ich hätte sie genommen." Jetzt machte alles Sinn. „Wer auch immer die Flaschen hat, kann dich und Scanguards auffliegen lassen."

„Ja, und deshalb müssen wir den Dieb

schnell finden, bevor er uns alle in Gefahr bringen kann."

„Also hatte Mrs. Zhang recht, dass der Typ, den sie sah, etwas trug, als er stolperte. Er muss eine der Flaschen zerbrochen und dann weggeworfen haben. Aber das erklärt noch nicht die Phiole, die ich gefunden habe. Ich wünschte, Heather hätte analysieren können, was drinnen war."

„Ich weiß, was drin war", sagte Damian zu ihrer Überraschung. „Ich konnte es riechen. Es war Vampirblut."

Irgendetwas klickte in ihrem Kopf. „Deshalb wolltest du, dass ich dir die Phiole zeige. Damit du an ihr riechen konntest. Was hast du damit gemacht?"

„Ich habe sie meinem Vater gegeben. Ich habe während der Einweihungsparty mit ihm und Samson gesprochen. Sie sind beide sehr besorgt."

„Warum würde jemand Vampirblut in eine Phiole abfüllen? Wozu? Um einen Menschen in einen Vampir zu verwandeln?", fragte sie und fröstelte bei dem Gedanken.

„Nein. Man braucht viel mehr Blut, um

einen Menschen zu verwandeln. Aber es würde ausreichen, jemanden je nach Schwere der Verletzung oder Krankheit zu heilen."

Naomi schoss hoch, um sich zu setzen. „Wie bitte?"

Damian setzte sich ebenfalls auf. „Vampirblut kann einen Menschen heilen, genauso wie menschliches Blut einen Vampir heilen kann."

„Wow. Das ist erstaunlich." Sie schüttelte verwundert den Kopf. Dann wurde ihr etwas klar. „In gewisser Weise ist es also eine Droge. Was, wenn das, was Mrs. Zhang in den Nächten vor der Halloween-Party gesehen hat, doch ein Drogendeal war? Aber nicht mit Koks oder Heroin, sondern mit Vampirblut?"

„Das habe ich auch schon vermutet. Ich habe vielleicht eine Möglichkeit zu bestätigen, wer hinter dem Mezzanine gehandelt hat." Er sah auf die Uhr auf dem Nachttisch. „Aber wir müssen bis morgen warten. Lass uns ein paar Stunden schlafen, dann gehen wir der Sache nach."

Damian drückte sie zurück in die Laken und sie zog ihn an sich.

„Müssen wir schlafen?", murmelte sie und strich mit ihrer Hand über seinen Oberkörper bis zu seiner Leiste, wo sie seinen Schwanz hart und schwer vorfand.

„Tja, da du so nett gefragt hast, darfst du vielleicht noch ein bisschen länger aufbleiben."

Bevor sie noch einmal Luft holen konnte, rollte er sie zur Seite und löffelte sie. Er packte ihren Oberschenkel und hob ihn an, und seine Erektion glitt zwischen ihre Beine. Mit einem Stoß drang er in ihre immer noch feuchte Scheide ein.

„Oh", sagte sie mit einem atemlosen Stöhnen, „das fühlt sich gut an."

Damian küsste ihren Hals und begann sich langsam und bedächtig in ihr zu bewegen. „Hattest du das im Sinn?"

„Ja, genau das meinte ich."

„Dann kümmere ich mich um dich, sonst werden wir heute Nacht kein Auge zumachen", sagte Damian mit einem Schmunzeln in der Stimme und löste sein Versprechen ein.

25

Damian hatte mit Naomi in seinen Armen gut geschlafen. Als er am Vormittag aufwachte, schlief sie immer noch friedlich und er war erleichtert, dass sie ihm genug vertraute, um in seinen Armen verwundbar zu sein. Es erfüllte sein Herz mit Wärme und seinen Schwanz mit Blut. Aber dafür war später noch Zeit.

Er hatte zu tun. Vor fast dreißig Stunden waren die Blutflaschen gestohlen worden, und Mick Solvang war seit über achtundvierzig Stunden nicht mehr gesehen worden. Und so sehr er auch mit Naomi im Bett bleiben wollte, hatte er Pflichten. Er war für den Diebstahl des

Blutes und das Verschwinden seines Barkeepers verantwortlich.

„Zeit aufzustehen, *Chérie*", flüsterte er ihr zu und endlich rührte sie sich.

Sie duschten schnell und zogen sich an. Naomi schnappte sich ein Stück Obst und einen Joghurt aus dem Kühlschrank und aß beides.

„Frühstückst du nicht?", fragte sie.

Er grinste. „Ich bin noch satt von letzter Nacht." Naomis Blut durchströmte noch seinen Körper und er hatte nicht das Bedürfnis, sich zu ernähren. Außerdem hatte das Blut aus den Flaschen plötzlich keinen Reiz mehr für ihn, und bald würde er ausschließlich Naomis Blut trinken – sobald sie zugestimmt hatte, mit ihm den Blutbund einzugehen.

Naomis Wangen wurden rot und sie senkte ihre Lider.

„Es gibt nichts, wofür du dich schämen musst", sagte er und hob mit dem Finger ihr Kinn an. Er drückte einen schnellen Kuss auf ihre Lippen. „Das ist vollkommen natürlich. Jetzt lass uns gehen, bevor ich dich zurück ins Bett schleppe."

Sie fuhren zum Mezzanine. Damian parkte den Porsche auf dem Parkplatz hinter dem Club. Als sie aus dem Auto stiegen, fragte Damian: „In welchem Gebäude wohnt Mrs. Zhang?"

„In dem da", sagte Naomi und deutete auf das hohe Wohnhaus auf der anderen Straßenseite.

Naomi führte ihn zum Vordereingang des Gebäudes und klingelte bei Mrs. Zhangs Wohnung.

„Mrs. Zhang, ich bin's, Naomi Sutton. Darf ich noch einmal mit Ihnen über Ihre Beschwerde sprechen?"

„Ja, kommen Sie hoch."

Der Summer ertönte und zusammen betraten sie das Gebäude und fuhren in den zweiten Stock hinauf.

„Sag ihr nicht, dass ich der Manager des Mezzanine bin, sonst könnte sie sich feindselig benehmen."

„Wie soll ich dich dann vorstellen?"

„Sag ihr, ich bin ein Ermittler, mit dem du zusammenarbeitest", schlug er vor.

Als sich die Fahrstuhltüren öffneten, stand

Mrs. Zhang bereits in der offenen Wohnungstür, die Arme vor der Brust verschränkt. Ihr Blick landete auf Damian und sie zog ihre Augenbrauen hoch.

„Mrs. Zhang, danke, dass Sie Zeit für mich haben. Ich habe meinen Ermittler mitgebracht", sagte Naomi sofort, „da ich der Meinung bin, dass dieser Fall eine viel genauere Untersuchung erfordert, als ich zunächst dachte."

Damian unterdrückte ein Lächeln. Naomi wusste wirklich, wie man der älteren Frau Honig um den Bart schmierte, um ihr das Gefühl zu geben, wichtig zu sein.

„Mrs. Zhang", sagte er, „dürfen wir reinkommen? Ich möchte Ihnen Fotos von ein paar Verdächtigen zeigen."

Ihre Augen leuchteten auf und sie trat zur Seite. „Natürlich, bitte kommen Sie herein."

In der Wohnung sah Damian sich um und bemerkte die tadellose Sauberkeit.

„Könnten Sie mir zeigen, von wo aus Sie sehen konnten, dass im Club etwas Seltsames vor sich geht?"

„Von meinem Schlafzimmer aus habe ich alles gesehen."

Sie ging voraus, und er und Naomi folgten ihr. Als sie auf das Fenster deutete, trat Damian näher und sah nach draußen. Mrs. Zhang hatte definitiv eine direkte Aussicht zum Hinterausgang des Clubs sowie zum Parkplatz und zu den Müllcontainern. Aber konnte sie wirklich von hier aus klar sehen?

Damian drehte sich um, zückte sein Handy und navigierte zur Foto-App, wo er Fotos von all seinen männlichen Mitarbeitern im Club gespeichert hatte.

„Würden Sie sich bitte diese Männer ansehen, Mrs. Zhang, und mir sagen, ob Sie einen von ihnen als den Mann wiedererkennen, den Sie mit Blut besprenkelt gesehen haben und der sich mehrmals pro Woche mit einer anderen Person getroffen hat?"

Er hielt das Telefon vor sie und scrollte durch die Liste.

„Dieser. Das ist der Mann", sagte sie mit fester Stimme.

Damian betrachtete das Foto. Es war Mick, der vermisste Barkeeper. Er nickte. „Vielen

Dank, Mrs. Zhang. Sie haben mir sehr geholfen."

„Was werden Sie jetzt machen?", fragte sie.

„Ich werde diese Person überprüfen, und wenn es etwas Schändliches zu finden gibt, werde ich es finden. Wir bleiben in Kontakt. Vielen Dank für Ihre Zeit, Mrs. Zhang", sagte er und drehte sich um, um zu gehen.

„Danke, Mrs. Zhang", fügte Naomi hinzu, bevor sie beide die Wohnung verließen.

Außerhalb des Gebäudes drehte sich Naomi zu ihm um. „Wer war der Mann, den sie erkannte?"

„Mick Solvang."

„Der verschwundene Barkeeper? An ihrer Geschichte ist also etwas dran. Glaubst du, Mick hat mit Vampirblut gehandelt?"

„Es sieht so aus. Ich hätte nie gedacht, dass Mick so tief sinken und uns alle in Gefahr bringen würde." Damian schüttelte den Kopf. „Aber ich dachte auch nicht, dass er Angelica betrügt."

„Was? Wie willst du das wissen?"

„Patrick hat mich letzte Nacht angerufen, erinnerst du dich? Gerade als wir nach Hause kamen? Er sagte, dass einer der anderen Barkeeper, Andrew, glaubt, Mick würde jemand anderen als Angelica daten."

„Dann weiß diese Frau vielleicht, wo er ist. Vielleicht ist er bei ihr", schlug Naomi vor.

„Es ist möglich, aber wir wissen nicht, wer sie ist oder ob sie überhaupt existiert. Es war nur ein Verdacht, den Andrew hat, obwohl er oft recht hat. Anscheinend hat er gehört, wie Mick mit ihr telefoniert hat."

„Dann findet dein IT-Mann vielleicht etwas auf Micks Handy."

„Ich habe Eddie bereits letzte Nacht angerufen, gleich nachdem ich mit Patrick gesprochen hatte. Er checkt die Anrufe, die Mick mit einer anderen Frau als Angelica getätigt hat. Wenn er sein Handy benutzt hat, finden wir heraus, wer es ist." Wieder zog er sein Handy aus der Tasche. „Lass mich ihn anrufen, um zu sehen, ob er nach der Einweihungsparty daran gearbeitet hat oder ob er und Thomas direkt nach Hause gegangen sind, um zu schlafen."

Naomi legte ihre Hand auf seinen Unterarm. „Eddie schläft tagsüber, richtig?

Wird er nicht sauer sein, wenn du ihn weckst?"

„Keine Sorge, wenn es bei Scanguards eine Krise gibt, die uns alle betrifft, schläft niemand viel, bis alles erledigt ist."

Damian wählte Eddies Handy und sein Onkel nahm den Anruf sofort entgegen. Seiner Stimme nach zu urteilen, war er hellwach.

„Hey, Damian, ich wollte dich gerade anrufen."

„Hey, Eddie, hast du etwas Interessantes in Micks Handy gefunden?"

„Eigentlich, ja. Du hattest recht, dass Mick sich außer mit Angelica noch mit einer anderen Frau traf. Er hat in den letzten drei Monaten oder so mit einem anderen Mädchen Textnachrichten ausgetauscht, und sie scheinen ziemlich verliebt zu sein. Die Telefonnummer ist auf eine Tracy Horng registriert. Ich wollte mich gerade beim DMV anmelden, um zu sehen, wo sie wohnt. Gib mir eine Sekunde."

Während er Eddie auf seiner Tastatur herumtippen hörte, wandte sich Damian an Naomi: „Mick hat einer anderen Frau SMS-

Nachrichten geschrieben. Eddie besorgt mir ihre Adresse."

„Gut, das ist eine Spur", sagte Naomi.

„Wer ist bei dir?", fragte Eddie am Telefon.

„Naomi."

„Ich nehme an, sie hat es gut aufgenommen? Oder hast du gekniffen und es ihr nicht gesagt?"

„Ich habe es ihr gesagt, und sie kommt gut damit zurecht." Besser als gut. Er sah ihr in die Augen und ein Lächeln bildete sich auf seinen Lippen. „Richtig, *Chérie*?"

„Gut für dich", sagte Eddie. „Ich habe die Informationen über Tracy Horng. Sie hat einen Führerschein. Ich schicke ihn dir per SMS, damit du auch ein Foto hast. Sie ist Asiatin und … wow, erst einundzwanzig. Mick ist definitiv um einiges älter als sie."

„Danke dafür, Eddie. Wir werden sie überprüfen. Vielleicht weiß sie etwas oder vielleicht hat sich Mick bei ihr versteckt."

„Oh, bevor ich es vergesse: Der letzte Anruf, den Mick bekam, war von Tracy. Sie hat ihn in der Nacht vor Halloween angerufen."

„Danke, Eddie."

„Bis später."

Damian beendete das Gespräch. Einen Moment später pingte sein Handy und er schaute auf das Display. Eddie hatte ihm ein Foto von Tracys Führerschein geschickt. „Das ist sie."

Naomi betrachtete das Bild auf dem Führerschein. „Sie ist jung und auch hübsch."

„Lass uns ihr einen Besuch abstatten."

26

Tracy Horngs Wohnung befand sich in einem heruntergekommenen Wohnhaus im Tenderloin. Es gab viele Drogenabhängige und obdachlose Männer und Frauen, viele eindeutig geisteskrank, die durch die Straßen streiften, und an jeder Ecke roch es nach Urin und Fäkalien. Naomi versuchte, die Luft anzuhalten.

Die Eingangstür des Gebäudes war unverschlossen. Damian stieß sie auf und sie traten ein. Der Aufzug war außer Betrieb, also nahmen sie die Treppe in den vierten Stock. Auf Tracys Etage befanden sich sechs

Wohnungen. Sie klopften an Tracys Tür und warteten. Nichts passierte.

„Vielleicht ist sie in der Arbeit?", sagte Naomi und sah Damian an.

„Ich kann keine Geräusche von drinnen hören. Lass uns nachschauen."

Er zog etwas aus seiner Jackentasche und trat näher an die Tür.

„Brichst du ein?", fragte sie leise und schaute über ihre Schulter, besorgt, dass jemand sie sehen würde.

Damian warf ihr einen Seitenblick zu. „Es ist nicht so, als ob ich etwas stehlen werde. Ich will nur sehen, ob es Beweise dafür gibt, dass Mick hier war."

Fasziniert beobachtete sie, wie er wie ein professioneller Einbrecher das Schloss schnell bearbeitete und einen Moment später den Türknauf drehte, damit sie eintreten konnten. Rasch schloss Damian die Tür hinter ihnen wieder.

„Hast du das bei Scanguards gelernt?"

Er zwinkerte ihr zu. „Es ist besser, als die Tür eintreten zu müssen."

Naomi verdrehte die Augen, aber

insgeheim wünschte sie sich, sie hätte auch solche Fähigkeiten. Obwohl sie wahrscheinlich zu viel Angst hätte, so etwas im Rahmen ihres Jobs zu tun. Wäre sie allein und nicht in Damians Gesellschaft gewesen, hätte sie nicht einmal versucht, in die Wohnung einzubrechen. Aber mit Damian fühlte sie sich sicher. Sie wusste instinktiv, dass er sie beschützen würde. Und als Vampir war er stärker als jeder Mensch.

Die Wohnung war klein, die Zimmer winzig. Es gab eine winzige Küche, die aus einem Zwei-Flammen-Herd, einem kleinen Ofen, einer Spüle und einem kleinen Kühlschrank bestand. Das Badezimmer war ebenso winzig, mit einem Waschbecken auf einem Sockel, einer Toilette und einer alten Badewanne, die schon bessere Tage gesehen hatte.

Das Wohnzimmer diente gleichzeitig als Essbereich, und die Möbel waren alt und abgenutzt und ein Mischmasch von Stilen. Das Schlafzimmer war dunkel, die Vorhänge vor dem Fenster waren schwer und bedeckten es vollständig. Damian schaltete beim Eintreten das Licht ein.

Naomi ließ ihre Augen schweifen. Das Bett war ungemacht und es gab nur einen Nachttisch. Die Tür zum Einbauschrank stand offen. Auf Kleiderbügeln hingen Kleider, und ganz unten im Schrank waren willkürlich gefaltete Pullover und Hosen gestapelt.

„Diese Bude ist deprimierend", sagte Naomi.

Damian sah über seine Schulter. „Ja, und der Vermieter hier will auch nichts reparieren. Das Gebäude ist gesundheitsgefährdend."

„Du kennst den Vermieter?", fragte sie überrascht.

„Nein, aber mein Vater kennt ihn. Er versucht, ihn dazu zu bringen, ihm das Haus zu verkaufen. Aber der Eigentümer ist stur und will mehr, als das Gebäude wert ist."

„Was würde dein Vater damit machen? Es in Eigentumswohnungen verwandeln?"

Zu ihrer Überraschung schüttelte Damian den Kopf. „Wohin würden die Mieter gehen, wenn er das täte? Schon jetzt gibt es in dieser Stadt nicht genug bezahlbare Wohnungen. Er würde das Gebäude gerne auf den neuesten Stand bringen, es modernisieren, damit es tatsächlich bewohnbar ist."

„Und sollen dieselben Mieter bleiben?"

Damian nickte.

„Aber er wird sein Geld für seine Investition nie zurückbekommen. Mit der Mietpreisbindung wird er die Mieten nicht kostendeckend anheben können."

Er zuckte mit den Schultern. „Das ist egal. Er tut es nicht, um Geld zu verdienen. Er hat genug. Aber er liebt diese Stadt und möchte sie sanieren, um sie für die nächsten Generationen lebenswerter zu machen."

„Das ist sehr großmütig. Das hätte ich nicht erwartet von einem ..."

„Einem Vampir?"

„Nicht nur von einem Vampir, sondern von einem Investor."

„Wie ich gestern Abend schon sagte, mein Vater ist ein großer Softie." Damian ging beim Bett in die Hocke und schnüffelte. „Mick war definitiv hier. Aber es ist schon ein paar Tage her. Sein Geruch ist sehr schwach."

„Du kannst ihn riechen?"

„Der Geruchssinn eines Vampirs ist so gut

wie der eines Bluthundes. Und Mick und Tracy hatten hier eindeutig Sex. Das macht den Duft noch intensiver. Deshalb kann ich ihn auch nach ein paar Tagen noch riechen.“

„Das ist ziemlich praktisch.“ Das erinnerte sie an etwas. „Die Phiole. Du sagtest, du hättest gerochen, dass es Vampirblut war. War es Micks?“

„Bin mir nicht sicher. Das wenige, was in der Phiole übrig war, war mindestens eine Woche alt und war bereits zu sehr verfallen, um es eindeutig identifizieren zu können. Aber ich nehme an, es war Micks.“ Er deutete auf den Schrank. „Warum schaust du nicht im Schrank nach, ob du Blutflaschen finden kannst? Ich überprüfe die Küche.“

„Glaubst du, dass Mick während der Halloween-Party zurückgekommen ist, um die Kiste mit dem abgefüllten Blut zu stehlen?“

„Es ist möglich“, sagte er, „aber ich dachte, er würde das Blut nicht brauchen, wenn er sich von Tracy ernährt.“

„Glaubst du, sie weiß, dass er ein Vampir ist?“

Damian deutete auf die dunklen Vorhänge.

„Sieht so aus, als hätte sie dafür gesorgt, dass kein Sonnenlicht ins Schlafzimmer scheint."

Er hatte recht. Während Damian in die Küche ging, wo sie hörte, wie er Schränke öffnete und schloss, durchsuchte Naomi den Schrank. Sie fand kein abgefülltes Blut.

„Irgendetwas gefunden?", fragte sie, als sie Damian von der Küche ins Wohnzimmer gehen sah.

„Nichts. Und in dieser Wohnung gibt es eigentlich keine Stellen, wo man etwas verstecken könnte." Er deutete zur Küche. „Auf der Theke liegt ein halb aufgegessenes Sandwich. Und wie es aussieht, ist es ein paar Tage alt. Es sieht nicht so aus, als wäre in den letzten paar Tagen jemand hier gewesen."

Naomi begegnete Damians Blick. „Glaubst du, Mick und Tracy sind zusammen verschwunden? Vielleicht wollte er mit Angelica Schluss machen und dachte, es wäre einfacher, wenn er die Stadt einfach mit seiner neuen Freundin verließe? Vielleicht wurde er doch nicht entführt."

Damian schüttelte den Kopf. „Mick hat einen guten Job im Mezzanine. Und den

Schutz von Scanguards. Er würde nicht einfach dieses Leben aufgeben, um etwas Unbekanntes anzufangen. Ein Vampir hat es nicht leicht. Wir sind aufeinander angewiesen."

Bevor Naomi antworten konnte, klingelte ihr Handy. Sie zog es aus der Tasche und sah auf das Display.

„Verdammt, das ist mein Redakteur. Wahrscheinlich will er wissen, ob ich schon etwas gefunden habe. Was soll ich ihm sagen?"

„Halte ihn hin. Sag einfach, dass du einer vielversprechenden Spur folgst."

Naomi nahm den Anruf entgegen. „Hey, Wei."

„Naomi, wie kommst du mit der Story voran? Was hast du bisher gefunden?"

„Ich verfolge gerade eine wirklich vielversprechende Spur."

„Was für eine?"

„Ähm, das kann ich noch gar nicht sagen. Ich will es nicht verhexen. Aber ich sollte bald mehr wissen."

„Wann?"

„Äh, morgen. Ich sollte morgen mehr wissen. Muss gehen. Wir reden später."

Sie beendete schnell das Gespräch und sah Damian an. „Was soll ich ihm morgen sagen?"

„Darüber machen wir uns Gedanken, wenn es so weit ist."

„Du hast leicht reden."

„Keine Sorge. Ich habe immer gute Ideen." Er zog sie näher und sofort brannte ihr Körper wieder. Er drückte ihr einen sanften Kuss auf die Lippen und ließ sie dann wieder los. „Die Blutflaschen sind nicht hier. Lass uns zu Micks Wohnung gehen. Ich wollte gestern Nacht hinfahren, aber da wurde mir klar, dass ich beschattet wurde."

Sie fing seinen spitzen Blick auf. „Es tut mir leid. Ich schätze, Leute zu beschatten ist nicht meine Stärke."

Er gluckste. „Tja, lass uns jetzt hinfahren. Angelica war bereits bei ihm. Dort hat sie sein Telefon gefunden, aber vielleicht hat sie etwas übersehen. Außerdem weiß sie nicht, dass eine Kiste mit abgefülltem Blut verschwunden ist. Also selbst wenn sie sie bei Mick gesehen hätte, hätte sie es nicht als seltsam empfunden."

„Wo wohnt er?"

„Im Inner Sunset."

Als sie die Wohnung verließen, zog Naomi die Tür hinter sich zu, aber sie hörte das Schloss nicht einrasten. Sie drehte sich um. „Es sperrt nicht ab."

Damian sah über seine Schulter. „Da kann ich nichts dagegen machen. Eine weitere Sache, die an diesem Gebäude doof ist. Die meisten Türen hier schließen nur, wenn man den Schlüssel hat. Zieh sie einfach zu. Die meisten Einbrecher hier machen sich nicht die Mühe, den ganzen Weg bis in den vierten Stock hochzulaufen."

Naomi zuckte mit den Schultern. Obwohl ihr die Tatsache nicht gefiel, dass Tracys Wohnung nicht abschließbar war, gab es darin wirklich nichts zu stehlen. Und vielleicht hatte Damian recht. Ein Dieb würde zuerst versuchen, in Wohnungen in den unteren Stockwerken einzubrechen, anstatt bei einem Fluchtversuch in einem engen Treppenhaus steckenzubleiben.

Zu Naomis Überraschung war Micks Wohnung viel schöner und größer, als sie erwartet hatte. Es war eine Drei-Zimmer-Wohnung im Erdgeschoß eines Dreifamilienhauses und hübsch eingerichtet.

„Also suchen wir nach Blutflaschen?", fragte Naomi.

„Ja, und wenn du etwas siehst, das wie grauer Staub oder Asche aussieht, lass es mich wissen."

Bei seinen Worten durchfuhr sie ein seltsamer Schauer. „Bedeutet Asche das, was ich denke, dass es bedeutet?"

„Ja, leider. Vampire und Hybriden können mit einem Pfahl durch das Herz getötet werden, und alles, was übrigbleibt, ist Asche – und Metallgegenstände wie Schmuck oder ein Handy."

Sie starrte ihn an. „Es bleibt nichts übrig, um das die Angehörigen eines Vampirs trauern könnten. Das muss schrecklich sein."

Damian lächelte sie unerwartet an und strich mit dem Handrücken über ihre Wange. „Du verstehst uns jetzt. Du weißt, dass wir lieben und trauern, dass wir die gleichen Gefühle wie Menschen haben."

„Weil du mir gezeigt hast, dass du kein Mensch sein musst, um Menschlichkeit in dir zu haben." Sie legte ihre Hand auf seine, umschloss sie und drehte ihr Gesicht, um einen Kuss auf seine Handfläche zu drücken. Seine Augen begannen golden zu schimmern und der Anblick verwandelte ihr Inneres in geschmolzene Lava. „Wie machst du das?"

„Was?"

„Dass deine Augen wie flüssiges Gold aussehen."

„Ich mache nichts. Es ist einfach eine Reaktion auf das, was ich fühle und was ich denke." Er beugte sich näher. „Soll ich dir sagen, was ich gerade denke?"

Ein angenehmer Schauer lief ihr über den Rücken. „Nein." Sie senkte ihren Blick. „Es ist ziemlich offensichtlich, was du denkst." Die Beule in seiner Hose war schwer zu ignorieren. Sie hob ihre Lider. „Wie kommt es, dass du immer hart bist?"

Ein leises Glucksen rollte über Damians Lippen. „Wie kommt es, dass du immer sexy bist?" Er trat zurück. „Wir machen besser mit dieser Suche weiter, bevor wir etwas tun, was wir hier nicht tun sollten."

„Gute Idee."

Sie teilten die Arbeit auf und durchsuchten die Wohnung. Im Badezimmer fand Naomi etwas Interessantes.

„Damian?", rief sie, und er gesellte sich zu ihr.

„Was hast du gefunden?"

Sie öffnete die Schachtel, die sie unter dem Waschbecken gefunden hatte. „Eine ganze Schachtel voller leerer Phiolen. Dieselben wie die, die ich unter dem Müllcontainer gefunden habe. Sie war in einer größeren Schachtel versteckt und hatte Reinigungsmaterialien darauf. Ich hätte es fast nicht gesehen."

„Hmm." Damian dachte einen Moment lang über den Fund nach. „Er wollte nicht, dass Angelica sie findet, daher die Putzmittel. Sie putzt bestimmt nicht gerne, und sie würde es sicherlich nicht in der Wohnung ihres Freundes tun. Mick wusste das."

Zwanzig Minuten später fand Damian etwas anderes.

Naomi betrat das Schlafzimmer, das er durchsucht hatte. „Was hast du gefunden?"

Damian drehte sich um. In beiden Händen hielt er Geldbündel. „Vor allem Zwanziger und Fünfziger. Gebrauchte Geldscheine. Ich denke, das bestätigt, dass er sein Blut verkauft hat. Vielleicht für fünfzig oder hundert Dollar pro Phiole. Das lohnt sich auf jeden Fall. Und das Geld hier zu finden, wo er weg ist, bedeutet, dass er nicht freiwillig gegangen ist."

Naomi nickte. „Du hast recht. Niemand würde Geld zurücklassen, nicht wenn er auf der Flucht ist."

„Genau. Jemand hat ihn entführt." Damian hob sein Kinn. „Als du gestern mit Mrs. Zhang gesprochen hast, bist du dir sicher, dass sie nicht erkannt hat, mit welcher Person Mick sich getroffen hat oder wohin der Dieb an Halloween verschwunden ist?"

„Sie sagte, sie habe das Gesicht der Person, die Mick traf, nicht sehen können, aber sie habe gesehen, wohin der Dieb verschwunden sei, konnte jedoch nicht sagen, um was für ein Auto es sich handelte. Sie sagte, dass sie sich mit Autos nicht auskennt."

„Aber sie hat es gesehen?", fragte Damian und klang plötzlich aufgeregt.

„Ja, aber das hilft uns nicht weiter, wenn sie sich nicht daran erinnern oder es nicht beschreiben kann. Und das Nummernschild hat sie auch nicht aufgeschrieben."

„Mach dir deswegen keine Sorgen. Ich glaube, ich habe eine Idee, wie wir ihr bei der Erinnerung helfen können."

Naomi schluckte schwer. „Du wirst sie doch nicht foltern, oder?"

„Foltern? Natürlich nicht, aber ich weiß, wie wir herausfinden können, was sie gesehen hat. Und wenn ich richtig liege, können wir vielleicht zwei Fliegen mit einer Klappe schlagen: Herausfinden, an wen Mick Vampirblut verkauft hat, und den Dieb finden, der das abgefüllte Blut gestohlen hat. Komm."

27

Die Sonne war bereits untergegangen, als ein schwarzer BMW M760i in die Gasse hinter Mrs. Zhangs Wohnhaus einbog und dort anhielt, wo Damian und Naomi warteten. Ein Mann stieg aus dem Auto, gekleidet in eine schwarze Hose und ein weißes Hemd, sein langer Ledermantel vorne offen. Sein Haar war zu einem niedrigen Pferdeschwanz zusammengebunden und seine braunen Augen sahen wachsam aus. Er war eine imposante Figur, nicht nur wegen seiner Größe, sondern auch, weil die Narbe, die von seinem Auge bis zu seinem Kinn reichte, ihn wie einen Auftragskiller der Mafia aussehen ließ.

Naomi atmete nervös ein, als der Vampir auf sie zukam und Damian beruhigend ihre Hand drückte. „Ein Teddybär, genau wie mein Vater", murmelte er. Dann wandte er sich mit lauterer Stimme an den Vampir: „Danke, dass du gekommen bist, Gabriel."

„Na sicher. Das ist eine ernste Sache. Wir müssen das schnell in den Griff bekommen." Er blieb vor ihnen stehen und sah sie an. „Ich bin Gabriel Giles. Du musst Naomi sein. Schön, dich kennenzulernen." Er streckte ihr die Hand entgegen und ihr blieb nichts anderes übrig, als sie zu schütteln, wenn sie nicht unhöflich wirken wollte.

„Schön, dich auch kennenzulernen", brachte sie heraus, obwohl ihre Kehle immer noch trocken war. „Damian sagte, du könntest uns helfen, herauszufinden, woran sich Mrs. Zhang sonst noch erinnert?"

Gabriel warf Damian einen Blick zu. „Du hast ihr nicht gesagt, was ich tue?"

Bei der Frage lief Naomi ein kalter Schauer

über den Rücken. Es handelte sich also doch um Folter.

„Es ist deine Gabe", sagte Damian kryptisch. „Ich wusste nicht, wie viel ich ihr erzählen durfte."

Gabriel nickte. „Ich habe vorhin mit Amaury gesprochen. Er hat mich über alles informiert. Also ist es in Ordnung." Er wandte ihr sein Gesicht zu. „Ich habe eine übersinnliche Gabe. Ich kann in die Erinnerungen der Menschen eintauchen, sehen, was sie gesehen haben. Selbst wenn sich Mrs. Zhang nicht an die Marke und das Modell oder Nummernschild des Autos erinnern kann, werde ich es sehen können, solange sie es gesehen hat."

Sie hatte noch nie von einer solchen Fähigkeit gehört. Es verblüffte sie, aber gleichzeitig stieg Besorgnis in ihr auf. „Tut es weh?"

„Nein. Sie wird nicht einmal mitbekommen, was ich tue."

„Was sollen wir sagen, warum wir hier sind? Ich meine, sie wird misstrauisch sein ..." Sie hasste es, darauf hinweisen zu müssen, aber es stimmte. Und sie konnte es der Frau nicht einmal verübeln. Wenn Damian nicht für Gabriel bürgen würde, würde Naomi ihn auch nicht in ihr Haus lassen. „Und ... nichts für ungut ... ähm, ich bin mir nicht sicher, ob sie dich in ihre Wohnung reinlassen wird."

„Keine Sorge. Sie wird sich nicht daran erinnern, dass wir da waren. Ich werde ihr Gedächtnis löschen, wenn es vorbei ist."

Naomis Kinn fiel herunter. „Das kannst du?"

Gabriel nickte. „Jeder Vampir kann das."

Ihr Blick schoss zu Damian. „Auch Hybriden?"

„Sicher, warum?", meinte Damian.

Etwas wurde ihr sofort klar. Damian hätte ihr Gedächtnis leicht löschen können, damit sie sich nicht einmal daran erinnern würde, dass sie die zerbrochene Blutflasche und die Phiole gefunden hatte, aber er hatte es nicht getan. Er hatte sich entschieden, ihr zu erlauben, ihre Erinnerungen zu behalten.

„Nichts", sagte sie, und sie gingen zum Eingang des Gebäudes. An der Tür drückte Naomi auf die Klingel und wartete.

„Ja, wer ist es?"

„Mrs. Zhang, ich bin's wieder: Naomi Sutton vom Chronicle. Ich habe Neuigkeiten, und ich dachte, Sie möchten sie vielleicht gleich hören."

„Ja, ja, kommen Sie bitte herauf."

Der Summer ertönte und Damian öffnete bereits die Tür. Sie hörte, wie Damian und Gabriel ein paar Worte wechselten, die sie nicht verstehen konnte. Als sie vor der Wohnungstür standen, die Mrs. Zhang bereits geöffnet hatte, bemerkte sie, dass Gabriel sich noch im Treppenhaus befand, wo er von Mrs. Zhang nicht gesehen werden konnte.

„Mrs. Zhang", begann Naomi, bemerkte jedoch sofort, dass die Frau sie nicht ansah. Sie starrte auf einen festen Punkt in der Ferne. Hatte sie einen Schlaganfall?

„Sie ist in Ordnung", sagte Damian. „Gabriel, du kannst jetzt rauskommen. Sie steht unter Gedankenkontrolle."

„Gedankenkontrolle?", wiederholte Naomi. Was konnten Vampire sonst noch tun?

„Das erkläre ich dir später", versprach

Damian, als er Mrs. Zhang zurück in die Wohnung führte.

Naomi folgte, und Gabriel trat hinter ihr ein und schloss die Tür.

„Nehmen Sie Platz, Mrs. Zhang", befahl Gabriel sanft und die Frau setzte sich auf einen Sessel. Gabriel trat hinter sie und hielt seine Hände über ihren Kopf.

Naomi beobachtete fasziniert, wie er die Augen schloss.

„Ich gehe zurück zur Halloweennacht", sagte Gabriel mit ruhiger Stimme.

Ein paar Sekunden lang herrschte Stille, bevor er begann: „Sie steht auf und schaut aus dem Fenster zum Club hinunter. Da ist eine Person in einem Harlekin-Kostüm mit einer venezianischen Gesichtsmaske, rot und goldfarbig, vielleicht 1,65 bis 1,75 Meter groß, das Gewicht ist unter dem Kostüm schwer zu erkennen, aber eher mager. Er oder sie trägt etwas. Sieht aus wie eine kleine Kiste. Die Person schaut über die Schulter, aber da ist niemand. Sie überquert den Parkplatz und geht zum Ende der Gasse. Schreib das auf, Damian: Die Person steigt in einen weißen Toyota

Corolla. Das Nummernschild ist schmutzig. Ich kann nur ein paar Buchstaben entziffern. K, dann eine 5 oder ein S, dann Schmutz, und die letzte Ziffer könnte ein C oder ein O sein, aber ich bin mir wegen des Schmutzes auf dem Schild nicht sicher. Es ist ein kalifornisches Nummernschild."

„Das ist zumindest etwas", sagte Damian.

„Das Auto hat einen Stoßstangenaufkleber links neben dem Nummernschild."

„Was steht darauf?"

„Stopp globale Erwärmung."

„Hast du gesehen, wo der Dieb gestolpert ist und die zerbrochene Flasche in Richtung Müllcontainer geworfen hat?", fragte Naomi, überrascht, dass Gabriel dieses Detail ausgelassen hatte, obwohl er den Dieb ausführlicher beschrieben hatte als Mrs. Zhang.

„Er ist nicht gestolpert. Und er hat nichts weggeworfen", sagte Gabriel mit immer noch geschlossenen Augen.

Überrascht wechselte sie einen Blick mit Damian. „Sie hat mir erzählt, dass er gestolpert ist und etwas kaputt gegangen ist und dass er deshalb etwas in Richtung Müllcontainer geworfen hat."

„Sie hat gelogen", sagte Gabriel. „Das ist nicht passiert. Lasst mich jetzt weiter zurückgehen, um zu sehen, wie Mick sich mit jemandem getroffen hat."

„Sie sagte, er habe sich mindestens vier- oder fünfmal pro Woche mit jemandem getroffen", fügte sie hinzu, um Gabriel zu helfen, die richtige Stelle in den Erinnerungen der Frau zu finden.

„Sie hat Mick auf den Fotos erkannt, die ich ihr gezeigt habe", sagte Damian.

„Ich weiß, wie er aussieht. Ich sehe ihn. Hmm."

Naomi bemerkte das Stirnrunzeln auf Gabriels Stirn. „Was?"

„Mick trifft sich dort hinten eindeutig mit jemandem. Aber es ist definitiv kein Drogendeal. Er küsst eine junge Frau."

„Angelica, seine Freundin?", fragte Damian.

„Zierlich, lange schwarze Haare, Asiatin?", fragte Gabriel.

„Nein", sagten sie und Damian gleichzeitig.

„Dann ist es nicht Angelica."

„Kannst du weiter zurückgehen?", fragte Damian. „Vielleicht hat er die Phiole mit seinem Blut ein andermal verkauft?"

Eine Weile schwieg Gabriel und Naomi hielt den Atem an.

„Nein, tut mir leid, es sieht nicht so aus, als hätte er sich jemals mit irgendjemandem getroffen und etwas ausgetauscht."

Gabriel öffnete seine Augen wieder und sah Damian an. „Sie hat gelogen."

„Aber wieso?", fragte Naomi.

„Lasst uns draußen darüber reden", sagte Gabriel. „Lösch ihr Gedächtnis. Ich warte draußen."

Gabriel verließ die Wohnung und Damian und Naomi blieben zurück, um sich um Mrs. Zhang zu kümmern. Damian sah die alte Frau an und schickte seine Gedanken in ihren Kopf.

Sie waren den ganzen Abend allein. Niemand hat Sie besucht. Sie haben mit niemandem gesprochen. Sie haben mich,

Gabriel oder Naomi nie gesehen. Schlafen Sie jetzt.

Er drehte seinen Kopf zu Naomi und bemerkte, dass sie ihn mit einem verwirrten Gesichtsausdruck ansah.

„Okay, fertig, los geht's." Er nahm ihre Hand und sie verließen schnell die Wohnung und schlossen die Tür hinter sich.

„So einfach ist es, das Gedächtnis eines Menschen zu löschen? Nur indem du sie anstarrst?"

Es war ein bisschen mehr als das, aber für Naomi hatte es so ausgesehen, als würde er nichts tun. „In gewisser Weise. Ich schickte meine Gedanken in ihren Kopf. Manchmal ist es notwendig. Ich ziehe vor, es nicht zu tun, wenn es nicht sein muss."

Draußen wartete Gabriel auf sie.

„Bist du sicher, dass du Mick mit einer Asiatin gesehen hast?", fragte Damian und zückte sein Handy. Er scrollte zu seinen Nachrichten und klickte auf die letzte Nachricht, die er von Eddie erhalten hatte. „Sah sie so aus wie das Mädchen auf diesem Führerschein?"

Gabriel sah es an und nickte dann. „Das ist sie. Ohne Zweifel."

„Mick hat nie jemanden getroffen, dem er sein Blut verkaufen könnte", sagte Damian. „Mrs. Zhang hat über alles gelogen. Wenn der Dieb nicht gestolpert ist und keine Flasche in Richtung Müllcontainer geworfen hat, wie sie es Naomi gesagt hat, wie ist sie dann dorthin gekommen?" Er hatte einen Verdacht, aber er wollte sicherstellen, dass er nicht der Einzige war, dessen Gedanken in diese Richtung gingen.

„Jemand muss mir die Beweisstücke untergejubelt haben", sagte Naomi mit großen Augen.

„Das ist die wahrscheinlichste Erklärung", stimmte Gabriel zu. „Tja, zumindest haben wir ein Teilkennzeichen und die Marke und das Modell des Autos, mit dem der Dieb entkommen ist. Schick das an Thomas und Eddie, und sie werden ihn finden. Warum Mrs. Zhang gelogen hat ..." Gabriel zuckte mit den Schultern. „Deine Vermutung ist genauso gut wie meine. Vielleicht solltet ihr sie euch ein bisschen genauer ansehen."

„Danke, Gabriel", sagte Damian. „Ich weiß deine Hilfe zu schätzen."

Gabriel nickte. „Viel Glück, Leute, und sobald ihr Treffer bezüglich des Nummernschildes habt – und ich nehme an, dass es mehrere Treffer geben wird, da wir nur einen Teil davon haben –, sprich mit Quinn, um herauszufinden, welche Mitarbeiter verfügbar sind, damit ihr den Dieb aufspüren könnt. Arbeitet zu zweit. Wir wissen nicht, ob wir es mit Menschen oder anderen übernatürlichen Kreaturen zu tun haben."

Gabriel sprang in sein Auto und fuhr davon.

„Was jetzt?", fragte Naomi, während Damian bereits eine SMS an Eddie verfasste.

„Ich schicke das Teilkennzeichen an Eddie und Thomas, damit sie mit der Arbeit beginnen können", erklärte er. „Ich muss zu Scanguards gehen, um ein paar Dinge zu überprüfen, und dann muss ich mich bereithalten, alle Treffer zu verfolgen, die sie bei der Nummernschildsuche erhalten. Ich kann dich bei dir zuhause absetzen. Es ist nicht weit vom Büro entfernt." Und sobald er für heute Nacht fertig war, konnte er sie abholen, um sie zu sich nach Hause zu bringen, oder einfach bei ihr bleiben.

„Kann ich nicht mitkommen? Vielleicht kann ich helfen?"

„Absolut nicht. Es ist zu gefährlich." Er wollte sie nicht in der Nähe des Diebes haben, zumal er noch nicht wusste, ob der Dieb ein Mensch oder ein Vampir war. Das war sein Job, nicht ihrer. Sie hatte ihm bereits mehr geholfen, als er erwartet hatte. „Ich rufe dich später an, wenn ich weiß, was wir haben, versprochen."

Enttäuscht seufzte sie. „Na gut. Aber ich gehe nicht nach Hause. Ich werde in meinem Büro vorbeischauen."

„Machst du dir keine Sorgen, dass du deinem Redakteur über den Weg laufen könntest?"

Sie schüttelte den Kopf. „Er hasst es, abends lange zu arbeiten. Er wird nicht da sein. Und ich möchte sehen, ob ich mehr über Tracy Horng herausfinden kann. Vielleicht finde ich einige ihrer Freunde. Sie wissen vielleicht, wohin sie verschwunden ist."

„Wie?"

„Hast du schon vergessen, dass ich Reporterin bin? Ich habe meine Quellen, um an Informationen ranzukommen."

Er musste lächeln. „Das hast du sicher. Aber sei vorsichtig. Und wenn du etwas findest, ruf mich sofort an."

„Mache ich."

Sie küsste ihn auf die Lippen, bevor sie sich in die andere Richtung wandte und Damian in seinen Porsche sprang. Eddie würde eine Weile brauchen, bis er Treffer von der Zulassungsstelle bekam, was bedeutete, dass er sich um etwas Privates kümmern konnte, bevor er bei Scanguards sein musste.

28

Naomi brauchte nicht lange, um herauszufinden, wo Tracy Horng arbeitete. Und sie hatte Glück: Das Nagel- und Wachsstudio war bis 21 Uhr geöffnet, genau wie die umliegenden Geschäfte am Union Square. Sie betrat den Salon und sah sich um. Mehrere junge Frauen in rosafarbenen Kitteln mit weißen Leggings bedienten die Kundinnen an ihren verschiedenen Stationen. Ein Mädchen entwachste gerade einer Frau die Augenbrauen, während eine andere Angestellte eine ältere Frau mit fleckiger Haut schminkte.

Tracy war nicht unter den Angestellten.

Naomi ging zur Theke im hinteren Teil des Ladens, wo eine Frau mittleren Alters die Einkäufe einer Kundin an der Kasse addierte. Sie wartete geduldig, bis die Frau gegangen war, bevor sie die Kassiererin anlächelte.

„Hallo, ich möchte…"

„Ein Augenbrauenwachs, richtig?" Sie deutete auf Naomis Gesicht. „Und vielleicht auch ein bisschen färben, sie etwas dunkler machen? Sie haben so einen hellen Teint."

„Ähm, eigentlich suche ich nach Tracy."

„Tracy?", fragte die Frau und ihre Stimme nahm einen verärgerten Ton an. „Ich fürchte, sie arbeitet heute nicht."

„Es ist nur, ich mache mir Sorgen um sie", log Naomi. „Ich habe sie seit ein paar Tagen nicht mehr gesehen und sie geht nicht ans Telefon. Also dachte ich, ich schaue vorbei."

„Oh", antwortete die Frau. „Tja, sie ist nicht hier. Sie ist nicht zu ihrer Schicht erschienen. Und sie hat auch nicht angerufen. Wenn Sie also mit ihr sprechen, sagen Sie ihr Bescheid, dass, wenn sie morgen nicht auftaucht, sie keinen Job mehr hat." Sie hob ihr Kinn und sah an Naomi vorbei. „Wenn Sie mich jetzt bitte entschuldigen, ich habe zahlende Kunden zu bedienen."

Naomi wandte sich ab und ging zum Ausgang, als sie den Blick einer jungen Frau erhaschte, die gerade mit einer Kundin fertig war und ihr eine Tube Make-up reichte. Naomi blieb nicht weit entfernt von ihr stehen und tat so, als interessierte sie sich für die verschiedenen Lotionen, die auf einem Tisch ausgestellt waren. Ein paar Sekunden später gesellte sich die Frau zu ihr.

„Ich bin Cynthia", sagte sie. „Ich habe gehört, dass du dich nach Tracy erkundigt hast."

„Hallo Cynthia, ich bin Naomi. Weißt du, wo sie ist?"

Cynthia schüttelte den Kopf. „Nein, aber ich mache mir auch Sorgen um sie. Es sieht ihr nicht ähnlich, nicht anzurufen. Bist du mit ihr befreundet?"

Naomi räusperte sich und zögerte für eine Sekunde. „Ich kenne sie durch ihren Freund. Und beide habe ich in den letzten Tagen nicht gesehen. Ich mache mir wirklich Sorgen um sie."

„Mick? Du kennst Mick?"

„Ja. Kennst du ihn auch?"

Sie schüttelte den Kopf. „Nein, ich bin ihm noch nie begegnet, aber sie spricht die ganze Zeit von ihm."

„Ja, er ist ein toller Kerl", sagte Naomi und hoffte, Tracys Kollegin mehr Informationen entlocken zu können.

Cynthia seufzte. „Es ist eine Schande, dass ihre Familie nicht so denkt."

„Was meinst du damit?"

„Du weißt nichts über ihre Großmutter? Sie nennt sie die Drachendame."

„Oh, sie", sagte Naomi schnell, als würde sie die Frau kennen. „Hast du sie schon mal getroffen? Ich noch nicht."

„Ich auch nicht, aber sie macht Tracy das Leben zur Hölle. Deshalb ist sie ausgezogen. Sie konnte es nicht länger ertragen, unter der Fuchtel dieser Frau zu stehen. Und seit sie angefangen hat, mit Mick auszugehen, ist es noch schlimmer. Ihre Großmutter hält ihn für einen schlechten Einfluss. Nur weil er Barkeeper ist."

„Ja, die Leute urteilen sehr schnell über

andere", kommentierte Naomi. „Das ist nicht fair."

„Genau. Und ihr Onkel ist auch nicht besser."

„Sie redet nie viel über ihn oder ihre Eltern", fischte Naomi.

„Er ist der Bruder ihrer Mutter. So tragisch, dass ihre Eltern so jung starben. Ich möchte nicht von einer pingeligen Großmutter aufgezogen werden." Cynthia beugte sich näher und sah schnell über ihre Schulter, dann nahm sie eine Lotion, als wollte sie sie ihr verkaufen.

Naomi spielte mit.

„Wenn ich raten müsste, haben sie und Mick wahrscheinlich die Stadt verlassen. Sie sprach immer davon, mit ihm zu verschwinden, sobald sie genug Geld gespart hätten. Denn solange sie in San Francisco ist, werden ihre Großmutter und ihr Onkel immer versuchen, sie zu kontrollieren."

„Du hast vermutlich recht, Cynthia. Ich wünschte nur, sie oder Mick würden mich zurückrufen, damit ich weiß, dass es ihnen gut geht. Hat Tracy dir gesagt, wohin sie gehen würden?"

Cynthia schüttelte den Kopf. „Nein, sie hat nie einen bestimmten Ort erwähnt."

Naomi schenkte ihr ein dankbares Lächeln. „Vielen Dank, dass du mit mir gesprochen hast. Ich lasse ihr nochmal eine Nachricht auf ihrem Handy und hoffe, dass sie mich bald anruft."

„Sag ihr, ich lasse schön grüßen."

„Das mache ich. Danke, Cynthia."

Draußen holte Naomi tief Luft und überlegte, was sie als Nächstes tun sollte. Wenn Tracy vorhatte, von ihrer Familie wegzukommen, dann gab es in ihrer Wohnung vielleicht Hinweise darauf, wohin sie gehen würde. Als sie und Damian zuvor Tracys Wohnung durchsucht hatten, hatten sie nach Mick und den gestohlenen Blutflaschen gesucht, aber nichts gefunden. Sie hatten sich weder Papierkram noch irgendetwas anderes angeschaut, das verraten könnte, was Tracy und Mick geplant hatten.

Ihr Handy klingelte und Naomi zog es aus ihrer Handtasche und sah auf das Display.

„Hallo, Heather."

„Wolltest du nicht eine weitere Blutprobe vorbeibringen, damit ich einen zweiten Test durchführen kann?"

Verdammt! Sie hatte vergessen, dass sie Heather gesagt hatte, sie würde ihr eine weitere Probe zur Analyse geben. Aber das konnte sie jetzt nicht. Nicht nach allem, was Damian ihr erzählt hatte. Sie musste sein Geheimnis bewahren.

„Ach, ja, ich weiß, ich hätte es tun sollen, aber es stellte sich heraus, dass nichts mehr übrig war. Ich konnte einfach keine weitere Probe bekommen. Es tut mir leid. Und es sieht so aus, als würde die Geschichte sowieso im Sande verlaufen", log sie. „Falscher Alarm. Es tut mir leid. Das passiert."

„Bist du dir sicher?"

„Ja. Es ist alles aufgeklärt, und leider gibt es keine Story. Ich hätte dich nicht einmal bitten sollen, den Test durchzuführen. Es war eh so weit hergeholt."

„Wenn du es sagst. Also, wann erzählst du mir von deinem Typen?"

„Bald", versprach sie. Sobald sie mit

Damian besprochen hatte, was sie ihrer Freundin sagen durfte. „Hör zu, ich muss los. Wir reden später.“

„Auf später“, sagte Heather, und Naomi beendete das Gespräch.

Sie seufzte und hasste es, dass sie ihre Freundin anlügen musste, aber es ließ sich nicht ändern. Naomi konzentrierte sich wieder auf ihre Aufgabe und nahm sich ein Taxi, um zurück zu Tracys Wohnung im Tenderloin zu fahren.

„Sind Sie sicher, dass das die richtige Adresse ist, Miss?“, fragte der Taxifahrer mit einem Blick auf die Drogensüchtigen und Obdachlosen, die in der Nähe des Eingangs des Miethauses herumlungerten.

„Ja, das ist es, danke.“ Sie bezahlte und stieg aus dem Taxi.

Naomi fröstelte unbehaglich, als sie zum Eingang des Wohnhauses ging und die Augen mehrerer Menschen auf sich spürte. Einen Moment lang überlegte sie, ob sie Damian hätte anrufen sollen, damit er sie zu Tracys Wohnung begleitete, aber sie wusste, dass er damit beschäftigt war, Hinweisen bezüglich des Autokennzeichens nachzugehen.

Im Gebäude ging sie schnell in den vierten Stock hinauf und fühlte sich außer Atem, als sie dort ankam. Sie war total außer Form. Dankbar, dass die Tür zu Tracys Wohnung nicht verschlossen war, ging sie schnell in die Wohnung hinein und schloss die Tür hinter sich. Sie legte den Riegel um und stieß einen erleichterten Seufzer aus.

Naomi schaltete das Licht ein und begann, das Schlafzimmer zu durchsuchen. Der Schrank, den sie zuvor durchsucht hatte, enthüllte nichts Neues. Unter dem Bett standen mehrere Schachteln mit Schuhen und auf dem Nachttisch lagen Taschentücher, Ohrstöpsel, ein Buch und Allergietabletten.

Sie ließ das Badezimmer aus, weil sie es zuvor durchsucht und keine Papiere, Geld oder andere interessante Gegenstände gefunden hatte. Die Küchenschränke waren ziemlich kahl, ebenso der Kühlschrank. Das halb aufgegessene Sandwich lag immer noch auf der Theke und lockte Fliegen an. Naomi nahm es und warf es in den Müll. Sie überprüfte sogar das Gefrierfach, weil sie dachte, dass das ein guter Platz wäre, um etwas zu verstecken, aber bis auf eine alte Tüte mit gefrorenen Erbsen war es leer.

Im Wohnzimmer mit dem Essbereich stand ein kleiner Fernseher auf einem klapprigen TV-Ständer. Darunter lagen ein paar Zeitungen, zwei Akten und ein Schuhkarton. Die Zeitungen waren alt. Eine Akte enthielt Rechnungen, die andere Coupons aus Supermärkten. Naomi griff nach dem Schuhkarton und hob den Deckel.

Darin befanden sich Fotos. Neugierig setzte sie sich mit dem Schuhkarton auf dem Schoß auf das Sofa und durchsuchte ihn. Die Fotos hatten keine bestimmte Reihenfolge. Viele von ihnen waren älter, aus der Zeit, als Tracy ein junges Mädchen war. Mehrere zeigten sie mit einem jungen asiatischen Paar. Auf die Rückseite hatte sie geschrieben, wer die Personen waren.

Mit Mom und Dad, Universal Studios, 2011.

Naomi seufzte und betrachtete das Foto erneut. Das Mädchen auf dem Foto strahlte in die Kamera. Wie lange, nachdem dieses Foto gemacht worden war, waren ihre Eltern gestorben?

Beim nächsten Foto sah sie zuerst die Rückseite und las die Beschreibung: *Abiturabschluss mit Oma und Onkel Wei, 2019.*

Sie drehte das Foto um und erstickte fast an ihrem eigenen Speichel. Sie kannte die Personen auf dem Foto. Die Frau, Tracys Großmutter, war Mrs. Zhang. Dieselbe Frau, die behauptet hatte, Mick blutverschmiert gesehen zu haben, obwohl sie in Wirklichkeit gesehen hatte, wie ihre eigene Enkelin mit Mick rumknutschte. Aber das war nicht der einzige Grund, warum Naomi schockiert war. Die Person auf der anderen Seite von Tracy war Wei Guo, ihr Redakteur. Er war Tracys Onkel.

„Scheiße!"

Das konnte kein Zufall sein. Wei hatte nicht erwähnt, dass Mrs. Zhang seine Mutter war. Tatsächlich hatte er *eine Mrs. Zhang* gesagt, als hätte er keine Ahnung, wer sie war. Sie hatten nicht denselben Nachnamen, was nicht ungewöhnlich war, da chinesische Frauen oft ihren Mädchennamen behielten. Warum hatte Wei sie zu seiner eigenen Mutter geschickt, um Anschuldigungen über einen satanischen Kult oder Blutrituale im Club zu untersuchen, wenn seine Mutter die Zeugin war? Und Naomi verwendete das Wort Zeugin jetzt sehr locker, denn nachdem Gabriel in die Erinnerungen der Frau eingedrungen war, war klar, dass sie nichts dergleichen gesehen hatte.

Wei Guo hatte sie getäuscht. Er hatte die ganze Geschichte fabriziert. Aber wozu? Sie hatte schon einige Theorien. Aber bevor sie sich da hineinsteigerte, musste sie von hier verschwinden und mit Damian reden.

Naomi steckte das Foto mit Wei Guo und Mrs. Zhang in ihre Handtasche und zog ihr Handy heraus. Sie rief Damians Nummer an, aber es ging direkt auf die Mailbox.

„Damian, ich habe etwas in Tracys Wohnung gefunden. Ich glaube, jemand versucht, dem Club etwas anzuhängen. Ruf mich an, sobald du diese Nachricht bekommst."

Sie beendete das Gespräch und eilte aus der Wohnung. Als sie das Gebäude verließ, fühlte es sich an, als würden noch mehr Drogenabhängige und Obdachlose herumlungern, und ihr vorheriges Unbehagen wuchs noch mehr. Sie schaute die Straße hinauf und hinunter, aber es gab keine verfügbaren Taxis.

Verdammt, sie wollte hier nicht auf einen Uber warten, der vielleicht zwanzig Minuten brauchte, um zu kommen. Als ein junger Junkie schnurstracks auf sie zukam, machte sie schnell auf dem Absatz kehrt und ging in die andere Richtung. An der nächsten Seitenstraße bog sie rechts ab, um wegzukommen. Sie sah sich um und las den Straßennamen, wobei ihr klar wurde, dass sie nur drei oder vier Blocks von Damians Wohnung entfernt war. Sie wusste, dass er nicht da sein würde, aber vielleicht konnte sie sehen, ob seine Eltern die Tür öffneten, damit sie von der Straße wegkam, bis sie Damian telefonisch erreichen konnte.

Naomi blickte über ihre Schulter, um sich zu vergewissern, dass der Junkie ihr nicht gefolgt war, und eilte zu Damians Gebäude. Als sie dort ankam, schaute sie auf die Gegensprechanlage, zögerte aber. Was würden seine Eltern denken, wenn sie einfach

unangekündigt auftauchte? Vielleicht war es
besser, wenn sie nach Hause ging und darauf
wartete, dass Damian sie zurückrief. Aber der
Gedanke, dass Wei Guo, ihr eigener Redakteur,
eindeutig etwas Falsches oder Illegales oder
beides tat, machte sie nervös. Wei Guo wusste,
wo sie wohnte. Er hatte ungeduldig geklungen,
als er sie nach ihren Fortschritten bezüglich
der Story gefragt hatte. Was, wenn er den
Verdacht hatte, dass sie nicht die Absicht
hatte, den Artikel zu schreiben, und ihn nur
hinhielt?

„Entschuldigung."

Naomi wirbelte herum und stand einer Frau
gegenüber, die sie sofort erkannte: Damians
Mutter. In der einen Hand trug sie eine Tüte
mit Take-out-Essen, in der anderen einen
Schlüsselbund.

„Du musst Naomi sein", sagte sie. „Ich bin
Damians Mutter."

„Hallo, Mrs. LeSang, schön, Sie
kennenzulernen."

„Nina, bitte."

„Ähm, du fragst dich wahrscheinlich, was
ich hier mache. Ich habe nur versucht, Damian

zu erreichen, aber er geht nicht ans Telefon, und ich habe Informationen für ihn ..."

„Vielleicht hat er das Klingeln nicht gehört." Sie blickte zu dem Gebäude hoch. „Ich habe vorhin Licht in seiner Wohnung gesehen. Wahrscheinlich hat er die Musik an." Nina schloss die Tür auf. „Komm mit hinauf. Ich lasse dich rein."

Naomi trat hinter Nina ein, wunderte sich aber, warum Damian zu Hause war. Hatte er bereits erledigt, was er für Scanguards tun musste? Hatte Gabriel nicht gesagt, dass es höchstwahrscheinlich mehrere Treffer von dem Teilkennzeichen geben würde, denen er nachgehen müsste?

„Danke, Mrs. ... ähm, Nina. Das ist sehr nett von dir."

Nina führte sie in den Aufzug und steckte ihren Schlüssel in einen Schlitz, bevor sie auf die oberste Etage und die darunter drückte und die Türen sich schlossen.

„Amaury und ich hatten gestern keine Gelegenheit, dich kennenzulernen", sagte sie mit einem Lächeln.

„Ja, tut mir leid, es waren so viele Leute da,

und ich kannte niemanden, und ich war nicht eingeladen ..." Sie plapperte nervös, weil sie mit der Mutter ihres Freundes allein war. Freund, wie seltsam das klang. Sie war es nicht gewohnt, das zu sagen. Und sie war es definitiv nicht gewohnt, Small Talk mit seiner Mutter zu führen.

„Keine Sorge, du wirst dich an uns alle gewöhnen. Die ganze Bande kann am Anfang ziemlich überwältigend sein."

„Ich wollte dich nicht beleidigen ..."

„Du beleidigst niemanden."

Der Aufzug hielt plötzlich an, aber die Tür öffnete sich nicht. Naomi erinnerte sich, warum: Als sie in der Nacht zuvor Damians Wohnung vom Aufzug aus betreten hatte, musste er die Tür aufschließen, weil sie direkt in seine Wohnung führte.

„Ich kann die Musik schon hören", sagte Nina, und Naomi hörte sie auch. Nina schloss die Tür auf. „Ich hoffe, wir sehen uns bald wieder, Naomi."

„Ich auch. Vielen Dank."

Naomi drückte die Tür auf und betrat die Wohnung. Das Wohnzimmer war hell erleuchtet und aus einem der Zimmer drang Musik. Naomi ging zu Damians Schlafzimmer, aber dort war es ruhig, also wandte sie sich der Tür auf der anderen Seite der Küche zu. Von dort schien die Musik zu kommen.

„Damian?"

Sie klopfte, bekam aber keine Antwort. Wahrscheinlich hatte Nina recht. Die Musik war zu laut und er konnte sie nicht hören. Sie drehte den Türknauf und drückte die Tür auf.

Ihr stockte der Atem und ihr Herz hörte auf zu schlagen. Das Zimmer war ein Schlafzimmer, und auf dem Kingsize-Bett war Damians nackter Körper schweißgebadet. Genauso wie der der mageren Tussi, die er von hinten fickte.

Wie konnte er ihr das antun, nach all den Dingen, die er zu ihr gesagt hatte? Nachdem er ihr gesagt hatte, dass er in sie verliebt war? Ein Schluchzen entrang sich ihrer Kehle.

Damians Kopf wirbelte mit rot leuchtenden Augen in ihre Richtung. „Was zum Teufel!"

Das magere dunkelhaarige Mädchen blickte ebenfalls in ihre Richtung. Naomi erkannte sie jetzt. Sie war dieselbe junge Frau, die auf der Halloween-Party mit Damian geflirtet hatte.

„Wie konntest du nur?", würgte Naomi hervor und konnte die Tränen kaum zurückhalten. „Nach allem, was wir gestern Nacht getan haben?"

„Du hast mir gesagt, dass du gestern Nacht nicht in der Stadt warst", sagte das nackte Mädchen mit schriller Stimme.

„Ich hasse dich! Ich hasse dich!", spuckte Naomi.

Damian sah sie an und sah jetzt völlig verwirrt aus. „Hey, wer zum ..."

Naomi wirbelte herum und knallte die Tür hinter sich zu. Sie rannte zum Fahrstuhl, aber die Tür ging nicht auf. Sie drückte auf die Ruftaste, wollte aber nicht darauf warten. Sie musste hier raus. Aufgewühlt riss sie die Tür neben dem Fahrstuhl auf und rannte ins Treppenhaus. Sie rannte hinunter, bis sie das Foyer des Gebäudes erreichte. Tränen liefen ihr jetzt übers Gesicht und ihre Sicht verschwamm.

Wie konnte Damian ihr das antun? Und mit einem Mädchen mit Modelfigur und Modellook.

Anscheinend war ihm eine fette Tussi zu ficken sehr schnell leid geworden. Ihr Herz zog sich schmerzhaft zusammen und in diesem Moment wurde ihr mit Entsetzen klar, dass sie in Damian verliebt war. Und er hatte sie betrogen.

Sie stürmte aus dem Gebäude, ohne sich umzusehen. Sie wünschte, sie wäre ihm nie begegnet, denn dann wäre ihr Herz noch intakt und nicht in tausend Stücke zersplittert.

29

Damian stieg in seinen Porsche und Cooper stieg auf der Beifahrerseite ein.

„Das war ein Reinfall", sagte er und startete den Motor.

„Ich wünschte, Gabriel hätte mehr von diesem Nummernschild lesen können, damit wir unsere Zeit nicht verschwenden müssten", kommentierte Cooper.

„Da kann man nichts machen. Wenigstens haben wir eine Spur. Ohne ihn und ohne Naomi, die uns zu Mrs. Zhang geführt hat, hätten wir überhaupt keine Hinweise. Wohin als Nächstes?"

Cooper sah auf sein Handy. „Lower Pacific Heights."

„Okay", sagte Damian, als plötzlich sein Handy über den Lautsprecher des Autos klingelte. Er blickte auf das Armaturenbrett, um zu sehen, wer anrief, und drückte auf die Rufannahmetaste an seinem Lenkrad. „Hey, Bruderherz. Bist du immer noch in L.A.?"

„Nein, ich bin vor ein paar Stunden zurückgekommen", antwortete Benjamin.

"Hey, Benjamin", sagte Cooper.

„Hallo, Coop."

„Wir könnten deine Hilfe gebrauchen", sagte Damian. „Wir gehen Hinweisen auf den Dieb nach, der die Kiste mit dem abgefülltem Blut gestohlen hat."

„Ja, davon habe ich gehört, aber deswegen rufe ich nicht an." Er räusperte sich. „Du fickst nicht zufällig eine blonde Tussi mit Möpsen wie Dolly Parton?"

„Das ist meine Freundin, von der du sprichst. Pass also auf, was du sagst", erwiderte Damian.

„Na ja, dann hast du ein kleines Problem.

Ich versuche seit einer Stunde, dich anzurufen."

„Musste mein Telefon auf lautlos stellen, sorry. Was ist das Problem?"

„Sie ist hier aufgetaucht."

„Naomi? Das ist kein Problem. Sie weiß, was wir sind. Sag ihr einfach, sie soll es sich bequem machen. Aber ich brauche noch ein paar Stunden."

„Ja, das geht nicht. Sie ist weinend davongerannt."

„Was?" Damians Herz schlug ihm bis zum Hals. „Was zum Teufel hast du ihr angetan? Ich schwöre, wenn du sie angefasst hast –"

„Habe ich nicht", unterbrach Benjamin. „Ich war zu beschäftigt damit, das Mädchen, das ich auf der Halloween-Party kennengelernt habe, zu ficken. Und Naomi ist hereingestürmt und hat uns gesehen. Als mir klar wurde, dass sie dachte, ich wäre du, war sie schon weg."

„Ach, Scheiße!" Damian schlug mit den Händen auf das Lenkrad. „Scheiße, Scheiße, Scheiße!"

„Ja, und das Mädchen, das ich gefickt habe, wollte sich davonmachen, weil sie glaubt, ich hätte sie darüber angelogen, dass ich letzte Nacht nicht in der Stadt war. Sie dachte, ich hätte gestern Nacht Naomi gefickt, bis ich ihr erklärte, dass ich einen Zwillingsbruder habe. Sie duscht jetzt, aber das müssen wir regeln, oder weder du noch ich werden Sex haben. Und ich war noch nicht fertig."

Das war das geringste von Damians Problemen. Er machte eine illegale Kehrtwende mit dem Auto. „Sag ihr, sie soll sich beruhigen. Ich bin auf dem Weg zu Naomi. Wenn ich dort bin, rufe ich dich an."

„Ja, beeil dich."

Damian beendete das Gespräch und wandte sich an Cooper. „Ich bringe dich zum Hauptquartier. Ruf Quinn an und frag ihn, wer während der nächsten paar Stunden für mich übernehmen kann."

Cooper nickte und tätigte den Anruf. Damian hätte sich in den Hintern beißen können dafür, dass er Naomi nicht von seinem eineiigen Zwillingsbruder erzählt hatte. Das Thema war noch nicht aufgekommen. Keiner konnte in den weniger als achtundvierzig Stunden, in denen sie sich kannten, alles abdecken. Und da Benjamin einen Kunden nach Los Angeles begleitet hatte, hatte es keinen Anlass gegeben, ihn Naomi vorzustellen.

„Quinn sagt, dass Grayson jetzt verfügbar ist. Ich werde mit ihm die nächsten Hinweise prüfen", sagte Cooper und steckte sein Handy weg. „Dass du und Benjamin verwechselt werdet, kann doch nichts Neues sein, oder?"

„Ist es nicht. Aber im Moment ist es das Schlimmste, was passieren konnte." Naomi war wahrscheinlich sauer, und er wäre nicht überrascht, wenn sie ihn mit schweren Gegenständen bewerfen würde, sobald er ihre Wohnung betrat. Zumindest hoffte er, dass sie zu Hause war, aber da es fast elf Uhr nachts war, konnte er sich nicht vorstellen, wohin sie nach dem Verlassen seiner Wohnung sonst gegangen sein könnte.

„Ich bin sicher, du kannst das wieder hinbiegen."

Damian seufzte. „Hoffentlich." Er hielt vor Scanguards' Hauptquartier an. „Ich melde mich später, okay?"

„Kein Problem. Viel Glück, Bro", wünschte Cooper und stieg aus dem Auto.

Damian fuhr weiter. In Naomis Straße gab es keine Parkplätze, also umrundete er den Block und parkte in der Gasse dahinter. Er eilte zur Eingangstür und klingelte. Er wartete, aber sie antwortete nicht. Er trat zurück und schaute hinauf zu den Fenstern. In Naomis Wohnung war Licht, also hatte sie beschlossen, ihn zu ignorieren. Er zückte sein Handy, um sie anzurufen, und sah, dass er einen verpassten Anruf sowie eine Voicemail von ihr hatte. Er hörte die Voicemail ab.

„Damian, ich habe etwas in Tracys Wohnung gefunden. Ich glaube, jemand versucht, dem Club etwas anzuhängen. Ruf mich an, sobald du diese Nachricht bekommst."

Verblüfft über die Nachricht wurde ihm jetzt klar, warum sie überhaupt in seiner Wohnung aufgetaucht war. Sie musste mit ihm über den Fall sprechen und er hatte ihren Anruf verpasst. Er tippte auf ihre Telefonnummer und ließ es klingeln, aber nach dem vierten Klingeln schaltete sich die Mailbox an. Er machte sich nicht die Mühe, eine Nachricht zu hinterlassen. Stattdessen zückte er seinen Dietrich und machte sich zügig an der Eingangstür zu schaffen.

Augenblicke später stand er vor ihrer Wohnungstür und klopfte. „Naomi, ich bin's. Wir müssen reden. Bitte lass mich rein."

Erst herrschte Stille, dann hörte er das Knarren des alten Holzbodens.

„Naomi, bitte."

„Verschwinde! Ich will dich nie wieder sehen."

„Es tut mir leid, Naomi, aber die Person, die du in meiner Wohnung gesehen hast, war nicht ich. Es war mein Zwillingsbruder."

„Blödsinn. Verschwinde oder ich rufe die Polizei und lasse dich wegen Hausfriedensbruchs verhaften."

Das würde ganz sicher nicht geschehen. Er benutzte erneut seinen Dietrich, um das Schloss zu knacken, und trat ein. Naomi stand im Wohnzimmer und funkelte ihn an. Sie trug ein Nachthemd und hielt einen Becher Eis in der Hand. Ihre Augen waren geschwollen und rot. Anstatt wütend auszusehen, sah sie untröstlich aus. Sein Herz verkrampfte sich schmerzlich.

„Naomi, es tut mir so leid für dieses Missverständnis. Ich hätte dir von meinem Zwilling erzählen sollen." Er zog sein Handy heraus und navigierte zur Videoanruf-App, dann tippte er auf Benjamins Nummer. „Ich kann es dir beweisen. Ich rufe jetzt Benjamin an."

„Das ist doch nur irgendein Trick", stieß sie hervor. „Warum gehst du nicht einfach? Du hattest deinen Spaß, das fette Mädchen zu ficken."

„Du bist nicht fett!", schoss er zurück. „Und ich bin noch nicht fertig mit dir."

Bevor er mehr sagen konnte, wurde der Videoanruf verbunden. „Benjamin, ich bin bei Naomi. Können wir das bitte jetzt klären?"

„Ja, wird auch Zeit. Tiffany ist kurz davor, abzuhauen."

Damian schaute auf das Display und sah, dass eine hübsche dunkelhaarige Frau neben seinem Bruder stand. „Hey, Tiffany, ich bin Damian. Und dieser Idiot neben dir ist mein Bruder."

Er blickte auf und näherte sich Naomi, dann drehte er das Telefon so, dass sie das Display sehen konnte.

„Naomi, darf ich dir meinen Zwilling Benjamin vorstellen?"

Naomi starrte auf den Bildschirm und er bemerkte, wie sich ihre Augen weiteten.

„Hey, Naomi, tut mir leid wegen vorhin. Ich wusste nicht, dass Damian mich bisher noch nicht erwähnt hatte." Mit etwas lauterer Stimme fügte er hinzu: „Als ob mein idiotischer Bruder vergessen hätte, dass ich existiere."

Damian trat neben Naomi, damit er den Bildschirm sehen konnte. „Na ja, seit der Halloween-Party ist viel passiert. Ich war ein bisschen beschäftigt, okay?"

„Ist jetzt alles geklärt?", fragte Benjamin. „Naomi, kannst du Tiffany bitte sagen, dass ich letzte Nacht nicht bei dir war und dass du mit meinem Bruder zusammen warst?"

Endlich schien Naomi ihre Stimme wiederzufinden. „Es tut mir leid. Ich wusste das wirklich nicht. Ich hätte nicht einfach in dein Schlafzimmer platzen sollen. Tut mir leid, Tiffany."

„Schon gut, Naomi", antwortete das Mädchen. „Die zwei sind daran schuld. Bis bald."

„Nacht, Leute", sagte Benjamin und beendete das Gespräch.

Damian steckte sein Handy wieder in seine Tasche. „Ist jetzt wieder alles in Ordnung?"

Naomi nickte und stellte den Eisbecher auf den Wohnzimmertisch. „Als ich ihn sah und dachte, dass du …" Sie schüttelte den Kopf. „Ich glaube, ich war ein bisschen hysterisch." Sie senkte ihre Lider in offensichtlicher Beschämung.

Damian legte einen Arm um ihre Taille und zog sie an sich, dann legte er seinen Finger unter ihr Kinn und hob ihr Gesicht, damit sie ihn ansehen musste. „Es ist meine Schuld. Ich hätte dir sagen sollen, dass ich einen Zwillingsbruder habe und dass wir uns die Wohnung teilen. Es kam einfach nie zur Sprache. Vergib mir."

„Es gibt nichts zu vergeben."

„Gut. Aber jetzt habe ich ein Hühnchen mit dir zu rupfen."

„Wieso?" Ihr Blick schoss zu seinem.

„Nachdem ich dir letzte Nacht gesagt habe, dass ich in dich verliebt bin, hast du wirklich geglaubt, dass ich in der Lage wäre, mit einer anderen Frau zu schlafen? Vertraust du mir denn nicht?" Er bemerkte, dass sie zögerte.

„Das tue ich, aber wir kennen uns kaum, und kein Typ meint es wirklich ernst, wenn er nach ein paar Tagen sagt, dass er verliebt ist."

Er seufzte. „Oh, Naomi, habe ich dir denn nicht gesagt, dass Vampire sich schnell und vollkommen verlieben? Dass es uns wie ein Güterzug trifft und wir uns gegen dieses Gefühl nicht wehren können? Das ist mir passiert. *Chérie*, der Gedanke, jemals wieder eine andere Frau zu berühren, widert mich an. Alles, was ich will, bist du. Und das demonstriere ich gerne so lange wie nötig, damit du nie wieder Zweifel an meinen Gefühlen für dich hast."

„Demonstrieren?", wiederholte sie mit gerunzelter Stirn.

„Mmh-hmm", grunzte er und drückte sie gegen die Wand.

„Was hast du –"

Er erstickte ihren Protest mit seinen Lippen und küsste sie hart. Der Gedanke, dass sie aufgrund so eines dummen Missverständnisses gelitten hatte, tat ihm so weh, dass er sich am liebsten selbst verprügeln wollte. So etwas durfte nie wieder passieren. Es war schlimm genug, dass sie immer noch unsicher wegen ihrer Figur war und dass er noch einige Zeit brauchen würde, um sie davon zu überzeugen, dass sie perfekt für ihn war. Aber dass sie dachte, er könnte jemals wieder eine andere Frau ficken, das war ein Gedanke, den er ein für alle Mal ausmerzen musste. Er würde es ihr einhämmern.

Damian drückte sie an die Wand, während er den Knopf seiner Hose öffnete und den Reißverschluss herunterzog. Dann schob er seine Hose und seine Boxershorts bis zur Mitte der Oberschenkel hinunter. Sein Schwanz sprang heraus, hart und schwer und bereit für Naomi.

Ungeduldig schob er ihr das Nachthemd

bis zur Taille hoch, hakte seine Arme unter ihre Schenkel und hob sie hoch, wobei er ihre Beine spreizte. Mit einem Stoß drang er in ihre Muschi ein und Wärme und Nässe hießen ihn willkommen.

Naomi keuchte in seinen Mund und er ließ ihre Lippen los.

„Siehst du? Ich will nur dich." Er blickte in ihre blauen Augen und sah, wie sie ihn mit Lust und Leidenschaft anschaute. „Ich liebe dich, Naomi, und das wird sich nie ändern."

Sie hob ihre Hand zu seinem Gesicht. „Damian, als ich dachte, du hättest mich betrogen, hat es mir das Herz gebrochen."

„Es tut mir so leid."

„Es tat so weh. Da habe ich erkannt, dass ich dich liebe."

„Ich liebe dich auch." Bei ihrer Erklärung wollte er voller Befriedigung aufheulen, und er stieß tief und fest in sie hinein, während er sie an die Wand gepresst hielt.

„Tu mir einen Gefallen: knöpfe dein Nachthemd auf und nimm deine Titten heraus." Hätte er eine Hand frei gehabt, hätte er es selbst getan.

„Ja", antwortete sie atemlos und öffnete die drei Knöpfe an der Vorderseite ihres Nachthemds, schob dann den Stoff zur Seite und zog ihre Brüste heraus. Sie waren von harten Nippeln gekrönt, die reif zum Ernten waren.

„Fuck, du bist wunderschön." Er schaute ihr tief in die Augen. „Du machst mich so hungrig."

Ihre Lippen öffneten sich mit einem sanften Hauch. „Bitte, beiß mich. Trink von mir." Sie legte ihre Hände an beide Seiten ihrer Brüste und führte sie wie eine Opfergabe zu seinem Gesicht. Er hatte noch nie etwas Erotischeres gesehen. Ihr verlockender Duft umhüllte ihn und ihr Herzschlag und das aufgeregte Trommeln ihres Pulses bestätigten, dass sie sich nach seinen Reißzähnen sehnte.

Ein heftiger Schauer durchfuhr seinen Körper und ihm wurde klar, dass der bloße Gedanke daran, von ihr zu trinken, ihn zum Höhepunkt brachte. Er leckte über einen Nippel, bevor er seine Reißzähne in ihrer Brust versenkte. Als Naomis reichhaltiges Blut seine Zunge bedeckte und seine ausgedörrte Kehle hinunterlief, fühlte er sie stöhnen. Weiter unten versuchte sie, ihre Leiste an seiner zu reiben, und er veränderte seinen Winkel nur ein wenig, sodass sein Beckenknochen bei jedem Stoß in ihre köstliche Höhle über ihre Klitoris rieb. Sein Samen und ihr Saft vermischten sich und erfüllten den Raum, und der Duft machte ihn noch geiler, als er ohnehin schon war.

Seine Reißzähne tief in ihrer Brust, leckte er über die Brustwarze in seinem Mund und spürte, wie sich Naomis Muschi verkrampfte. Ja, das konnte er in ihr bewirken, denn der Biss machte sie noch empfindlicher für seine Berührung und trieb ihre Erregung immer wieder zum Höhepunkt. Naomi stöhnte laut auf, ihren Kopf gegen die Wand gepresst, ihre Hände lagen immer noch auf ihren Brüsten, um sie ihm weiter anzubieten. Während sie zum Höhepunkt kam, verlangsamte er seine Stöße auf ein leichteres Tempo, damit sie wieder zu Atem kommen konnte, bevor er in einen schnelleren Rhythmus verfiel und genauso hart wie zuvor in sie eindrang.

„Damian, oh Gott! Das ist gut, oh, oh ... Hör nicht auf."

Langsam zog er seine Reißzähne zurück und schloss die Stichwunden mit seinem Speichel. „Glaubst du mir jetzt, dass du alles bist, was ich will?"

„Ja!", rief sie aus. „Bitte, Damian, bitte … mehr …"

Tiefe Zufriedenheit breitete sich in ihm aus, als er sah, wie Naomi all ihre Hemmungen verlor und nur für den Moment lebte, den Moment der reinen und vollkommenen Glückseligkeit.

„Ich liebe jeden Zentimeter von dir", gestand er. „Jeden wunderschönen Zentimeter."

„Und meine Titten? Liebst du meine Titten?"

„Ich wünschte, ich könnte sie essen. Sie fühlen sich reif und schwer an, genau wie ich sie mag." Er leckte über einen Nippel, dann über den anderen und spürte, wie Naomi wieder erschauderte.

„Ich liebe deinen Schwanz in mir", sagte sie mit einem atemlosen Stöhnen. „So hart, so groß."

„Du kannst meinen Schwanz haben, wann

immer du willst. Du musst es mir nur sagen. Ich werde ihn dir niemals verweigern." Weil er sie genauso sehr wollte wie sie ihn. Er würde nie müde werden, sie von einem Orgasmus zum nächsten zu treiben, dafür zu sorgen, dass sie immer befriedigt war.

„Fuck! Ich komme wieder", rief er. Augenblicke später schoss Sperma durch seinen Schwanz und explodierte von der Spitze, wodurch Naomis Muschi noch feuchter wurde.

„Wow." Schwer atmend legte Naomi eine Hand auf seinen Nacken und senkte ihre Stirn an seine. „Du hast mich so heiß gemacht."

„Ich habe dich heiß gemacht? *Chérie*, du bist schon so heiß, dass ich überrascht bin, dass ich mich nicht verbrenne, wenn ich dich berühre." Er hörte auf, sich in ihr zu bewegen und drückte einen sanften Kuss auf ihre Lippen, dann atmete er ein paar Mal tief durch. „Es tut mir leid, dass ich dich nicht einmal ins Bett gebracht habe. Du musst denken, ich bin ein Wilder."

„Ich mag ein bisschen Wildheit in meinem Mann."

Er gluckste. „Das ist ein großer Fehler, das zuzugeben. Jetzt bist du nirgendwo vor mir sicher. Wer weiß, wo und wie ich dich als Nächstes nehme."

„Überrasche mich", murmelte sie und küsste ihn.

30

Nachdem sie sich im Badezimmer frisch gemacht hatte, kehrte Naomi zurück ins Wohnzimmer, wo Damian sie auf der Couch auf seinen Schoß zog. Er schmiegte sein Gesicht in ihre Halsbeuge und drückte mit offenem Mund Küsse auf ihre Haut.

„Das war unglaublich", sagte er und sah auf. „Ich liebe es, wenn du mir zeigst, was du willst." Er legte eine Hand auf ihre Brust und drückte sie sanft. „Ich war noch nie mit einer Frau zusammen, die sexyer ist als du. Ich wünschte, ich könnte den Rest der Nacht damit verbringen, mit dir zu schlafen." Er seufzte. „Aber ich muss bald weg."

„Ich verstehe." Und diesmal tat sie es wirklich. Aber sie konnte ihn nicht gehen lassen, bevor sie ihm erzählt hatte, was sie über Tracy herausgefunden hatte. „Ich habe dir vorhin eine Nachricht hinterlassen."

„Tut mir leid, ich habe sie erst gesehen, als ich hier ankam. Du bist zurück in Tracys Wohnung gegangen? Allein?" Er zischte unmutig. „Nachts ist das keine tolle Gegend."

„Ich weiß. Aber ich wusste, dass du beschäftigt warst, und ich wollte etwas erkunden."

„Aber wir hatten ihre Wohnung doch schon durchsucht."

„Ja, wir haben nach dem Blut und nach Mick gesucht. Aber ich bin zurückgegangen, weil ich von einem Mädchen, mit dem Tracy zusammenarbeitet, etwas erfahren habe."

„Du hast herausgefunden, wo sie arbeitet?"

„Ja, es ist ein kleiner Schönheitssalon, weißt du, Beine entwachsen und so. Direkt am Union Square. Ihre Kollegin Cynthia erzählte mir, dass Tracy zur Arbeit eingeplant war, aber nicht aufgetaucht ist und sich auch nicht krank gemeldet hat. Und Cynthia wusste von Mick und dass Tracys Familie ihn nicht mochte. Sie dachten, er hätte einen schlechten Einfluss auf sie. Sie wollten ihr Leben kontrollieren. Aus diesem Grund wollten Tracy und Mick anscheinend zusammen wegziehen, sobald sie genug Geld gespart hatten."

„Du denkst also, sie sind wirklich freiwillig verschwunden? Aber warum hätte Mick dann das Geld zurückgelassen? Das Handy, das verstehe ich: so könnte er nicht verfolgt werden, aber das Geld?" Damian schüttelte den Kopf.

„Genau dasselbe dachte ich auch. Also ging ich zurück zu Tracys Wohnung und habe mich gründlicher umgesehen. Ich hoffte, Unterlagen zu finden, die darauf hindeuten, wohin sie gehen wollten. Stattdessen habe ich Fotos gefunden." Sie sprang auf und schnappte sich ihre Handtasche von dem Sessel, wo sie sie fallen gelassen hatte, nachdem sie in Tränen aufgelöst nach Hause gekommen war.

Während sie das Foto aus ihrer Tasche zog

und zu Damian zurückging, fuhr sie fort: „Cynthia sagte, dass Tracy mit ihrer Großmutter und ihrem Onkel aufgewachsen ist. Und dass beide sehr streng waren.“

Sie reichte Damian das Foto und setzte sich neben ihn.

„Ach du lieber Gott!“ Ungläubig starrte Damian auf das Foto. „Mrs. Zhang ist ihre Großmutter?“

Naomi nickte.

Damian fuhr sich mit der Hand durchs Haar. „Laut Gabriel hat sie gesehen, wie ihre Enkelin mit Mick geschmust hat. Und deshalb hat sie gelogen. Sie wollte nicht, dass Tracy mit Mick zusammen war. Das ist ihr Motiv, warum sie dem Club Ärger machen will.“

„Das ist nicht alles.“ Naomi zeigte auf den Mann auf dem Foto. „Dieser Typ ist ihr Sohn, Tracys Onkel. Und mein Redakteur beim San Francisco Chronicle, Wei Guo.“

„Du willst mich verscheißern.“

„Nein, das ist er. Er war derjenige, der mir aufgetragen hat, die Story zu recherchieren. Er hat alles inszeniert. Es ist alles erfunden. Er und seine Mutter haben sich die Geschichte wahrscheinlich ausgedacht, um Mick etwas anhängen zu können, und als die Polizei auf Mrs. Zhangs Anschuldigungen nicht hörte, haben sie sich entschlossen, die Zeitung zu benutzen, um Mick und das Mezzanine zu Fall zu bringen. Und irgendwie muss es außer Kontrolle geraten sein." Naomi spürte, wie ihr Herz aus dem Rhythmus kam. „Vielleicht hat Wei Guo Mick entführt oder getötet. Und das alles ist eine Vertuschung. Und wer weiß, wo Tracy ist. Vielleicht haben sie sie irgendwo eingesperrt, um ihren Willen zu brechen."

Naomi schauderte bei dem Gedanken.

„Das ist möglich. Wenn es um Familie geht, sind die Menschen zu fast allem fähig. Und du hast recht, wir müssen davon ausgehen, dass Wei Guo irgendwie an Mick rangekommen ist und es geschafft hat, ihn zu fangen oder zu töten, obwohl ich mir nicht vorstellen kann, wie." Damian deutete auf das Foto. „Er sieht nicht sehr kräftig aus. Und Mick ist ein Vampir. Er könnte leicht einen Menschen überwältigen, selbst wenn dieser so groß wäre wie Dwayne Johnson oder Arnold Schwarzenegger."

„Was, wenn er Mick reingelegt und ihn

irgendwohin gelockt hat? Hat Eddie dir nicht erzählt, dass die letzte Person, die Mick angerufen hat, Tracy war? Was, wenn Wei Guo Tracy dazu zwang, diesen Anruf zu tätigen, um Mick in eine Falle zu locken? Und dann hat er die kaputte Flasche und die Phiole unter den Müllcontainer gelegt und seiner Mutter aufgetragen, sie solle es mir sagen, damit ich sie finde."

„Das ist definitiv möglich." Damian holte tief Luft. „Wir wissen bereits, dass Mrs. Zhang die Beweisstücke nicht platziert hat, sonst hätte Gabriel es in ihren Erinnerungen gesehen."

„Genau. Also war es wahrscheinlich Wei Guo. Glaubst du, Mick ist tot?"

„Ich bin mir nicht sicher. Aber eines gibt mir Hoffnung, dass er noch lebt: die gestohlenen Blutflaschen. Und die Tatsache, dass der Dieb ungefähr so groß war wie Wei Guo. Denn warum sollte er eine ganze Kiste Blut stehlen, außer um Mick am Leben zu erhalten?"

„Hoffentlich hast du recht."

„Zieh dich an. Wir gehen zu Scanguards.

Ich muss das mit meinem Vater und Samson besprechen, bevor wir entscheiden, wie wir uns an deinen Redakteur ranmachen. Er darf nicht wissen, dass wir ihn verdächtigen."

„Glaubst du, er könnte Tracy wehtun, wenn er erfährt, dass wir ihm auf den Fersen sind?"

„Oder Mick."

Naomi ging in ihr Schlafzimmer und zog sich schnell eine Jeans, ein T-Shirt und eine Strickjacke an. Zehn Minuten später fuhr Damian in das Parkhaus unter der Scanguards-Zentrale und parkte seinen Porsche.

Bevor er die Autotür öffnete, legte er seine Hand auf Naomis Unterarm. „Eine Regel, wenn wir drinnen sind."

Sie hob ihre Augenbrauen.

„Nachts um diese Zeit wimmelt es hier nur so vor Vampiren. Bleib also immer an meiner Seite. Ich breche ungefähr hundert Regeln, indem ich dich mit hinein nehme."

„Vertrau mir, ich habe nicht die Absicht, abzuhauen." Bei dem Gedanken, ein Gebäude zu betreten, in dem ein Haufen Vampire arbeitete, schauderte sie, obwohl sie wusste, dass Damian sie beschützen würde.

Sie stiegen aus und Damian führte sie zu einem Aufzug, legte seinen Daumen auf einen Scanner im Inneren und drückte dann den Knopf für das oberste Stockwerk. Während sie hinauffuhren, legte Naomi ihre Hand in Damians.

Er lächelte sie an und hob ihre verflochtenen Hände an seine Lippen und drückte einen Kuss auf ihre Knöchel.

Als der Aufzug anhielt, stiegen sie aus. Naomi wusste nicht, was sie erwartet hatte, aber das oberste Stockwerk des Gebäudes sah genauso aus wie das Innere jedes x-beliebigen Bürogebäudes. Nichts deutete darauf hin, dass Scanguards von Vampiren geführt wurde.

An einer der Türen klopfte Damian, bevor er die Tür öffnete. „Dad?"

Aber das Büro war leer.

Vom Korridor aus sah sie ein Mann an. „Er ist bei Samson."

Damian drehte sich um. „Danke, Quinn."

Quinn warf ihr einen neugierigen Blick zu und schaute dann zurück zu Damian. „Ich weiß wirklich nicht, warum wir immer noch diese dumme Regel haben, dass kein Mensch die

Chefetage betreten darf, wenn sich sowieso keiner dran hält."

„Ist mir auch schleierhaft", sagte Damian mit einem Achselzucken.

Kopfschüttelnd verschwand Quinn in einem Büro.

„Woher wusste er, dass ich ein Mensch bin?", fragte Naomi mit gesenkter Stimme.

„Vampire können Auren sehen. Und deine ist menschlich."

„Auren? Wow. Es gibt so viel, was ich noch nicht über Vampire weiß."

„Mach dir keine Sorgen. Ich werde dir alles erzählen, sobald dieser Schlamassel beseitigt ist. Versprochen."

Sie blieben vor einer Tür stehen und Naomi las den Namen auf dem Schild: Samson Woodford. Sie holte tief Luft, nervös, da sie den Scanguards Chef persönlich treffen würde.

Damian öffnete die Tür und sie betraten das große Büro. Samson und Amaury standen neben Samsons Schreibtisch und sahen sie an. Damian schloss die Tür hinter ihnen.

„Hey, Samson, Dad."

Für einen Moment herrschte Stille im Raum

und alles, was Naomi hören konnte, war das Geräusch von Atemzügen. Dann trat Samson plötzlich einen Schritt auf sie zu.

„Angesichts der Tatsache, dass Damian dich hierher gebracht hat, nehme ich an, dass er dir gesagt hat, wer wir sind."

Naomi schluckte schwer. „Ja, und es tut mir leid, dass ich mich auf einer Etage befinde, auf der keine Menschen erlaubt sind."

Samson lachte unerwartet. „Ja, als hätte sich schon jemals jemand an diese Regel gehalten. Schön, dich kennenzulernen, Naomi. Ich bin Samson."

„Freut mich, dich kennenzulernen."

Amaury ging an Samson vorbei und streckte grüßend die Hand aus. „Ich bin Amaury, Damians Vater."

Naomi schüttelte ihm die Hand. „Hallo, ich bin heute Abend deiner Frau begegnet."

„Ja, sie hat es erwähnt, und du bist genauso schön, wie sie dich beschrieben hat", antwortete er.

Naomi fühlte, wie sie errötete, und sie bemerkte, dass Damian und Amaury einen Blick austauschten.

„Willkommen in der Familie", sagte Amaury und ließ ihre Hand los.

Samson winkte Damian zu. „Ich dachte, du wärst unterwegs, um den Spuren des Autokennzeichens nachzugehen. Das ist unsere oberste Priorität."

„Ich weiß", antwortete Damian. „Und das tat ich auch, aber dann hat Naomi etwas gefunden, das uns zu Micks Entführer führen könnte."

„Lass es uns hören", sagte Samson und machte eine einladende Geste in Richtung der Sitzecke.

Nachdem Damian Samson und Amaury erzählt hatte, was Naomi über Micks Freundin und ihre Familie herausgefunden hatte, legte er einen Plan vor, den er sich ausgedacht hatte.

„Da wir nicht wissen, wo Wei Guo und seine Mutter Mick festhalten, müssen wir sicherstellen, dass keiner den anderen warnen kann. Wir müssen mit zwei Teams gleichzeitig eingreifen."

„Du wirst Mrs. Zhang zu Tode erschrecken", sagte Naomi.

„Geht nicht anders", sagte Damian. „Schließlich hat sie bei der Täuschung mitgemacht. Jetzt muss sie dafür bezahlen."

„Er hat recht", stimmte Samson zu. „Wei Guo darf niemanden kontaktieren. Er darf uns nicht kommen sehen."

„Lasst es uns tun", sagte Amaury und nickte. „Ist Wei Guo verheiratet?"

Naomi nickte. „Ja, und er hat zwei Kinder. Ich glaube, sie sind so um die zehn oder elf Jahre alt."

Damian tauschte einen Blick mit Amaury und Samson aus. „Ich will nicht reingehen und die Kinder oder seine Frau erschrecken. Sie haben damit nichts zu tun."

„Dann müssen wir dafür sorgen, dass er das Haus verlässt, und wir holen ihn uns draußen", sagte Samson.

„Ich glaube, ich weiß, wie", bot Naomi an. „Aber wir müssen bis etwa sieben Uhr morgens warten. Er verlässt sein Haus jeden Tag früh, um ins Büro zu gehen."

Damian sah auf seine Uhr. „Das ist in drei Stunden. Aber es werden zu viele Leute in seinem Büro sein. Es ist kein guter Ort, um ihn zu schnappen."

„Ich kann dafür sorgen, dass er nicht ins Büro geht", sagte Naomi.

„Wie?"

„Ich gebe ihm, was er will: die Story." Sie sah zuerst ihn und dann Samson und Amaury an.

„Okay", sagte Samson mit einem Nicken. Dann deutete er auf Damian. „Stell die Teams zusammen. Frag bei Quinn nach, wer verfügbar ist."

„Und Mrs. Zhang?", fragte Naomi.

„Wir werden dafür sorgen, dass sie in ihrer Wohnung bleibt und niemanden kontaktiert", sagte Samson. „Damian, lass Eddie oder Thomas ihre Festnetz- und Handyverbindung trennen, und dann -"

„Sie hat kein Handy", unterbrach Naomi.

„Noch besser", sagte Damian. „Ich werde Eddie das Festnetz kappen lassen und einen der Hybriden vor ihrer Wohnung aufstellen."

„Dann mal los", sagte Samson.

31

Es war noch dunkel, als Damian auf dem Beifahrersitz von Naomis Auto, das auf Twin Peaks geparkt war, Platz nahm. Der Blick von hier in die Stadt war atemberaubend. Und da es November war, gab es keinen Nebel, sondern einen klaren Himmel mit Millionen von Sternen.

„Ruf ihn an."

Naomi drückte auf den Kontakt auf ihrem Handy und legte den Anruf auf Lautsprecher. Es klingelte zweimal, bevor der Anruf verbunden wurde.

Wei Guo ging ans Telefon. „Naomi? Es ist noch früh.“

„Ich weiß, ich weiß, aber es ist dringend. Ich habe etwas gefunden. Und es wird diese Story voll zum Explodieren bringen.“

„Ausgezeichnet. Triff mich im Büro. Ich fahre gleich los.“

„Nein, nicht im Büro“, sagte Naomi schnell. „Es darf uns niemand belauschen. Das ist eine riesige Sache. Ich meine, wirklich riesig. Triff mich oben auf Twin Peaks. Niemand wird uns dort sehen.“

Wei Guo zögerte. „Ähm, also okay. Ich bin in weniger als fünfzehn Minuten dort oben.“

„Vielen Dank.“ Naomi beendete das Gespräch.

„Gut gemacht“, lobte Damian. Dann hob er sein eigenes Handy ans Ohr. „Eddie, schalte die Telefone ab.“

„Mach ich“, antwortete Eddie. „Oh, und ich habe die beiden auf Wei Guo zugelassenen Autos überprüft. Keines davon stimmt mit dem Teilkennzeichen des Fluchtwagens des Diebes überein.“

„Das heißt, er hat einen Komplizen.“

„Höchstwahrscheinlich, denn Mrs. Zhang hat kein Auto. Tracy auch nicht."

„Überprüfen Grayson und Cooper immer noch die Autos, die mit dem Teilkennzeichen übereinstimmen?"

„Ja, und Ryder und Vanessa auch. Bisher haben sie nichts gefunden."

„Danke, Eddie."

Damian steckte sein Handy wieder in die Tasche und beugte sich zu Naomi. „In dem Moment, in dem du sein Auto vorfahren hörst, steig aus dem Wagen. Ich werde dich immer im Blickfeld haben."

„Okay."

Er küsste sie, stieg dann aus dem Auto und ging zu den Büschen, hinter denen sich seine Kollegen versteckten. Sie hatten den verdunkelten Van auf der anderen Seite des kleinen Hügels geparkt, um ihn vor Blicken zu verbergen. Damian gesellte sich zu Sebastian und Ethan. Da die Sonne bald aufgehen würde, war keiner der Vollblutvampire dabei, um Wei Guo zu schnappen. Sie warteten im Hauptquartier von Scanguards.

„Er dürfte in weniger als einer Viertelstunde

hier sein", verkündete Damian. „Er wohnt ihm Outer Sunset."

Sie mussten nicht lange warten, bis ein roter Lexus vorfuhr und neben Naomis Mini parkte. Naomi stand bereits neben ihrem Auto und wartete auf Wei Guo. Der kleine Chinese stieg aus seinem Auto und schloss die Tür. Über seinem Anzughemd und seiner dunklen Hose trug er eine Windjacke, und Damian konnte unmöglich erkennen, ob er bewaffnet war.

So wie Naomi sich positioniert hatte, musste sich Wei dem Hügel abwenden und in Richtung Stadt blicken, was bedeutete, dass Damian und die beiden Hybriden sich ihm nähern konnten, ohne gesehen zu werden.

„Also, was hast du gefunden?", fragte er eifrig.

„Hi, Wei, du wirst es nicht glauben, aber das ist etwas viel Größeres als ein satanischer Kult. Viel größer."

„Ja? Was ist es? Komm schon, spann mich nicht auf die Folter."

Damian blieb direkt hinter Wei stehen. „Ja, viel größer", wiederholte Damian.

Wei wirbelte herum und seine Augen weiteten sich vor Schock. „Was zum –"

Damian ließ seine Reißzähne aufblitzen, während Sebastian und Ethan Wei Guos Arme packten, damit er nicht nach einer Waffe greifen konnte.

„Was zum Teufel soll das? Hilfe!"

„Halt die Klappe!", befahl Damian und tastete ihn ab. „Er ist unbewaffnet."

„Wer zum Teufel seid ihr? Lasst mich los! Naomi?" Er sah über seine Schulter.

Naomi stand da, die Arme vor der Brust verschränkt.

„Wer sind diese Leute?" Er funkelte sie an, während er vergeblich versuchte, sich gegen Sebastians und Ethans Griff zu wehren. „Du hast mich reingelegt!"

„Ja, und du hast mich zuvor reingelegt. Jetzt sind wir quitt", erwiderte Naomi ruhig.

„Lasst uns gehen, wir bringen ihn zurück ins Hauptquartier", befahl Damian. „Naomi, folge uns in deinem Auto."

„Lasst mich los!", schrie Wei Guo. „Hilfe! So hilf mir doch jemand!"

„Hier oben wird dich niemand hören", sagte

Ethan und verdrehte die Augen. „Also halt die Klappe oder ich knebele dich."

Damian beobachtete, wie Naomi wieder in ihr Auto stieg und den Motor anließ, während Sebastian und Ethan einen um sich schlagenden Wei Guo zurück zu dem verdunkelten Van schleppten und ihn hinten hineinhoben, wo sie ihn festhielten.

„Verdammt nochmal, ich kann mich nicht denken hören", stieß Ethan hervor.

Als Wei immer noch nicht aufhörte, um Hilfe zu schreien, steckte Ethan ihm einen Knebel in den Mund, um ihn zum Schweigen zu bringen.

Damian sprang auf der Fahrerseite in den Wagen und legte den Gang ein. Es war nur eine fünfzehnminütige Fahrt von Twin Peaks bis zum Hauptquartier.

Als sie Scanguards erreichten, fuhr Damian den Van in die Tiefgarage und vergewisserte sich, dass Naomis Mini hinter ihm einfuhr, bevor er das elektronische Tor hinter ihr schloss.

„Bring ihn runter in den Verhörraum." Damian stieg aus dem Van und ging zu

Naomis Auto, während die beiden Hybriden den immer noch trotzigen Wei Guo zum Fahrstuhl zerrten.

Naomi stieg aus dem Auto. Sie sah blass aus.

„Das hast du gut gemacht", lobte Damian sie und zog sie in seine Arme. „Bist du okay?"

„Nur ein bisschen erschüttert. Ich bin nicht an Nacht- und Nebelaktionen gewöhnt wie du und deine Kollegen."

„Glaubst du, das war eine Nacht- und Nebelaktion?" Er gluckste. „Für uns ist das ein ganz normaler Donnerstag."

„Das liegt daran, dass du Superman bist und ich nur die ganz normale Lois Lane."

„Ich dachte, du wärst Rotkäppchen." Er würde sie immer so sehen, egal was sie trug oder was sie tat. Aber er konnte sich im Moment nicht dieser Art von Gedanken hingeben. „Lass uns gehen. Du darfst nicht in den Verhörraum, also –"

„Nein! Ich habe ihn hergebracht. Ich muss –"

„Ich bringe dich in den Beobachtungsraum. Von dort wirst du alles sehen und hören können, was im Verhörraum vor sich geht."

Als sich Naomis Gesicht aufhellte, fügte er hinzu: „Hast du wirklich geglaubt, ich würde dich ausschließen, wo du doch diejenige warst, die uns zu Wei Guo und seiner Mutter geführt hat? Wir sind ein Team, du und ich." Und bald würden sie viel mehr als das sein.

Sie fuhren mit dem Aufzug nach unten, wo sich der Beobachtungsraum befand. Es war eine Kabine, ähnlich der Art von Raum, die für Sportübertragungen bei Live-Sportveranstaltungen verwendet wurde, nur dass dieser Raum nicht auf ein Fußballfeld, sondern auf einen großen Verhörraum blickte. Damian öffnete die Tür zum Beobachtungsraum und führte Naomi hinein.

Der Raum war nicht leer.

„Nicholas, hey", sagte Damian. „Was machst du hier?"

Zanes siebenundzwanzigjähriger Sohn saß auf einem Stuhl vor dem Zwei-Wege-Spiegel und drehte den Kopf. „Ich werde meinem Vater dabei zusehen, wie er einen Verdächtigen verhört. Dürfte interessant werden."

„Welchen Verdächtigen?"

„Sie haben ihn gerade hereingebracht."

Damian trat näher ans Fenster, um in den Raum hinunterzusehen. „Ach, Scheiße!"

Zane stand im Raum, mehrere Werkzeuge auf einem Tisch neben ihm. Wei Guo saß bereits auf dem einzigen Stuhl im Raum.

Damian drückte den Knopf am Mikrofon. „Zane, entferne dich verdammt noch mal von dem Verdächtigen!"

Zane sah über seine Schulter. „Ich tue dir nur einen Gefallen. Das geht schneller." Dann wandte er sich wieder dem Gefangenen zu.

„Fuck!", zischte Damian und eilte zur Tür, wo er über seine Schulter zu Zanes Sohn zurückblickte.

„Nicholas, sie gehört mir. Wenn du sie berührst, bist du Staub."

Er wartete nicht auf die Antwort des Hybriden und eilte die Treppe hinunter, anstatt auf den Aufzug zu warten. Als er die Tür zum Verhörraum erreichte, stieß er sie auf und stürmte auf Zane zu, der gerade eine Zange an Wei Guos rechten Daumen ansetzen wollte.

Damian riss Zanes Arm zurück. „Ich sagte:

Tritt verdammt nochmal von dem Verdächtigen weg! Manchmal bist du so ein Arschloch."

Zane schnaubte. „Ich bekomme Ergebnisse. Und wir dürfen keine Zeit verlieren."

„Ich habe das im Griff." Er zeigte auf Wei Guo. „Folter wird nicht nötig sein. Oder hast du nicht bemerkt, dass er sich schon in die Hose gemacht hat?" Der Uringeruch und der nasse Fleck auf Weis Hose waren kaum zu übersehen.

Zane blickte zu Wei und dann zurück zu ihm. „Wie gesagt, ich bekomme Ergebnisse. Er gehört dir." Er schnappte sich sein Werkzeug vom Tisch und ging zur Tür. „Gern geschehen."

„Deine Gefährtin muss eine Heilige sein", knurrte Damian. „Wie sonst kann sie deine unerträgliche Arroganz ertragen."

Der glatzköpfige Vampir mit dem explosiven Temperament blickte über seine Schulter, sein Mund verzog sich zu einem halben Lächeln. „Portia kann noch viel mehr ertragen. Vielleicht findest du eines Tages eine Frau, die auch all deine Fehler übersieht und dich trotzdem liebt."

„Das habe ich schon."

Zane hob eine Augenbraue, dann schmunzelte er in sich hinein und verließ den Raum. Bevor die Tür hinter ihm zufiel, marschierten Samson und Amaury in den Raum.

Damian sah sie an. „Wessen Idee war es, dass Zane meinen Verdächtigen befragen sollte?"

Samson knurrte widerwillig: „Zanes. Denn es war ganz sicher nicht meine oder Amaurys."

„Ich komme mit diesem Typen alleine klar."

„Das wissen wir", sagte Samson, während er und Amaury in der Nähe der Tür stehen blieben.

„Wir werden uns nicht einmischen", versicherte ihm Amaury.

„Gut." Damian wandte sich an Wei Guo. „Lass uns ein bisschen plaudern. Dies kann auf zwei Arten geschehen: Du sagst uns die Wahrheit, und ich werde dir nicht wehtun. Du lügst, und du wirst sehr schnell erfahren, dass ich sehr ungeduldig bin."

Wei Guo sah völlig eingeschüchtert aus,

obwohl in seinem Ton immer noch Trotz lag. „Ich weiß nicht, was du von mir willst."

„Wo ist Mick? Und wo ist die Kiste mit dem Blut, die du gestohlen hast?"

Wei schüttelte den Kopf. „Ich weiß nicht, wovon du sprichst."

Damian trat näher und beugte sich über den sitzenden Gefangenen. „Vielleicht hast du die Frage nicht verstanden, also wiederhole ich sie: Du hast Mick Solvang entführt, einen Barkeeper aus meinem Nachtclub und den Freund deiner Nichte. Wo hältst du ihn gefangen? Ist dir diese Frage jetzt klar genug?"

Weis Lippen bebten. „Ich habe niemanden entführt."

Verärgert über Weis Weigerung, die Frage zu beantworten, fuhr Damian seine Reißzähne voll aus und öffnete seinen Mund, damit sein Gefangener einen guten Blick auf seine tödlichen Fänge bekam. Er knurrte, um seinen Unmut zu unterstreichen, beugte sich vor und brachte sein Gesicht bis auf wenige Zentimeter an Wei heran. Der Chinese wich auf seinem Stuhl zurück, konnte aber nicht entkommen, da der Metallstuhl mit dem Boden verschraubt und seine Arme und Beine daran gefesselt waren.

„Fuck!" Seine Stimme zitterte, und der Gestank von Angst durchzog die Luft. „Was zum Teufel bist du?"

„Du weißt, was ich bin. Und du weißt, was Mick ist, sonst hättest du nicht die Kiste mit menschlichem Blut gestohlen, um ihn am Leben zu erhalten. Soll ich es dir buchstabieren?" Damian hielt inne und zwang seine Augen, sich rot zu färben.

Ein ersticktes Keuchen kam von Weis Lippen.

„Ich bin ein Vampir. Und ich werde von dir abbeißen, wenn du mir nicht die Wahrheit sagst."

„Bitte tu mir nicht weh! Ich habe nichts getan. Ich habe keine Hand an Tracys Freund gelegt. Du musst mir glauben." Seine Stimme brach.

Damian ließ ein weiteres Knurren über seine Lippen rollen. „Versuch es nochmal. Diesmal will ich die Wahrheit."

Tränen stiegen in Weis Augen, und von der Beobachtungskabine über dem Verhörraum aus konnte Naomi sehen, wie er zusammenbrach. Aller Kampf wich aus ihm heraus. Es hätte sie überrascht, wenn es anders gewesen wäre. Damian sah einschüchternd aus, und wenn sie nicht wüsste, wie sanft und liebevoll er sein konnte, hätte auch sie Angst vor ihm.

Ein angenehmer Schauer lief ihr bei dem Wissen über den Rücken, dass dieser mächtige Vampir in sie verliebt war. Es war ihr nicht entgangen, was er zu Nicholas gesagt hatte. Dass sie ihm gehörte und dass er sterben würde, wenn er sie anfasste. Und als ob das nicht genug gewesen wäre, um seinen Anspruch geltend zu machen, hatte er Zane gesagt, dass er die Frau gefunden hatte, die ihn ungeachtet seiner Fehler liebte. Der Ton in Damians Stimme war besitzergreifend gewesen. Er war nicht vor dem gruselig aussehenden kahlköpfigen Vampir zurückgeschreckt, der aussah, als würde er es lieben, Schmerzen zuzufügen. Die Stärke und Kraft, die Damian an den Tag legte, als er sich Zane entgegenstellte, waren sogar noch anregender als sein gutes Aussehen und sein Charme.

Naomi spürte, wie ihr heiß wurde, und konzentrierte sich wieder auf das Verhör.

Wei sah jetzt wie ein schwacher und verängstigter Mann aus. „Es tut mir leid, alles, was ich wollte, war, dass Tracy mit ihm Schluss macht. Sie hat sich verändert, seit sie ihn kennengelernt hat." Er schniefte und ein Schluchzen brach aus seiner Brust. „Aber ich habe ihm nicht wehgetan. Ich habe nur die Beweise platziert, um ihn und den Club in Schwierigkeiten zu bringen ... damit die Stadt den Club schließt und Mick verschwindet. Er kontrolliert meine Nichte."

„Blödsinn. Du hast herausgefunden, dass er ein Vampir ist, und du hast ihn entführt. Warum sonst hättest du die Blutflaschen gestohlen, außer um ihn am Leben zu erhalten, während du ihn eingesperrt lässt. Wo zum Teufel ist er?"

Tränen strömten nun über Weis Gesicht.

„Ich weiß es nicht. Ich habe keine Blutflaschen gestohlen."

„Du hast gerade zugegeben, dass du die Beweisstücke platziert hast. Wir haben die zerbrochene Flasche und die Phiole gefunden. Das beweist, dass du die Kiste gestohlen hast."

„Ich habe die Flasche in Tracys Wohnung gefunden. Im Müll. Ich konnte riechen, dass es Blut war. Und ich habe das Etikett darauf gesehen." Er schluckte einige der Tränen hinunter und räusperte sich. „Ich vermutete, dass er Tracy in einen satanischen Kult hineinzieht. Das musste ich stoppen. Also nahm ich die Flasche aus ihrer Wohnung."

Naomi bemerkte, wie Damian Samson und Amaury ansah, die beide interessiert zuhörten.

„Willst du damit sagen, dass du nicht wusstest, dass Mick ein Vampir ist?"

„Nein, ich hatte keine Ahnung. Vampire ... sie existieren nicht ... sie können nicht existieren." Wei starrte auf Damians Reißzähne. Naomi erkannte, dass sie immer noch ausgefahren waren, vermutlich um Wei einzuschüchtern. „Sie können nicht ... es ist nicht möglich. Das macht es noch viel schlimmer ... ich kann nicht glauben, dass sie das tun würde ... so eine Kreatur zu daten ... Nein." Er schüttelte den Kopf, weigerte sich immer noch, es zu glauben.

War es möglich, dass Wei Guo wirklich nicht gewusst hatte, dass Mick ein Vampir war?

„Sowohl Mick als auch Tracy sind verschwunden. Wo sind sie?", fragte Damian.

Wei schüttelte den Kopf und ließ seine Schultern hängen. „Warum fragst du nicht Mick? Er muss wissen, wo sie ist. Ich habe seit Tagen nicht mehr mit Tracy gesprochen. Als sie mich nicht zurückrief, ging ich in ihre Wohnung. Ich habe die Flasche und die Phiole gefunden, aber Tracy war nicht da. Ich wollte diesen Typen aufrütteln, indem ich aufdeckte, was er tut ... damit Tracy endlich kapiert, wie falsch er für sie ist. Ich will nur ihr Bestes."

Naomi schnaubte unwillkürlich. Eher wollte er seine Nichte kontrollieren.

Plötzlich öffnete sich die Tür zur Beobachtungskabine und Naomi schaute über ihre Schulter. Zane, der glatzköpfige Vampir, trat ein.

„Hallo, Dad."

Als Zanes Augen auf sie fielen, zog er die Augenbrauen hoch. „Und wer bist du?"

Bevor Naomi ihre Stimme finden konnte, antwortete Nicholas: „Sie ist Damians Freundin. Er sagte, wenn ich sie anfasse –"

„Lass mich raten", unterbrach Zane. „Er hat gedroht, dich zu pfählen? Typisch." Er warf Naomi einen langen Blick zu, der ihr das Gefühl gab, als würde er sie inspizieren und sie bestände die Musterung nicht.

„Ich bin Naomi", sagte sie, verärgert darüber, wie unwohl sie sich bei dem einschüchternden Vampir fühlte. „Der Typ da unten ist mein Boss."

„Du treibst dich in beschissenen Kreisen rum." Eine Seite seines Mundes hob sich, dann deutete er auf Nicholas. „Nikki, geh zu Eddie."

„Nenn mich nicht Nikki", stieß Nicholas hervor und funkelte seinen Vater an. „Nicht vor anderen."

Zane grunzte. „So empfindlich. Geh in Eddies Büro. Sie haben noch einen Treffer auf das Teilkennzeichen bekommen und brauchen noch ein Team, das zu überprüfen. Vermutlich musst du Lydia mitnehmen. Ich glaube nicht, dass jemand anderer verfügbar ist."

Etwas Unverständliches grummelnd verließ Nicholas den Raum.

„Ich leiste dir Gesellschaft", sagte Zane und setzte sich auf den Stuhl, auf dem Nicholas zuvor gesessen hatte.

„Ich brauche keine –"

„Lass mich das anders formulieren: Ich werde dich beobachten."

Ja, das war wohl eher der Fall. Aber sie weigerte sich zuzugeben, dass seine Anwesenheit sie einschüchterte. „Ist mir egal. Sind wir mit dem Geplauder fertig? Weil ich mir das Verhör gerne anhören möchte."

„Sieht so aus, als hätte das Kätzchen Krallen."

Naomi ignorierte seinen Kommentar und blickte zurück in den Raum, um sich wieder auf das Verhör zu konzentrieren.

Damian wandte sich von dem Gefangenen ab und näherte sich Samson und Amaury. „Ich glaube, er sagt die Wahrheit."

Samson nickte, während Amaury antwortete: „Sieht so aus. Er hat eindeutig

Angst vor uns. Er würde es nicht wagen weiter zu lügen."

„Dann ist das eine Sackgasse. Alles, was wir haben, ist ein Teil des Kennzeichens des Autos des Diebes." Er fuhr sich mit der Hand durchs Haar. „Verdammt. Wenn er wirklich nicht weiß, dass Mick ein Vampir ist und er ihn nicht entführt hat, dann haben er und seine Mutter nur versucht, Ärger zu machen, in der Hoffnung, dass Tracy Mick verlässt. Es ist verabscheuungswürdig und auch nicht sehr schlau. Als ob Tracy ihn verlassen hätte, nur weil Wei Guo dem Club und Mick Ärger verschafft hätte."

Naomi wusste, dass Damian recht hatte. Wenn Tracy ihn wirklich liebte, würde das Wissen darüber, dass ihre Familie versucht hatte Ärger zu machen, sie nur noch mehr in Micks Arme treiben.

„Aber das bringt uns der Suche nach Mick oder dem Mädchen nicht näher", fügte Damian hinzu.

„Zurück zum Anfang", sagte Amaury. „Konzentrieren wir uns darauf, die Person zu finden, die die Blutkiste gestohlen hat."

Samson nickte. „Ich stimme euch zu. Wei Guo hat nicht den Mut, uns weiter anzulügen. Er sagt die Wahrheit. Wir können es Gabriel bestätigen lassen, nur für den Fall, dass er ein besserer Lügner ist, als wir denken, obwohl ich nicht glaube, dass Gabriel zu einem anderen Schluss kommen wird als wir drei", sagte Samson und zückte sein Handy, als es plötzlich klingelte. Er schaute auf das Display und drückte dann die Akzeptieren-Taste. „Grayson?"

Samson hörte zu und wandte sich dann an Amaury und Damian: „Ich glaube, wir haben den Dieb gefunden."

32

Nachdem er Wei Guo in einer Zelle auf der gleichen Etage wie der Verhörraum eingesperrt hatte, ging Damian zur Beobachtungskabine, um Naomi abzuholen. Zu seiner Überraschung sah er Zane aus dem Raum treten.

„Was zum Teufel, Zane? Wo ist sie? Wenn du ihr wehtust, schwöre ich -"

„Ich habe ihr nur Gesellschaft geleistet", unterbrach Zane.

Hinter ihm tauchte Naomi auf.

„Naomi, geht es dir gut?"

Naomi nickte. Damian wusste, dass Zane als blutgebundener Vampir niemals eine andere Frau auf sexuelle Weise berühren würde, aber er war absolut in der Lage, einer Frau oder einem Mann Schmerzen zuzufügen.

Zane schnaubte. „Du bist genau wie dein Vater. Sei doch etwas lockerer."

„Sagt der Mann, der keinen Sinn für Humor hat", erwiderte Damian.

Zane zuckte mit den Schultern. „Ich wollte nicht, dass sie herumwandert, schon gar nicht ohne Besucherausweis."

„Als ob du dich immer an die Regeln hieltest." Zane hatte während der Jahrzehnte, die er bei Scanguards war, genug Regeln gebrochen.

Naomi verdrehte die Augen. „Wenn ihr beide damit fertig seid, eure Schwänze zu vergleichen, wer den Größeren hat, können wir dann vielleicht den Dieb schnappen?"

Damian richtete seinen Blick auf sie, überrascht, dass sie nicht im Geringsten von Zane und – zugegebenermaßen – von ihrer exzessiven Zurschaustellung von Testosteron eingeschüchtert zu sein schien.

„Ich muss sagen", sagte Zane mit etwas,

das fast wie ein Grinsen aussah, „sie hat *Cojones*.“

Trotz seiner Verärgerung über Zane grinste Damian. „Ja, das hat sie.“ Er streckte seinen Arm aus, um Naomis Hand zu nehmen. „Wir treffen uns alle oben.“

Als sie Richtung Aufzug gingen und Zane die andere Richtung einschlug, beugte sich Naomi näher zu ihm. „Dieser Typ jagt mir eine Scheißangst ein.“

„Ja, er hat diese Wirkung auf die Leute. Zane ist nicht für seine Freundlichkeit bekannt.“

„Das ist eine Untertreibung“, sagte Naomi. „Also, was wird jetzt mit Wei Guo passieren?“

„Wir haben uns noch nicht entschieden. Gabriel wird sicherstellen, dass er nicht mit dem Dieb unter einer Decke steckt, und während wir versuchen, Mick und Tracy zu finden, werden wir ihn hier einsperren, damit er sich nicht einmischen kann.“

„Ihr habt hier ein Gefängnis?“

„Kein richtiges Gefängnis, nein. Das Vampirgefängnis befindet sich in Grass Valley, dort werden nur Vampire eingesperrt.

Aber wir haben Arrestzellen in diesem Gebäude."

„Willst du mich verarschen? Es gibt ein Vampirgefängnis?"

Sie betraten den Fahrstuhl und Damian drückte auf den Knopf für die oberste Etage. „Ja. So wie Menschen ihre faulen Äpfel haben, hat auch unsere Gesellschaft welche." Er zog sie näher an sich heran. „Du musst müde sein. Aber ich hoffe, dass das alles bald vorbei ist. Und dann werden du und ich vierundzwanzig Stunden ohne Unterbrechung im Bett verbringen."

„Das ist keine Garantie für Schlaf." Sie zwinkerte.

„Ich kann dir garantieren, dass es besser sein wird als Schlaf."

„Versprochen?"

„Versprochen."

Bevor er seine Lippen auf ihre legen konnte, öffneten sich die Fahrstuhltüren im obersten Stockwerk.

In dem kleinen Konferenzraum waren bereits mehrere Vampire und Hybriden versammelt. Der Monitor an der Wand zeigte

eine   Live-Videoübertragung   vom
Vordereingang eines kleinen Hauses.

„Gut, jetzt sind alle hier", begann Samson.
„Grayson, bring uns auf den neuesten Stand."

Das Video auf dem Bildschirm bewegte
sich und Damian erkannte, dass es von
Graysons Handy kam. Er und Cooper waren vor
dem Haus des Verdächtigen.

„Okay, hier ist, was wir gefunden haben",
sagte Grayson. „Das Auto des Diebes steht
direkt vor dem Haus und entspricht der
Beschreibung, die Gabriel uns gegeben hat,
bis hin zum Aufkleber auf dem Stoßdämpfer.
Laut der Informationen, die wir von Eddie
erhalten haben, ist das Auto auf einen Ralph
Lassiter zugelassen, und das gelbe Haus, das
ihr hier seht, ist die Adresse auf der Zulassung.
Wir sind vor ungefähr einer Stunde hier
angekommen, und bisher haben wir
niemanden ein- oder ausgehen sehen. Es gibt
eine angeschlossene Garage, aber ich glaube
nicht, dass dieses Haus einen Keller hat, in
dem ein Vampir vor Sonnenlicht geschützt
wäre. Es ist möglich, dass er die Garage
benutzt, aber als ich einen Rundgang gemacht

habe, konnte ich nichts riechen, was mich vermuten lassen würde, dass Mick drinnen ist."

„In welcher Gegend bist du?", fragte Damian.

„Outer Richmond."

„Ja, die meisten Häuser dort haben keinen Keller", sagte Damian.

Grayson fuhr fort: „Eddie, hast du mehr Details über diesen Ralph Lassiter?"

Eddie saß am Konferenztisch, seinen Laptop vor sich. „Konnte nicht viel finden. Das Haus ist gemietet. Er ist der Einzige im Mietvertrag. Konnte keine Lohnabrechnungen oder irgendeine andere Einkommensquelle für ihn finden. Zumindest nicht in den letzten zwei Jahren. Davor arbeitete er als Automechaniker. Die Werkstatt, für die er arbeitete, Ken's Motors in Hunter's Point, hat vor einiger Zeit den Betrieb eingestellt. Ralph scheint gerade arbeitslos zu sein." Er drückte auf eine Fernbedienung und der Bildschirm teilte sich. Graysons Live-Feed wurde auf die eine Seite geschoben, auf der anderen Seite erschien ein Führerschein. „Das ist Ralph Lassiter. Er ist neunundzwanzig. In den Sozialen Medien finde ich nichts über ihn. Ich werde weiter nachforschen, aber bisher ist das alles, was ich habe."

„Grayson, gibt es Anzeichen dafür, dass das Haus bewohnt ist?", fragte Damian.

„Ja, ich konnte vorhin mal Wasser laufen hören. Wahrscheinlich hat er geduscht. Ich bin mir nicht sicher, wie lange Cooper und ich hier noch warten können. Die Leute fangen an, ihre Häuser zu verlassen, um zur Arbeit zu gehen. Wir müssen eine Entscheidung treffen. Reingehen oder warten?"

Damian wechselte einen Blick mit Samson.

„Das ist deine Entscheidung, Damian", sagte Samson.

Das war alles, was er hören wollte. „Gut. Quinn, zieh die anderen Teams von ihren Nachforschungen ab und sag Ryder und Vanessa, dass sie mich am Haus des Verdächtigen treffen sollen. Grayson, du und Cooper wartet auf meine Ankunft." Damian erhob sich. „Ich bin in fünfundzwanzig Minuten da. Niemand geht hinein, bevor ich da bin, verstanden?"

„Wie du willst", erwiderte Grayson.

„Warte", sagte Cooper plötzlich. „Die Eingangstür geht auf."

Grayson zoomte mit seiner Handykamera heran und enthüllte eine junge Frau, die einen Parka und Jeans trug und das Haus verließ.

„Seht ihr das?", fragte Cooper.

„Sie ist nicht seine Frau", berichtete Eddie. „Er ist nicht verheiratet. Vielleicht seine Freundin oder eine Mitbewohnerin. Das Haus hat zwei Schlafzimmer."

„Oh mein Gott, ich kenne sie", sagte Naomi erstaunt.

Damian warf ihr einen Blick zu. „Du kennst sie? Wer ist sie?"

„Das ist Cynthia, die Frau, die mit Tracy in Louisa's Salon arbeitet. Sie ist diejenige, die mir von ihrer Familie erzählt hat, davon, dass ihre Großmutter und ihr Onkel Mick nicht mögen und versuchen, Tracys Leben zu kontrollieren."

„Verdammt!", fluchte Damian. „Das kann kein Zufall sein.

„Sie nähert sich Lassiters Auto", berichtete Cooper, und jeder konnte es auf dem Monitor sehen. „Was sollen wir tun?"

Als Cynthia den alten Toyota Corolla aufschloss und einstieg, befahl Damian: „Grayson, du folgst ihr mit dem Auto. Cooper, behalte das Haus im Auge. Ich werde da sein, sobald ich kann."

„Ryder und Vanessa sind nur noch zehn Minuten entfernt", sagte Quinn und steckte sein Handy weg.

„Gut", sagte Damian. „Eddie, verfolge Graysons GPS und schick es an Sebastians Handy. Sebastian, du hilfst Grayson."

„Warte", sagte Eddie. „Ich habe etwas über das Mädchen gefunden. Die einzige Cynthia, die in Louisa's Salon arbeitet, ist Cynthia Lassiter. Gleicher Nachname wie unser Verdächtiger."

„Also ist sie seine Frau?"

„Nein. Sie wurden am selben Tag geboren. Sie ist seine Zwillingsschwester."

Damian nickte. „Okay, schnappen wir uns die beiden. Eddie, schalte ihre Handys ab, damit sie einander nicht warnen können, wenn einer von ihnen bemerkt, dass er beschattet wird."

Er sah Naomi an, während er bereits

Anstalten machte, aufzustehen. „Du bleibst hier." Er sah seinen Vater an. „Dad?"

Amaury nickte. „Keine Sorge, mein Sohn, Naomi ist bei mir sicher."

Dann stürmte Damian aus dem Konferenzraum.

33

Grayson folgte dem Rostkübel, den Cynthia Lassiter fuhr. Der Verkehr in der Stadt nahm zu, da viele Leute auf dem Weg zur Arbeit waren. Er fuhr statt seines Sportwagens einen der verdunkelten Vans von Scanguards und war ausnahmsweise froh darüber, weil dieser weniger auffällig war. Trotzdem war er sauer, dass Damian ihn gebeten hatte, der Frau zu folgen, anstatt beim Haus zu bleiben, um Ralph Lassiter zur Strecke zu bringen.

Er wusste, warum Damian ihm den langweiligen Auftrag gegeben hatte, die Schwester des Verdächtigen zu beschatten: Er war immer noch verärgert darüber, dass er Naomi fett genannt hatte. Tja, dafür, dass er seinen Mund aufgemacht hatte, bezahlte er jetzt. Er hätte sich gerne bei Damian entschuldigt, als ihm klar geworden war, dass Naomi die Frau war, die er liebte, hätte sich sein Vater nicht eingemischt und ihn aus dem Arbeitszimmer geworfen. Doch immer wenn sein Vater ihn strenger behandelte als alle anderen, sah Grayson rot. Leider schien es, dass er und sein Vater aus demselben Holz geschnitzt waren, auch wenn er das niemals jemandem gegenüber zugeben würde.

Nun ja, er würde seinen Job machen und der Frau folgen und der gehorsame Soldat sein, den sein Vater wollte, anstatt der Anführer, der er sein wollte. Eines Tages würde er sein Ziel erreichen. Wenn er jetzt nur ein wenig Geduld aufbringen könnte, dann wäre alles einfacher. Aber Geduld war nicht gerade sein zweiter Vorname. Das war eine weitere Eigenschaft, die er mit Samson teilte.

Während er Cynthia quer durch die Stadt folgte, rief Sebastian ihn an, und Grayson konnte ihn an einer Ecke abholen, ohne sein Ziel aus dem Auge zu verlieren.

„Wo, glaubst du, fährt sie hin?", fragte Sebastian, als er auf den Beifahrersitz hüpfte.

„Nicht in die beste Gegend, das ist sicher." Sie befanden sich bereits im Stadtteil Bayview im Südosten von San Francisco und fuhren weiter nach Süden und näher an die Bucht von San Francisco heran.

„Hunter's Point?", fragte Sebastian.

In dem Moment, als Sebastian die Worte aussprach, klickte etwas in Graysons Kopf. „Die Autowerkstatt." Er tauschte einen Blick mit seinem Artgenossen aus. „Wenn der Betrieb Pleite gemacht hat, steht er wahrscheinlich leer."

Sebastian nickte zustimmend. „Lass mich bei Eddie nachfragen." Er holte sein Handy heraus und rief das Hauptquartier an. „Hey, Eddie. Cynthia Lassiter steuert auf Hunter's Point zu. Wir vermuten, dass sie in die Autowerkstatt fährt, in der ihr Bruder gearbeitet hat. Kannst du herausfinden, ob das Geschäft verkauft wurde?"

Es herrschte Stille. Grayson steuerte den

Van weiter durch den Verkehr und blieb dicht an seinem Beschattungsobjekt dran.

„Danke, Eddie, du hast uns sehr geholfen." Sebastian beendete das Gespräch. „Die Bude ist leer. Niemand hat die Werkstatt gekauft."

„Ich wette, das ist ein gutes Versteck", kommentierte Grayson. „Vielleicht hat Lassiter sogar noch einen Schlüssel behalten. Sie könnten Mick und Tracy dort gefangen halten."

„Guter Ort dafür. Aber findest du es nicht seltsam, dass sie allein dorthin fährt, ohne ihren Bruder?"

Er hatte sich das Gleiche gefragt, seit er vermutet hatte, dass sie zur Werkstatt fuhr. „Etwas stimmt nicht. Ich kann es fühlen."

„Vielleicht macht sie seine Drecksarbeit?", vermutete Sebastian. „Und er ist das Gehirn dahinter?"

Grayson zuckte mit den Schultern. „Möglich."

Cynthias Auto wurde langsamer, bis sie schließlich auf dem Parkplatz vor der stillgelegten Autowerkstatt anhielt. Da Grayson nicht auffallen wollte, fuhr er daran vorbei, bog dann an der nächsten Ecke rechts ab und hielt an.

„Sobald sie drinnen ist, folgen wir ihr.“

Sebastian nickte und schaute weiter aus dem Fenster auf der Beifahrerseite. „Okay, sie ist drinnen.“

Beide sprangen aus dem Lieferwagen und schlossen leise die Türen. Sie näherten sich dem heruntergekommenen Gebäude und sahen sich um, um sicherzustellen, dass niemand sie beobachtete. Dies war kein Wohngebiet, sondern bestand hauptsächlich aus Industriegebäuden, von denen viele verlassen und sanierungsbedürftig waren. Viele Pacht- und Verkaufsschilder säumten die Straße. Dies war der perfekte Ort, um jemanden zu verstecken. Die Werkstatt selbst hatte nur wenige Fenster, und alle waren entweder mit Brettern vernagelt oder schwarz gestrichen, was das Innere des Gebäudes praktisch vampirsicher machte. Ja, wenn er jemanden einsperren müsste, hätte er auch diesen Ort gewählt.

„Folge meinen Anweisungen“, riet Grayson. „Sie könnte bewaffnet sein. Wir gehen so leise wie möglich vor, damit sie keine Chance hat, den Geiseln Schaden zuzufügen."

Sebastian nickte. „Sollten wir nicht Verstärkung rufen?"

„Zwei Hybriden gegen einen Menschen? Bitte!" Grayson schüttelte den Kopf. „Das schaffen wir."

„Alles klar."

Sie gingen zur Tür, dessen Glaseinsatz mit Sperrholz vernagelt war. Grayson prüfte den Türknauf. Er drehte sich in seiner Hand. Er sah über seine Schulter, gab Sebastian ein Zeichen, dann zog er die Tür ein paar Zentimeter auf, damit er ins Innere spähen konnte. Wie erwartet war es drinnen dunkel und muffig. Der Geruch von Blut lag in der Luft. Nicht nur menschliches Blut, sondern auch Vampirblut. Er war am richtigen Ort.

Grayson gestattete seinen Augen, sich an das dunkle Innere zu gewöhnen. Die Werkstatt war nicht komplett leer. Der Eigentümer hatte Werkzeuge, Reifen und verschiedene Autoteile zurückgelassen. In einer Ecke der großen, hohen Werkstatt befand sich der einzige abgeschlossene Raum, ein Büro. Die Wände des großen Büros bestanden nicht einfach aus Sperrholz, wie Grayson erwartet hatte, sondern aus Ziegeln und Mörtel, vielleicht weil der Vorbesitzer einen sicheren Ort wollte, um wertvolle Teile und Geld zu lagern. Sogar die Tür war mit Stangen verstärkt, damit es für Diebe schwerer war einzubrechen.

An der Außenseite der Bürotür befand sich eine schwere Eisenstange, an deren Ende Grayson ein großes Vorhängeschloss bemerkte. Es war offen.

Er sah über seine Schulter zu Sebastian. „Großes Büro in der linken hinteren Ecke", flüsterte er.

Sebastian nickte verstehend, seine Waffe bereit.

Grayson öffnete die Tür weiter und schlich hinein, wobei er nach links und rechts schaute, bevor er auf das Büro zueilte, seine Sinne in höchster Alarmbereitschaft. Als er die Tür erreichte, bemerkte er, dass sie angelehnt war. Drinnen war Licht, aber ein Aktenschrank versperrte ihm die Sicht in den Raum. Er konnte jedoch deutlich Vampirblut riechen sowie das duftende Parfüm einer Frau.

Er trat die Tür auf und stürmte hinein. Auf dem Boden, an einen Heizkörper gekettet, saß Mick Solvang, während Cynthia vor ihm hockte. Micks Augen schossen sofort zu Grayson und Sebastian, der ebenfalls hineingestürmt war. Aber Cynthia drehte nicht sofort den Kopf – als hätte sie nicht gehört, wie sich die Tür öffnete.

Es dauerte nur eine Sekunde, bis Grayson klar wurde, warum: Sie trug Kopfhörer, die ihre Ohren vollständig bedeckten, während sie Micks blutendes Handgelenk über einen Plastikbehälter hielt, um das Blut aufzufangen. Mit einer schnellen Bewegung packte Grayson sie von hinten und warf sie auf den Rücken. Ein überraschter Schrei kam von ihren Lippen. Da bemerkte er noch etwas: Sie trug eine Sonnenbrille.

„Mick, geht es dir gut?", fragte er und warf einen schnellen Blick auf den angeketteten Vampir. „Sebastian, binde ihn los!"

Mick sank gegen den Heizkörper zurück. „Gott sei Dank habt ihr mich gefunden." Er sah erschöpft, aber erleichtert aus. „Tracy, ist sie in Sicherheit?"

„Lass mich los!", schrie Cynthia, aber

Grayson drückte sie ohne große Anstrengung fest auf den Boden.

Die Stärke der menschlichen Frau konnte mit seiner nicht konkurrieren. Er nahm ihr die Kopfhörer und ihre Sonnenbrille ab.

„Halt die Klappe, Schlampe! Ich kümmere mich später um dich!" Dann drehte er seinen Kopf wieder zu Mick. „Tracy ist nicht hier?"

„Nein. Ihr müsst sie finden", drängte Mick.

„Er braucht menschliches Blut", sagte Sebastian und fügte mit Blick auf die Kette hinzu: „Und ich brauche einen Bolzenschneider."

„Schau in der Werkstatt nach", befahl Grayson. Dann packte er Cynthia an der Vorderseite ihres Parkas und zog sie näher zu sich. „Wo ist das Blut? Und lüg mich nicht an, sonst lasse ich ihn von dir trinken!"

Mit weit aufgerissenen Augen starrte Cynthia ihn an. Grayson fuhr seine Reißzähne voll aus und ließ seine Augen rot aufleuchten, um seine Forderung zu unterstreichen.

„Im Aktenschrank", stammelte sie.

Er sah den Schrank an und sah, dass er mit

einem Vorhängeschloss gesichert war. „Schlüssel?"

Als sie nicht schnell genug antwortete, schüttelte er sie heftig und knurrte verärgert.

„Meine, meine Sch-Sch-Schlüssel sind in meiner r-r-rechten Tasche."

Er ließ ihren Parka so schnell los, dass sie auf den Boden zurückfiel, ohne Zeit zu haben, sich abzufangen. Aber er hatte kein Mitleid mit ihr. Sie zapfte einem Vampir das Blut ab, höchstwahrscheinlich um daraus Profit zu schlagen, und ein solches Verbrechen würde nicht ungestraft bleiben. Er grub seine Hand in die Tasche ihres Parkas und fand einen Schlüsselbund mit mehreren Schlüsseln, gerade als Sebastian mit einem Bolzenschneider zurückkam.

„Sebastian, öffne den Aktenschrank. Das Blut ist da drin." Grayson warf ihm die Schlüssel zu, bevor er sich wieder Mick zuwandte, aber dieser wirkte zu erschöpft, um von Nutzen zu sein. Er sah wieder zu Cynthia. „Wo hast du Tracy versteckt?"

„Nicht hier", sagte Mick mit schwacher Stimme. „Oder ich hätte es … versucht …"

„Hier ist das Blut", verkündete Sebastian, hockte sich neben Mick und hielt ihm die offene Flasche an die Lippen. Mick trank gierig und leerte die ganze Flasche.

Als Sebastian die Flasche abstellte und zum Bolzenschneider griff, um die Eisenketten um Mick zu durchtrennen, betrachtete Grayson den alten Heizkörper. Er war verrostet und hätte für einen Vampir kein allzu großes Hindernis darstellen sollen, obwohl es schwieriger gewesen wäre, aus dem Raum zu entkommen, da er aus Ziegeln und Mörtel bestand.

„Ich sehe kein Silber", sagte Grayson. „Du hast nicht versucht zu fliehen? Du hättest den Heizkörper herausreißen können."

Mick hob den Kopf und sah schon besser aus. „Das konnte ich nicht, sonst hätte sie Tracy wehgetan."

Grayson nickte verstehend. „Deshalb haben sie euch getrennt." Dann fiel sein Blick auf die Kopfhörer und die Sonnenbrille. Aus den Kopfhörern dröhnte Musik, die alles andere übertönen konnte. Er sah Cynthia mit zusammengekniffenen Augen an. „Du wusstest, dass Mick Gedankenkontrolle einsetzen kann, und du hast es geschafft, ihn auszublenden."

„Ich habe es versucht, Grayson, aber es hat nicht funktioniert", fügte Mick hinzu.

Grayson nickte. Cynthia hatte ihre Sinne mit anderen Reizen beschäftigt, damit sie nicht anfällig für Gedankenkontrolle war. „Kluge kleine Schlampe. Ich nehme an, dein Bruder bewacht Tracy. Keine Sorge, wir kriegen ihn."

„Nein!", schrie Cynthia und versuchte, sich aufzusetzen, aber Grayson drückte sie zurück. „Mein Bruder hat damit nichts zu tun! Lass ihn in Ruhe!"

Grayson lachte spöttisch. „Ja, ganz bestimmt nicht!" Er veränderte seine Position und benutzte seine Knie, um sie am Boden festzuhalten, während er nach seinem Handy griff und Damians Nummer wählte.

Damian nahm den Anruf entgegen. „Grayson?"

„Mick ist in Sicherheit. Und wir haben Cynthia."

„Geht es Mick gut?", fragte Damian.

„Sie hat ihm ziemlich viel Blut abgezapft,

aber es wird wieder. Wir fahren in ein paar Minuten mit ihnen zurück ins Hauptquartier."

„Und Tracy?"

„Sie halten Tracy an einem anderen Ort eingesperrt. Ich vermute, ihr Bruder bewacht sie."

„Okay, wir gehen jetzt rein."

Grayson beendete das Gespräch und sah Mick an. „Keine Sorge, Damian wird Tracy befreien. Und dann werden wir die Schuldigen bestrafen."

Er funkelte Cynthia an. Wenn es nach ihm ginge, würde er dafür sorgen, dass die Bestrafung sehr schmerzhaft war und sehr lange anhielt.

34

Alle gingen im Konferenzraum auf und ab, wodurch Naomi sich nicht besser fühlte. Sie hasste es, auf Nachrichten zu warten, wie die Mission verlief. Warum dauerte es so lange, von ihnen zu hören?

Alle fünf Minuten schaute sie auf die große Uhr an der Wand, nur um festzustellen, dass die Zeit im Schneckentempo verging.

„Damian ist sehr gut trainiert", sagte Amaury hinter ihr. „Mach dir keine Sorgen. Er hat schon viele gefährlichere Missionen durchgeführt. Er kann damit umgehen."

Sie wandte sich zu ihm um und zwang sich zu einem Lächeln. „Ich bin trotzdem nervös."

„Das ist normal. Du sorgst dich um ihn."

Sie begegnete Amaurys Blick und erkannte zum ersten Mal, wie viel Damian von seinem Vater geerbt hatte, nicht nur seine blauen Augen, sein dunkles Haar und sein kantiges Gesicht, sondern auch sein Selbstvertrauen und seinen Charme.

„Ja."

„Keine Sorge, er ist ziemlich unverwüstlich." Dann blickte er plötzlich an ihr vorbei zur Tür, und sein sanfter Ausdruck verwandelte sich in einen der Anbetung.

Naomi blickte über ihre Schulter und sah, wie Nina ins Zimmer eilte. Sie trug enge Jeans und ein figurbetontes Top und eine Strickjacke, ihr blondes Haar war kurz, und ihre Augen suchten bereits die ihres Mannes.

Naomis Herz setzte einen Schlag aus. Die Art, wie Amaury Nina ansah, erinnerte sie daran, wie Damian sie angesehen hatte, als sie sich geliebt hatten.

„*Chérie*", sagte Amaury, als er Nina in seine Arme zog.

„Hey, Baby, ich bin sofort gekommen, als ich es gehört habe. Gibt es schon Neuigkeiten?"

„Es ist noch zu früh."

„Hi, Naomi", sagte Nina mit einem Lächeln.

„Guten Morgen, Nina. Es ist schön dich wiederzusehen."

„Wie wäre es, wenn du und ich zum Frühstück in die Lounge gehen?", fragte Nina.

„Ich sollte hierbleiben und auf Neuigkeiten von Damian warten", sagte Naomi, während ihr Magen sie verriet und knurrte.

„Ihr zwei geht", sagte Amaury in einem aufmunternden Ton. „Ich lasse es euch wissen, sobald wir etwas hören."

„Bist du sicher?"

Nina nahm ihren Arm und zog sie weg, und Naomi erlaubte es. Vielleicht würde etwas Essen ihre Nerven beruhigen. Nina führte sie in eine Lounge im ersten Stock, die eher wie die First-Class-Lounge eines Flughafens mit kostenlosen Speisen und Getränken als wie eine Cafeteria aussah. Nicht, dass sie jemals in einer First-Class-Lounge gewesen wäre.

„Ich bin mir nicht sicher, ob ich etwas essen kann."

„Das musst du aber", sagte Nina mit einem Lächeln. „Das wird ein langer Tag werden. Du musst deine Kraft bewahren."

Als sie ihre Teller mit Gebäck, Obst und anderen Köstlichkeiten füllten, musste Naomi bewundern, wie ruhig Nina war.

Sie setzten sich auf eine der bequemen Sitzecken und Naomi bemerkte, dass nur wenige andere Leute in dem großen Raum waren.

„Hast du keine Angst, wenn dein Mann oder deine Söhne unterwegs sind, um Kriminelle zur Strecke zu bringen?"

„Natürlich habe ich immer Angst davor, was passieren könnte", sagte Nina mit einem sanften Lächeln. „Aber Amaury, Damian und Benjamin sind stark und gut trainiert. Sie können auf sich aufpassen."

Naomi biss in ein Stück Gebäck und versuchte, nicht zu viel zu essen, obwohl das Essen sehr verlockend war und sie am Vorabend einen ganzen Becher Ben & Jerry's geleert hatte, anstatt zu Abend zu essen. Nina aß mit großem Appetit und Naomi war überrascht, wie sie es schaffte, ihre schlanke Figur zu behalten, wenn sie immer so aß.

„Hast du keinen Hunger?", fragte Nina und zeigte auf Naomis Teller.

„Doch, schon, aber ich darf nicht so viel essen, sonst nehme ich zu wie wahnsinnig." Sie machte eine Geste zu Ninas Figur. „Du musst mir sagen, wie du so schlank bleibst."

Nina kicherte und ihre Augen strahlten. Sie beugte sich vor und senkte ihre Stimme zu einem Flüstern. „Ich esse für zwei."

Naomi schnappte nach Luft. „Du bist schwanger?"

Sie lachte und schüttelte den Kopf. „Nein. Aber ich muss genug für mich und Amaury essen."

Erst jetzt verstand Naomi. „Oh, tut mir leid, manchmal bin ich so doof."

„Das ist alles neu für dich. Iss einfach noch was. Du wirst nicht zunehmen."

„Aber ich nehme immer zu."

Nina legte ihr die Hand auf den Unterarm. „Hat Damian dich schon gebissen?"

Hitze schoss ihr in die Wangen und ihr fehlten die Worte.

„Wie ich schon dachte. Ich habe dich noch nicht mit ihm gesehen, aber Amaury hat mir erzählt, wie Damian dich ansieht. Es hätte mich überrascht, wenn er dein Blut noch nicht getrunken hätte."

„Ich bin ... es ist ..." Verdammt, sie war so nervös, als wäre die Mutter ihres Freundes gerade hereingekommen und hätte sie beim Sex erwischt. Nein, noch schlimmer, beim Sex, während Damian seine Reißzähne in ihre Brüste bohrte.

„Das muss dir nicht peinlich sein, Naomi. Damian hat nicht nur Amaurys gutes Aussehen geerbt. Schon als kleiner Junge war sein Appetit auf Blut ziemlich unersättlich." Sie grinste. „Also nimm dir noch ein Stück Gebäck. Du wirst es brauchen. Denn wenn die Jungs von einem Rettungseinsatz zurückkommen, sind sie ziemlich hungrig. Und nicht nur auf Blut."

Naomi konnte nicht glauben, wie offen Nina über Sex sprach. Sie hatte noch nie eine

Mutter getroffen, die so gelassen war wie sie. Nina sprach eher wie eine Freundin als wie eine Frau, die mindestens dreißig Jahre älter war als sie. Sie sah nicht nur jung aus, sie *benahm* sich jung.

„Du bist so nett."

„Ich mag dich auch, Naomi." Sie wollte gerade noch etwas sagen, als ihr Handy klingelte. Sie sah auf das Display. „Das ist Amaury." Sie nahm ab und drückte es an ihr Ohr. Sie hörte eine Weile zu und sagte dann: „Danke, Baby."

Nina beendete das Gespräch. „Sie haben Mick befreit. Er lebt, ist nur ein bisschen ausgelaugt. Buchstäblich. Grayson und Sebastian bringen ihn zusammen mit Cynthia hierher. Sie dürften in etwa fünfzehn Minuten hier sein."

„Und Tracy?" Naomi hielt den Atem an.

„Noch keine Nachricht von Damian."

Ihr Herz begann schneller zu schlagen und sie verspürte wieder die gleiche Nervosität wie zuvor. Ninas warme Hände auf ihren ließen sie aufschrecken.

„Damian wird es gut gehen. Außerdem hat er drei Hybriden als Back-up. Jetzt iss, und wir gesellen uns zu Amaury und den anderen, wenn sie Mick bringen. Sie werden ihn wahrscheinlich in die Klinik hinunterbringen."

„Die Klinik. Damian hat das neulich erwähnt. Dass Scanguards ein eigenes kleines Krankenhaus und eine eigene Notaufnahme hat."

„Das stimmt, weil wir Menschen mit bestimmten Verletzungen nicht in ein normales Krankenhaus schicken können. Es würde zu viele Fragen aufwerfen."

„Du meinst, ihr behandelt dort nicht nur Vampire? Menschen auch?"

Nina nickte. „Wenn sie von einem Vampir angegriffen wurden oder irgendwie mit Scanguards assoziiert sind, dann behandeln wir auch Menschen dort."

„Alles, was ich in den letzten Tagen gesehen und gehört habe, ist unglaublich. Das ist wie eine eigene Welt. Ich kann immer noch nicht glauben, dass ich das alles sehe. Ich möchte mich kneifen, um zu sehen, ob ich träume."

„Und gefällt dir dieser Traum?", fragte Nina unerwartet.

Naomi begegnete ihrem Blick. „Ja, er gefällt mir. Denn Damian ist in dem Traum."

35

Damian steckte sein Handy wieder in die Tasche. „Mick ist in Sicherheit, aber Tracy wurde nicht am selben Ort festgehalten. Sie ist höchstwahrscheinlich hier." Er deutete auf das Haus auf der anderen Straßenseite.

Er, Ryder, Cooper und Vanessa saßen in Ryders SUV.

„Ryder, du und Vanessa geht hinten herum und passt auf, dass Ralph nicht auf diese Weise entkommt, während Cooper und ich vorne eindringen." Damian winkte Cooper zu. „Wie geschickt bist du mit einem Dietrich?"

Cooper grinste. „Quinn sagt, ich war der beste Schüler, den er je hatte."

„Zeit, diese Fähigkeiten anzuwenden", sagte Damian und sie stiegen alle aus dem Auto. Er war froh, dass Ryder Teil des Einsatzteams war, denn er war erfahren und besonnen, nicht wie Grayson, der ein Hitzkopf und höllisch stur war. Obwohl er zugeben musste, dass er froh war, dass Grayson Mick so schnell befreit und Cynthia festgenommen hatte.

Ryder und Vanessa gingen durch das Gartentor auf der linken Seite und machten sich leise auf den Weg hinter das Haus. Es gab nicht viele Bäume und Büsche, hinter denen sie sich verstecken konnten, aber mit etwas Glück würde sich niemand die Mühe machen zu fragen, was sie hier taten.

Damian ging mit Cooper zum Vordereingang, während er die Fenster zur Straßenseite im Auge behielt, um zu sehen, ob sich dahinter etwas bewegte. Die Vorhänge waren zugezogen.

An der Eingangstür schirmte Damian Cooper vor neugierigen Nachbarn ab, während der junge Hybride seine Dietriche benutzte. Er hatte nicht gelogen, als er sagte, er sei gut. Tatsächlich hatte Damian noch nie jemanden gesehen, der so schnell ein Schloss knacken konnte.

„Es ist offen", flüsterte Cooper und trat zur Seite.

Damian drehte den Türknauf und öffnete die Tür einen winzigen Spalt, gerade so weit, dass er den Geräuschen aus dem Inneren des Hauses lauschen konnte. Er hörte jemanden schwer atmen und versuchte, das Geräusch zu isolieren. Es schien irgendwo aus der Mitte des Hauses zu kommen. Es gab keine anderen Geräusche, keine knarrenden Holzböden, kein fließendes Wasser, nur das leise Summen eines alten Kühlschranks vom rückwärtigen Bereich des Hauses.

Damian gab Cooper ein Zeichen, öffnete die Tür weiter und trat ein. Innerhalb einer Sekunde schätzte er seine Umgebung ab: Ein Wohnzimmer, dessen Tür angelehnt war, lag zu seiner Linken. Auf der gleichen Seite war eine zweite Tür, die wahrscheinlich zu einem angrenzenden Esszimmer führte, sowie eine

Küche im hinteren Teil des Hauses. Entlang des Korridors befanden sich rechts weitere drei Türen. Zwei Schlafzimmer und ein Badezimmer, wenn er raten musste.

Als er mit Cooper auf den Fersen weiter in den Korridor trat, knarrte der Holzboden und Damian erstarrte sofort.

Plötzlich änderte sich das Atemmuster, das er hörte. Dann ertönte eine Männerstimme: „Cynthia? Bist du schon wieder da?"

Damian tauschte einen Blick mit Cooper aus und bedeutete ihm, zur nächsten Tür auf der linken Seite zu gehen. Da viele Häuser in dieser Gegend auf die gleiche Weise gebaut waren, ging er davon aus, dass die erste Tür ins Wohnzimmer führte und die zweite in das angrenzende Esszimmer. Sie würden gleichzeitig eintreten, um den Verdächtigen zu desorientieren und seinen Fluchtweg abzuschneiden.

Damian benutzte seine Finger, um herunterzuzählen. Drei, zwei. Bei eins öffneten sowohl er als auch Cooper ihre jeweilige Tür und stürmten hinein. Die Szene war überhaupt nicht so, wie Damian erwartet hatte. In dem kombinierten Wohn- und Esszimmer gab es wenige Möbel, eine alte Couch, einen Wohnzimmertisch und einen Tisch mit vier Stühlen, keine Dekoration außer einer Stehlampe und einem Spiegel über dem Kamin.

Am Esstisch saß ein junger Mann mit hagerer Figur und eingesunkener Haltung über eine Müslischale gebeugt. Er war mit Pyjama und Bademantel bekleidet. Damian konnte ihn kaum als Ralph Lassiter erkennen, den Mann, mit dessen Auto der Dieb gefahren war. Es war klar, dass Ralph nicht der Fahrer gewesen sein konnte. Neben seinem Stuhl stand ein Rollator, weil Ralph zu schwach war, sich ohne ihn zu bewegen.

Ralph kreischte, aber selbst sein Schrei war schwach. „Wer seid ihr?" Seine Stimme bebte. „Was wollt ihr? Ich habe nichts Wertvolles zu stehlen."

Damian kam näher. „Wir sind nicht hier, um etwas zu stehlen."

„Wer hat euch hereingelassen?" Er versuchte, sich zu erheben, schaffte es jedoch nicht und fiel wieder auf seinen Stuhl zurück.

Als Damian sah, dass dieser Mann für keinen von ihnen eine Gefahr darstellte, wandte er sich an Cooper: „Lass Ryder und Vanessa rein."

Cooper verließ das Zimmer.

„Was willst du von mir?", fragte Ralph erneut.

„Wo ist Tracy?"

„Ich kenne keine Tracy. Du hast die falsche Adresse."

„Lass mich dir einen Hinweis geben: Sie arbeitet mit deiner Schwester Cynthia zusammen. Und sie wurde zusammen mit ihrem Freund entführt. Und meine Leute haben gerade herausgefunden, wo ihr ihn eingesperrt habt. Deine Schwester hat uns direkt zu ihm geführt."

„Was?" Auf dem Gesicht des jungen Mannes breitete sich echte Verwirrung aus. „Du hast meine Schwester verletzt? Du hast Cynthia wehgetan?"

„Wir haben sie nicht verletzt, aber wir haben sie festgenommen. Sag uns jetzt, wo ihr Tracy eingesperrt habt."

Ralph schüttelte den Kopf. „Eingesperrt?

Meine Schwester würde niemals jemandem wehtun. Warum sollte sie jemanden entführen? Du musst dich irren."

„Willst du damit sagen, dass du nichts von dem weißt, was deine Schwester getan hat?" Konnte es sein, dass Ralph wirklich nicht wusste, dass Cynthia Mick eingesperrt hatte, um sein Blut abzuzapfen? Damian sah sich im Raum um. Wenn sie Micks Blut verkaufte, benutzte sie das Geld, das sie dafür einsteckte, sicherlich nicht, um ihrem Bruder zu helfen. Irgendetwas stimmte hier nicht.

„Wo ist Tracy?"

„Ich kenne niemanden mit diesem Namen. Ich schwöre. Glaubst du wirklich, ich könnte jemanden einsperren? Ich schaffe es kaum alleine auf die Toilette." Ein bitteres Lachen entrang sich Ralphs Kehle. „Schau mich doch an!" Seine Stimme war plötzlich kraftvoller und Tränen schossen ihm in die Augen. „Der Arzt hat gesagt, ich hätte höchstens noch einen Monat. Das war vor fünf Wochen. Ich lebe schon von geliehener Zeit. Also kannst du mit mir machen, was du willst, aber tu meiner

Schwester nicht weh. Sie hat in ihrem Leben noch nie etwas Böses getan."

Ryder steckte seinen Kopf ins Zimmer. „Keine Spur von Tracy im Haus."

„Ich überprüfe die Garage", rief Vanessa hinter ihrem Bruder.

Damian zog einen Stuhl unter dem Tisch hervor und setzte sich Ralph gegenüber. „Erzähl mir was, Ralph. Woran leidest du?"

Er zuckte mit den Schultern. „Was macht das aus?"

„Es ist wichtig."

„Bauchspeicheldrüsenkrebs, Endstadium."

Verdammt! Das war ein Todesurteil.

„Und der Arzt hat dir gesagt, dass du nur noch einen Monat Zeit hättest?"

„Maximum. Er hat mich zum Sterben nach Hause geschickt. Hospizbetreuung kann ich mir nicht leisten. Ich habe keine Krankenversicherung."

Damian nickte. Als Ralph seinen Job verloren hatte, hatte er auch seine Krankenversicherung verloren. Es war jetzt klar, was hier vor sich ging. Alles ergab jetzt einen

Sinn. „Sag mir, deine Schwester, hat sie auch aufgegeben so wie du?"

Ein unerwartetes Lächeln kräuselte Ralphs Lippen nach oben. „Sie wird mich nie aufgeben. Ich sagte ihr, sie müsste es tun. Aber sie versucht alle Arten von Wundermittel, um mich zu heilen. Experimentelle Drogen und so weiter, aber ich glaube nicht daran."

„Hat sie dir tatsächlich etwas gegeben, ein Gebräu oder eine Tinktur oder etwas Ähnliches?"

Ralph warf ihm einen seltsamen Blick zu. „Woher weißt du das? Sie tut mir etwas in ein Glas Wasser. Schmeckt scheußlich. Aber ich fühle mich besser, wenn ich es trinke." Er schüttelte den Kopf. „Aber all das bewirkt nur, das Unvermeidliche hinauszuzögern."

„Hat sie dir gesagt, was es ist?"

„Irgendeine Tinktur aus einem New-Age-Wellnessladen oder so etwas. Ich habe ihr gesagt, sie soll ihr Geld nicht verschwenden, aber sie hat nicht auf mich gehört."

Von der Tür aus rief Cooper: „Wir haben Tracy. Sie ist bewusstlos und gefesselt in der Garage."

Damian sprang auf. „Cooper, pass auf ihn auf."

„In der Garage?", fragte Ralph. „Aber warum ist denn eine Fremde in unserer Garage?"

Damian sah über seine Schulter. „Wann hast du das letzte Mal einen Fuß in die Garage gesetzt?"

„Ich war seit Monaten nicht mehr drinnen." Er deutete zu dem Rollator.

Damian stürmte in die Garage und gesellte sich zu Vanessa und Ryder, die sich über eine junge Asiatin beugten: Tracy. Ihre Hände und Füße waren gefesselt und das Seil war um die Rohre eines Warmwasserkessels gebunden. Neben ihr lag ein Knebel auf einer dreckigen Matratze.

Es war jetzt offensichtlich: Cynthia steckte hinter der Entführung und dem Diebstahl des Blutes und sie hatte alles vor ihrem kranken Bruder geheim gehalten. Und weil Ralph zu krank war, um ohne seinen Rollator irgendwohin zu gehen, hätte er nie bemerkt, dass seine Schwester eine Geisel in der Garage festhielt. Und noch etwas war klar:

Cynthia verkaufte das Blut, das sie Mick abgenommen hatte, nicht. Sie gab es ihrem Bruder in der Hoffnung, ihn zu heilen.

„Wie geht es ihr?", fragte Damian.

Vanessa, die ihrer Mutter oft in Scanguards' Mini-Krankenhaus in einem der unteren Stockwerke des Hauptquartiers half, blickte auf. „Ihre Atmung ist sehr schwach und ihr Herzschlag ist langsam."

„Ich habe bereits den Krankenwagen angefordert", fügte Ryder hinzu.

„Ich glaube, ihr wurde ein Opioid verabreicht, damit sie bewusstlos bleibt. Ich glaube, sie hat eine zu hohe Dosis bekommen. Sie braucht sofort ärztliche Hilfe."

„Scheiße!", fluchte Damian. „Wie weit ist unser Krankenwagen entfernt?"

„Zehn Minuten", antwortete Ryder.

„Ich kann ihr mein Blut geben", schlug Vanessa vor. „Es wird ihr helfen, die Drogen abzuwehren. Ich glaube nicht, dass wir auf den Krankenwagen mit dem Naloxon warten können."

„Tu es!", befahl Damian. Sie konnten nicht riskieren, dass Tracy starb. Mick würde sich an

Cynthia und Ralph Lassiter rächen. Und er musste kein Gedankenleser sein, um zu erraten, dass es ein blutiges Massaker werden würde.

Als Vanessa ihre Reißzähne ausfuhr und sich selbst ins Handgelenk biss, sagte Ryder: „Was ist mit dem Bruder? Ralph?"

„Ich bin mir ziemlich sicher, dass Cynthia ihn darüber im Dunkeln gelassen hat, was sie getan hat, um sein Leben zu retten."

Ryder hob eine Augenbraue.

„Bauchspeicheldrüsenkrebs", sagte Damian.

„Scheiße!" Ryder seufzte. „Das wird kein einfacher Fall zu beurteilen sein. Wie bestrafen wir sie für das, was sie Mick und Tracy angetan hat? Es ist nicht alles schwarz und weiß."

„Nein, ist es nicht. Ich hoffe, dass ich diese Entscheidung nicht treffen muss."

„Wer dann? Der Vampirrat?", fragte Vanessa, während sie ihr Blut in Tracys Mund tropfen ließ.

„Wenn es dazu kommt." Damian deutete zu Tracy. „Sie und Mick werden ein Mitspracherecht haben. Aber im Moment müssen wir alle ins Hauptquartier bringen, einschließlich Ralph. Wir können es nicht riskieren, dass er mit irgendjemandem darüber spricht, was hier vor sich geht." Er drehte sich zur Tür um. „Cooper und ich machen ihn fertig, und sobald der Krankenwagen eintrifft, bringen wir die beiden zu Scanguards."

36

Der Krankenwagen fuhr in das Parkhaus von Scanguards ein und Naomi beobachtete, wie er direkt vor den Aufzügen anhielt und zwei dunkle Geländewagen dahinter hereinfuhren. Der Fahrer sprang aus dem Krankenwagen und erleichtert sah Naomi, dass Damian unverletzt war. Ohne sie oder Nina und Amaury anzusehen, mit denen zusammen sie auf ihre Ankunft gewartet hatte, rannte er zum hinteren Teil des Krankenwagens und öffnete die Türen.

Damian half, die Bahre herauszuheben, und Maya, von der Amaury erklärt hatte, dass sie die Vampirärztin sei, die die Klinik leitete, sprang heraus. Gemeinsam rollten sie die Bahre zu den Aufzügen. Tracy lag darauf. Sie war bewusstlos.

„Damian", sagte Naomi und ging auf ihn zu. „Ich bin so froh, dass es dir gut geht."

Er warf ihr einen kurzen Blick zu, aber sie sah die Wärme in seinen Augen, mit der er sie normalerweise ansah, nicht.

„Ich bin Benjamin." Er deutete mit dem Daumen über die Schulter. „Damian ist hinter mir."

„Oh, Entschuldigung." Sie wirbelte herum und sah, wie Damian einem gebrechlichen jungen Mann aus dem Geländewagen half. Sie blickte in das Gesicht des Fremden und hätte ihn beinahe nicht erkannt: Ralph Lassiter, der Mann, dessen Führerschein Eddie auf den Monitor im Konferenzraum projiziert hatte. Seine Wangen waren eingefallen, seine Augen eingesunken und seine Haut war aschfahl. Er sah schwerkrank aus. Dieser Mann, der anscheinend nicht alleine gehen konnte und dem jetzt sowohl Damian als auch Sebastian halfen, war der Dieb, der Mick und seine Freundin entführt hatte? Unmöglich.

Sie fing Damians Blick auf und sie sahen sich einen Moment lang an. Ja, das war Damian. Wie hatte sie Benjamin mit ihm verwechseln können? Obwohl sie eineiige Zwillinge waren, war da etwas in Damians Augen, das ihn so ganz anders aussehen ließ als seinen Bruder. Das sah sie jetzt, und ihr war klar, dass sie die beiden Brüder nie wieder verwechseln würde.

„Hey", murmelte er leise, als er und Sebastian mit Ralph an ihr vorbeigingen.

„Hey", erwiderte sie und blickte dann zurück zum Fahrstuhl, wo Maya und Benjamin mit der Bahre warteten.

Nina trat näher an Maya und Benjamin heran. „Wie geht es ihr?"

„Überdosis Morphin, aber ich habe ihr im Krankenwagen Naloxon gegeben", antwortete Maya, eine schöne dunkelhaarige Frau, die aussah, als wäre sie etwa Mitte Dreißig. Aber genau wie Nina war sie viel älter, als sie aussah. „Sie wird es schaffen, aber sie hat ein paar schwere Stunden vor sich."

Die Fahrstuhltüren öffneten sich und eine junge Frau trat heraus und schob einen leeren

Rollstuhl vor sich her. Während Benjamin und Maya die Trage in den Aufzug rollten, halfen Damian und Cooper Ralph in den Rollstuhl.

„Jenny", befahl Damian der jungen Frau, „bring ihn runter in die Klinik. Maya wird ihn untersuchen, nachdem sie sich um Tracy gekümmert hat. Cooper, geh mit ihr. Und schicke den Aufzug wieder nach oben."

Als sich die Fahrstuhltüren hinter ihnen schlossen, ging Damian zurück zu Naomi und umarmte sie kurz. „Alles ist gut gelaufen."

Sie seufzte erleichtert. „Ich hatte Angst, dass etwas schiefgehen könnte."

Damian ließ sie los und küsste sie auf die Stirn. „Jetzt ist alles vorbei. Aber es war nicht genau so, wie wir es erwartet hatten."

„Was ist mit Ralph los?", fragte sie. „Er sieht krank aus."

„Bauchspeicheldrüsenkrebs. Endstadium."

Schockiert entkam ein Keuchen ihrer Kehle.

Damian wandte sich seinen Eltern zu und Naomis Blick fiel auf eine Frau und einen Mann, die aus dem zweiten Geländewagen ausgestiegen waren. Das mussten Ryder und

Vanessa sein, die bei Tracys Rettung geholfen hatten.

„Sind Grayson und Sebastian schon mit Cynthia Lassiter und Mick zurückgekommen?", fragte Damian und wandte sich an seinen Vater.

„Sie sind vor fünfzehn Minuten hier angekommen. Cynthia ist vorerst unten eingesperrt. Mick ist oben im Konferenzraum. Wir haben auf dich gewartet. Ich wollte nicht, dass er uns alles zweimal erzählen muss", antwortete Amaury.

Damian nickte. „Gut. Reden wir mit ihm." Er legte seinen Arm um Naomis Taille und zusammen stiegen sie alle in den Fahrstuhl.

Als sie Damians Arm um sich spürte, entspannte sie sich endlich ein wenig.

„Gut gemacht, Sohn", sagte Amaury und klopfte Damian auf die Schulter. Naomi sah Stolz in Amaurys Augen aufleuchten.

„Na ja, ohne Naomis Hilfe hätten wir es nicht geschafft", sagte Damian. „Wenn sie uns nicht auf Mrs. Zhang aufmerksam gemacht hätte, hätten wir den Dieb nicht so leicht gefunden."

„Das war ein Glücksfall", sagte Amaury. „Ryder, Vanessa, ich weiß es wirklich zu schätzen, dass ihr dabei geholfen habt."

Vanessa schmunzelte. „Das war einfach."

„Absolut", fügte Ryder hinzu.

„Warum geht ihr nicht nach Hause? Ruht euch ein wenig aus. Ihr wart die ganze Nacht unterwegs", sagte Amaury.

„Wir wollen es bis zum Ende durchziehen", sagte Ryder, und Vanessa nickte zustimmend.

„Ich bin neugierig, wie ein Mensch es geschafft hat, einen Vampir einzufangen und ihn einzusperren", gab Vanessa zu.

Bei Vanessas Worten erinnerte sich Naomi plötzlich an Wei Guo. „Amaury, was ist mit Wei Guo? Ist er immer noch hier eingesperrt?"

Amaury nickte. „Ja, aber wir planen, ihn bald freizulassen. Gabriel bestätigte, dass er weder mit der Entführung noch mit dem Diebstahl des Blutes etwas zu tun hatte. Wir haben bereits die Wache vor Mrs. Zhangs Wohnung abgezogen und ihre Telefonleitung wiederhergestellt."

„Was werdet ihr mit Wei Guo machen? Ich

meine, er hat gesehen, dass ihr Vampire seid."
Sie sah Amaury und Damian an.

„Wir müssen sein Gedächtnis und auch das
seiner Mutter löschen", sagte Damian. „Und
nicht nur seine Erinnerungen über uns,
sondern auch über die Verschwörung, die er
mit seiner Mutter ausgeheckt hat, um es Mick
heimzuzahlen. Keiner von ihnen darf etwas von
dem abgefüllten Blut wissen."

„Aber heißt das nicht, dass ihr mindestens
eine Woche oder noch weiter zurückgehen
müsst? Ich meine, Wei Guo und seine Mutter
haben das vielleicht schon eine Weile
ausgeheckt", wunderte sich Naomi.

„Gabriel wird uns dabei helfen", antwortete
Damian. „Wei Guo wird sich nicht daran
erinnern, dass er dir jemals den Auftrag
gegeben hat, das Mezzanine zu untersuchen."

Naomi nickte. „Gut. Trotzdem werde ich
dort nicht weiterarbeiten."

Damian warf ihr einen fragenden Blick zu.

„Ich kann nicht für jemanden arbeiten, der
keine Skrupel hat, die Macht der Presse zu
benutzen, um jemanden wegen einer

persönlichen Vendetta zu zerstören. Das ist unethisch."

„Gut für dich", sagte Damian.

„Damian hat mir gesagt, dass du eine gute Ermittlerin bist", sagte Amaury.

„Vielen Dank. Mir gefällt diese Art von Arbeit."

„Ihr seid ein gutes Team", fügte Nina hinzu. Ihr Mann zog sie näher an sich und sie tauschten einen liebevollen Blick aus.

Damian verstand, was seine Eltern ihm sagen wollten: Sie mochten Naomi. Natürlich würde er sie nicht aufgeben, wenn sie das nicht täten. Aber es war gut zu wissen, dass sie sie akzeptierten. Sie würde perfekt in seine Familie passen.

Im Konferenzraum waren alle, die an der Rettung beteiligt waren und sich nicht in der Klinik um Tracy und Ralph kümmerten, versammelt. Plus ein paar andere, allen voran Samson.

Mick saß an einem Ende des großen

Tisches, eine halbvolle Flasche Blut vor sich. Davon trank er weiterhin. Damian ließ Naomi los und ging auf Mick zu, der sich sofort erhob.

Damian umarmte ihn. „Fuck, Mann, du hast uns einen Schrecken eingejagt."

„Danke, Damian. Ich wusste, dass ihr kommen würdet." Dann blickte er zur Tür. „Und Tracy? Geht es ihr gut?"

Damian nickte. „Maya kümmert sich um sie. Sie wird wieder. Du kannst sie etwas später besuchen."

Mick atmete erleichtert auf. „Vielen Dank."

„Aber zuerst müssen wir reden. Nimm Platz." Damian drehte sich um, um die Versammelten anzusehen, und das leise Gemurmel verebbte. „Okay, zuerst die gute Nachricht: Tracy, Micks menschliche Freundin, ist unten in der Klinik. Sie wird wieder völlig genesen. Und wir haben den Täter in Untersuchungshaft." Er sah Grayson an. „Grayson, habt ihr die gestohlenen Blutflaschen gefunden?"

„Ja, sie waren alle in der verlassenen Autowerkstatt, wo wir Mick gefunden haben. Wir haben sie alle zurückgebracht, einschließlich der leeren Flaschen, sowie das Blut, das Cynthia von Mick abgezapft hat."

„Danke, Grayson, tolle Arbeit", lobte Damian. Grayson war sowohl zuverlässig als auch überraschend gründlich. Vielleicht hatte er dem Typen in der Vergangenheit nicht genug Anerkennung geschenkt, nur weil er arrogant und ein Hitzkopf sein konnte. Aber Grayson war fähig, wenn es darauf ankam.

„Hier ist die schlechte Nachricht: Der Fall ist nicht ganz so eindeutig, wie wir zunächst erwartet hatten."

„Erläutere das bitte", verlangte Samson.

„Wir müssen viel Schadensbegrenzung betreiben", erklärte Damian. „Und der Bösewicht ist nicht der übliche Bösewicht. Und das nicht nur, weil der Bösewicht eine Frau ist: Cynthia Lassiter. Ihr Zwillingsbruder hatte keine Ahnung, was sie tat. Da ich selbst ein Zwilling bin, verstehe ich, warum sie getan hat, was sie getan hat. Wenn ich mich entscheiden müsste, ein Verbrechen zu begehen, um das Leben meines Zwillingsbruders zu retten, oder ihn sterben zu lassen, hätte ich mich vielleicht auch für Ersteres entschieden." Er begegnete

Benjamins Blick und wusste, dass es seinem Bruder genauso ging.

„Willst du damit sagen, dass ihr Bruder sterben wird?", fragte Samson.

„Bauchspeicheldrüsenkrebs, Endstadium. Laut ihm hat er die Vorhersage seines Arztes bereits um eine Woche überlebt, höchstwahrscheinlich, weil Cynthia ihm Micks Blut gegeben hat."

Samson hob seine Augenbrauen und einige der anderen Vampire und Hybriden keuchten überrascht. Samson deutete auf Mick. „Erzähl uns, was passiert ist. Und fang am Anfang an. Damian und Naomi haben die leeren Phiolen in deiner Wohnung gefunden, also Mick, tu uns einen Gefallen und lüg uns nicht an. Du hast dieses Chaos angerichtet, jetzt übernimm die Verantwortung dafür."

Damian setzte sich neben Naomi und nahm ihre Hand in seine.

Mick nickte jetzt mit einem schuldbewussten Gesichtsausdruck. „Es tut mir leid, ihr habt recht, es war meine Schuld, dass das alles passiert ist. Aber als ich Tracy traf, verlor ich einfach den Kopf. Ich ... ähm, ich konnte nicht mehr klar denken." Er seufzte. „Sie wurde eines Nachts von ein paar Typen angegriffen und ich habe sie gerettet. Wir haben uns ineinander verliebt, aber ihre Familie wollte nicht, dass sie mit mir geht … Ich schätze, ein Barkeeper war ihnen nicht gut genug. Ihre Großmutter und ihr Onkel machten ihr das Leben zur Hölle. Sie wollte San Francisco verlassen."

Das stimmte mit dem überein, was Wei Guo während seines Verhörs enthüllt hatte, und was Cynthia Naomi erzählt hatte.

„Ich sagte ihr, dass wir zusammen gehen könnten, aber wir hatten kein Geld, also beschloss ich, mein Blut zu verkaufen." Mick senkte vor Scham die Lider.

„An wen hast du's verkauft?", fragte Damian.

Mick zuckte mit den Schultern. „Nur an ein paar gewöhnliche Leute. Wir waren diskret. Tracy wusste, dass mein Blut einen Menschen heilen kann, denn in der Nacht, als ich sie rettete, gab ich ihr etwas, um sie zu heilen." Er schaute auf. „Diese beiden Arschlöcher hatten sie geschlagen und ihr das Handgelenk gebrochen."

„Erzähl weiter", verlangte Damian. „An wen hast du es verkauft?"

„Tracy kannte viele Leute, die krank waren, wisst ihr, Leute, die keine Krankenversicherung haben. Sie sagte ihnen, sie könne ihnen etwas besorgen, das ihnen bei ihren Beschwerden helfen würde. Sie hat ihnen nie gesagt, was es wirklich war. Und als es funktionierte, haben diese Leute es wohl anderen erzählt und wir konnten mehr verkaufen und etwas Geld zusammensparen."

Damian schüttelte den Kopf und sah, wie Samson und einige der anderen dasselbe taten. „Wie viel hast du pro Phiole verlangt?"

„Wir waren nicht gierig. Ich habe hundert Dollar pro Stück verlangt", sagte Mick schnell. „Wir brauchten nur genug, um woanders einen Neuanfang zu machen, weg von Tracys Familie. Wir wollten am Tag nach Halloween abreisen und Tracy verabschiedete sich von den wenigen Freunden, die sie hat. Ich schätze, sie wurde ein bisschen beschwipst, als sie mit ihrer Kollegin

Cynthia ausging. Ich wusste zu dem Zeitpunkt nicht, dass Cynthia ein paar Tage zuvor ein Fläschchen mit meinem Blut gekauft hatte."

Damian war sofort klar, wohin diese Geschichte führte.

„Irgendwie muss Tracy herausgerutscht sein, dass das, was sie Cynthia verkauft hat, Vampirblut war und sie hat zwei und zwei zusammengezählt und herausgefunden, dass ich der Vampir bin, von dem es stammt. Sie hatte ihrem Bruder bereits eines der Fläschchen gegeben und sie muss eine Verbesserung seines Zustands gesehen haben. Als sie hörte, dass Tracy und ich verschwinden würden und es kein Vampirblut mehr für sie zu kaufen gäbe, hat sie aus Verzweiflung gehandelt."

„Sie konnte dich nicht gehen lassen, weil sie das Leben ihres Zwillings retten wollte", vermutete Damian.

Mick nickte. „Ich bekam einen Anruf von Tracys Handy, aber es war nicht Tracy. Cynthia sagte, dass sie Tracy hat und sie ihr wehtun würde, wenn ich mich nicht mit ihr treffe. Ich hatte keine Wahl. Ich dachte, ich könnte sie leicht überwältigen, aber Cynthia wusste anscheinend mehr über Vampire, als ich dachte. Wahrscheinlich hat sie Tracy gedroht, damit sie ihr mehr über meine Schwachstellen erzählte. Und sie war klug. Sie sagte, wenn ich nicht tun würde, was sie wollte, und wenn ich auch nur versuchen würde zu fliehen, würde ich Tracy nie finden und sie würde sterben, weil sie unter Drogen gesetzt und irgendwo gefesselt war."

„Du hast ihr geglaubt?", fragte Damian.

„Sie hat mir ein Video von Tracy gezeigt. Sie war gefesselt, geknebelt und bewusstlos. Ich konnte ihr Leben nicht gefährden. Ich konnte nicht einmal Gedankenkontrolle bei Cynthia anwenden."

Als Samson die Stirn runzelte, warf Grayson ein: „Die Schlampe trug eine Sonnenbrille und Kopfhörer mit lauter Musik."

Mick nickte. „Ich schätze, es hat meine Bemühungen, Gedankenkontrolle bei ihr anzuwenden, übertönt. Außerdem war ich schwach, weil sie mir die ersten sechsunddreißig Stunden kein Blut gegeben hat. Ich bat sie, ins Mezzanine zu gehen, um das in Flaschen abgefüllte Blut zu stehlen, und ich sagte ihr, dass ich sterben würde, wenn sie mir noch mehr Blut abnahm, ohne mir menschliches Blut zu verabreichen. Sie hat es geglaubt und ich habe ihr meine Schlüssel für den Lagerraum gegeben. Ich wusste, dass sie von der Kamera gefilmt werden würde." Mick sah Damian direkt an. „Ich wusste, dass entweder du oder Patrick merken würdet, dass etwas nicht stimmt. Ich habe darauf gezählt, dass ihr versucht, den Dieb zu finden. Ich wusste, dass ihr früher oder später herausfinden würdet, dass das Blut für mich war und dass ich eingesperrt war."

„Guter Gedanke", sagte Damian. „Leider hat es eine Weile gedauert, weil Cynthia die Halloween-Party als Tarnung benutzte und ein Kostüm mit Gesichtsmaske trug."

Mick nickte. „Sie brachte das Blut, aber sie gab mir nur die Hälfte von dem, was ich normalerweise in einer Nacht trinken würde. Deshalb hat sie das Blut eingesperrt und mich an einen Heizkörper gekettet, und ich blieb schwach."

„Kein Silber?", fragte Samson.

„Nein", gab Mick zu. „Vielleicht hätte ich mich von den Ketten befreien und sie angreifen können, wenn sie das nächste Mal die Tür zu meinem Gefängnis öffnete, aber was wäre dann mit Tracy passiert? Ich hatte keine Ahnung, in welchem Zustand ihr Bruder war. Was, wenn er sie verletzt hätte, wenn Cynthia nicht innerhalb einer bestimmten Zeit zurückgekommen wäre?"

Damian konnte Mick seine Denkweise nicht vorwerfen. Er würde Naomis Leben auch nicht riskieren, selbst wenn er dafür an ihrer Stelle leiden müsste. Er würde alles tun, um sie zu beschützen, genauso wie Mick den Forderungen seiner Entführerin nachgekommen war, damit sie die Frau, die er liebte, nicht verletzen würde.

„Außerdem hat Cynthia gesagt, sie würde uns beide gehen lassen, sobald ihr Bruder geheilt ist", fügte Mick hinzu.

Samson erhob sich von seinem Stuhl. „Mick, dir ist hoffentlich klar, dass du uns durch den Verkauf deines Blutes in eine prekäre Situation gebracht hast."

„Ich verstehe das."

„Wenn du es wirklich verstanden hättest, hättest du es gar nicht erst getan. Es war unverantwortlich." Er atmete aus. „Du wirst Scanguards' Gast sein, bis wir entschieden haben, wie wir diesen Schlamassel bereinigen." Er deutete auf Quinn. „Quinn, bring ihn erstmal runter in die Arrestzelle."

Mick erhob sich. „Aber ich muss Tracy sehen."

„Du wirst sie sehen, nachdem wir mit ihr gesprochen und ihre Seite der Geschichte gehört haben", bestimmte Samson.

Als sich die Tür hinter Quinn und Mick schloss, fügte Samson hinzu: „Okay, jeder, der Vorschläge zur Schadensbegrenzung, Abschreckung und Bestrafung hat, wir treffen uns in fünfzehn Minuten in meinem Büro."

Die Leute erhoben sich von ihren Sitzen.

Naomi legte ihre Hand auf Damians Unterarm. „Was ich bei Cynthia nicht verstehe, ist, warum sie mir überhaupt erzählt hat, dass sie von Tracy und Mick wusste."

„Es ist ganz einfach", sagte Damian. „Als du im Salon herumgeschnüffelt hast, wollte sie wahrscheinlich herausfinden, wie viel du über ihr Verschwinden wusstest. Und wenn du ihr von deinem Verdacht erzählt hättest, hätte sie dieses Wissen genutzt, um uns zu entkommen."

„Du hast recht."

Damian erhob sich. „Ich muss bei dem Treffen mit Samson dabei sein. Es wird eine Weile dauern. Bist du okay?"

„Mach dir keine Sorgen um mich", antwortete Naomi. „Geh, tu, was du tun musst. Ich sollte wahrscheinlich nach Hause gehen und duschen. Ich bestelle mir einfach einen Uber."

„Ich kann dich heimfahren", sagte Nina über den Tisch hinweg. „Ich fahre sowieso nach Hause."

„Aber ich wohne in der entgegengesetzten Richtung", sagte Naomi.

„Es ist kein Problem. Wirklich."

„Danke, das ist so nett von dir."

„Danke, Mom", sagte Damian, bevor er Naomis Hand drückte. „Komm in ein paar Stunden hierher zurück. Ich hinterlasse deinen Namen an der Rezeption, damit sie dich hereinlassen. Oder ich hole dich von deiner Wohnung ab, wenn ich hier fertig bin."

„Ich treffe dich wieder hier."

Damian drückte ihr einen Kuss auf die Lippen und verließ dann den Konferenzraum.

37

„Das ist ein verdammtes Durcheinander",
sagte Samson und lehnte sich gegen den
Schreibtisch in seinem Büro, die Hände um die
Schreibtischkante geklammert. „Um ehrlich zu
sein, bin ich mir nicht ganz sicher, wer hier
wirklich das Opfer ist. Mick hat sich das selbst
eingebrockt."

„Was nicht entschuldigt, was Cynthia und
ihr Bruder getan haben", kommentierte
Grayson.

„Ihr Bruder hatte keine Ahnung",
unterbrach Damian.

„Du glaubst ihm?", fragte Grayson überrascht. „Du kannst mir nicht erzählen, dass er nicht wusste, dass sie ihm Vampirblut gab."

„Genau das behaupte ich. Du hast ihn nicht gesehen." Damian schüttelte den Kopf. „Ralph hat sich mit seinem Schicksal abgefunden. Er weiß, dass er stirbt. Er hat nichts zu gewinnen, wenn er mich anlügt. Cynthia sagte ihm, dass es ein New-Age-Wellness-Elixier sei. Sie verdünnte es mit Wasser. Glaub mir, er ist wahrscheinlich der einzige Unschuldige in dieser Angelegenheit."

„Damian hat recht, Grayson", sagte Samson. „Aber die anderen tragen alle Verantwortung, sogar Tracy. Und sie ist wahrscheinlich diejenige, die gerade am meisten leidet." Er sah Damian direkt an. „Wie geht es ihr wirklich? Wird sie durchkommen?"

„Vanessa hat ihr Blut gegeben, als wir sie gefunden haben, weil sie die Anzeichen einer Drogenüberdosis erkannt hat. Und Maya verabreichte Naloxon, um dem Opioid entgegenzuwirken, mit dem Cynthia sie betäubt hat. Maya glaubt, dass sie es schaffen wird, aber weil ihr über mehrere Tage hohe Dosen verabreicht wurden, muss sie einen Entzug durchmachen.“

„Wissen wir, woher sie das Opioid bekam?“, fragte Amaury.

„Ich hatte noch keine Gelegenheit, Cynthia zu befragen, aber ich vermute, dass es Ralph verschrieben wurde, um seine letzten Tage schmerzfrei zu machen.“ Damian sah Grayson an. „Hast du sie schon verhört?“

„Nein, ich dachte, ich lasse sie erst eine Weile in ihrer Zelle schmoren.“

„Sie kann warten“, sagte Samson. „Wir müssen erst überlegen, wie es weitergeht. Wir müssen uns mit mehreren Problemen befassen: Schadensbegrenzung, Bestrafung und Abschreckung. Vorschläge?“

„Ich sage, Mick muss einen Abstecher zu Grass Valley machen“, sagte Grayson sofort.

Damian war sich nicht sicher, ob das Vampirgefängnis so eine tolle Idee war. Das Gefängnis in Grass Valley beherbergte hauptsächlich gewalttätige Vampire, die unsägliche Verbrechen begangen hatten. „Mick ist kein Gewalttäter. Du wirfst ihn da rein und er wird gewalttätig, nur um zu überleben."

Amaury warf ihm einen Seitenblick zu. „Damian liegt nicht falsch. Ich denke eher an Zivildienst."

„Zivildienst?", wiederholte Grayson. „Was soll er denn machen?"

„Hmm." Samson antwortete nicht, stattdessen stellte er eine Frage. „Was ist mit der Bestrafung der menschlichen Täterin, Cynthia?"

Grayson zuckte mit den Schultern. „Löscht ihr Gedächtnis und übergebt sie dem SFPD."

Damian schüttelte den Kopf. „Das wird niemals funktionieren. Glaubst du nicht, dass sie durch den Tod ihres Bruders genug bestraft wird? Und du willst die beiden in den letzten paar Tagen, die er noch hat, trennen?"

„Wie würdest du sie dann bestrafen?", schnappte Grayson. „Sie weiß zu viel."

„Dem stimme ich zu", sagte Damian.

„Duldest du, was sie getan hat?", erwiderte Grayson mit zusammengekniffenen Augen. „Was, wenn du es gewesen wärst, den sie angezapft hat?"

„Ich wäre von vornherein nicht dumm genug gewesen, mein Blut zu verkaufen und mich dafür verwundbar zu machen, wie ein Verkaufsautomat benutzt zu werden", knurrte Damian.

„Also machst du Mick für alles verantwortlich?"

„Mache ich nicht. Aber beide Parteien tragen die Verantwortung. Deshalb können wir sie nicht einfach alle in eine Zelle schmeißen und den Schlüssel wegwerfen. Das ist keine Lösung."

„Was ist dann die Lösung?", fragte Samson plötzlich und zog alle Blicke auf sich. „Fangen wir mit der Schadensbegrenzung an, denn die ist dringender als die Bestrafung. Was für Schritte müssen wir unternehmen?"

„Wir müssen herausfinden, wie viele Fläschchen Mick und Tracy verkauft haben und an wen", sagte Damian sofort.

Grayson nickte eifrig. „Und da Mick sagt, dass Tracy mit den Käufern in Kontakt war, müssen wir warten, bis sie wieder bei Bewusstsein ist und sie uns die Namen nennen kann."

„Gut", sagte Samson. „Was sonst noch?"

„Mick kann uns wenigstens sagen, wie viele Phiolen er verkauft hat", schlug Damian vor, „damit wir wissen, mit wie vielen Leuten wir es zu tun haben."

„Und sobald wir die Namen haben?", fragte Samson.

„Das Gedächtnis der Käufer löschen", sagte Grayson.

Samson tauschte einen Blick mit Amaury aus. „Wir könnten es mit Hunderten von Menschen zu tun haben."

Damian schüttelte den Kopf. „Wahrscheinlich nicht. Ich habe das Bargeld gefunden, das Mick in seiner Wohnung versteckt hat. Es können nicht mehr als sieben- oder achttausend Dollar gewesen sein. Wir sprechen also von siebzig bis achtzig Leuten. Immer noch eine ganze Menge, aber es könnte Kunden geben, die mehr als nur eine Phiole gekauft haben, was die Zahl verringern würde."

„Stimmt", gab Samson zu. „Ihr müsst Tracy befragen, um herauszufinden, was sie diesen Leuten wirklich über das erzählt hat, was sie ihnen verkauft hat. Wir müssen vielleicht nicht das Gedächtnis aller löschen. Zumindest hoffe ich das."

Damian hoffte das auch, denn das Löschen des Gedächtnisses einer Person war für einen Vampir anstrengend und zeitaufwändig. „Dann bleibt noch, was wir mit Mick, Cynthia und Tracy tun werden. Und ehrlich gesagt bin ich hin- und hergerissen, ob und wie sie alle bestraft werden sollen. Wir brauchen einen Kompromiss."

„Dem stimme ich zu", sagte Samson. „Ein Kompromiss, der alle Parteien zufriedenstellen wird."

„Ein Kompromiss ist gut und schön", sagte Grayson, „aber was ist mit Ralph Lassiter? Lassen wir ihn einfach sterben?"

Überrascht, Mitgefühl in Graysons Stimme zu hören, sah Damian ihn an und dachte über die Worte des Hybriden nach. „Du sagtest, du hättest das Blut zurückgebracht, das Cynthia Mick abgenommen hat?"

„Ja, habe ich. Ich konnte es nicht dort lassen und riskieren, dass es jemand findet."

„Wo ist es jetzt?"

„Im Kühlschrank in der Klinik. Ich dachte,

Maya könnte Mick später eine Transfusion geben."

„Gut. Vielleicht habe ich eine Idee, die alle Parteien glücklich macht und niemandem schadet."

„Lass mal hören", verlangte Samson.

38

Als Naomi zu Scanguards zurückkehrte, war die Sonne untergegangen und im Gebäude wimmelte es nur so von Leuten. Sie fühlte sich ein wenig besser, nachdem sie zu Hause geduscht und frische Kleidung angezogen hatte. Vanessa erwartete sie bereits an der Rezeption.

„Hey, Naomi", begrüßte Vanessa sie. „Damian ist unten in der Klinik. Ich bringe dich zu ihm."

„Oh, danke." Gemeinsam gingen sie zu den Aufzügen. „Wie geht es Tracy? Kommt sie durch?"

Vanessa lächelte. „Ja, sie ist vor einer Weile aufgewacht und meine Mutter sagt, es wird ihr gut gehen, wenn sie vollständig durch den Entzug ist."

„Oh, Gott sei Dank."

Sie betraten den Fahrstuhl und Vanessa drückte auf einen Knopf für eine der unteren Etagen. „Ich bin froh, dass Drogen keine Wirkung auf Vampire und Hybriden haben."

„Das wusste ich nicht." Es gab noch so viele Dinge, die sie nicht wusste. „Ich nehme an, das ist gut."

„Meistens ja, aber das bedeutet auch, dass wir uns nicht betrinken können."

„Vertrau mir, dir entgeht nichts", sagte Naomi kichernd. „Ein Kater macht keinen Spaß."

Der Aufzug hielt an und die Türen öffneten sich.

„Komm", sagte Vanessa und leitete sie zum Ende des Korridors.

Zwei Doppeltüren führten in die Klinik. Drinnen sah es aus wie in einer Notaufnahme eines großen Krankenhauses. Es war gut ausgestattet und modern. Sie entdeckte

Damian sofort. Er stand in einem der Patientenzimmer. Die Tür stand offen. Das Mädchen, das aufrecht im Bett saß, war Tracy. Mick saß auf der Bettkante und hielt Tracys Hand, während sie beide Damian ansahen und ihm zuhörten.

„Geh gleich rein", sagte Vanessa neben ihr. „Ich werde sehen, ob meine Mutter Hilfe braucht."

„Danke, Vanessa", sagte Naomi schnell und näherte sich Tracys Zimmer. Als sie nähertrat, sah sie, dass eine vierte Person im Raum war. Grayson stand neben Damian am Fußende des Bettes.

Bevor sie das Zimmer erreichte, blickte Damian plötzlich über seine Schulter. Er bedeutete ihr, einzutreten.

„Du bist wieder da", sagte er und nahm ihre Hand. Dann sprach er Mick und Tracy an. „Das ist Naomi. Ohne sie hätten wir euch beide vielleicht nicht so schnell gefunden."

Tracy sah sie an. „Ich danke dir." Sie hatte Tränen in den Augen, und obwohl sie bei Bewusstsein war, sah sie immer noch erschöpft aus.

„Danke, Naomi", sagte Mick mit einem Nicken. „Damian hat uns erzählt, wie sehr du geholfen hast. Wir sind dankbar."

„Gern geschehen. Aber es waren diese Jungs hier, die euch gefunden haben." Naomi deutete auf Damian und Grayson. Dann sah sie Damian an. „So, ist jetzt alles geklärt?"

„Fast." Er drehte seinen Kopf wieder zu Mick und Tracy. „Also, hier ist der Deal. Mick, was du getan hast, hat uns alle in Gefahr gebracht, als Vampire entlarvt zu werden. Und wir haben das Recht, das mit Gefängnis zu bestrafen. Die gleiche Regel gilt für Tracy. Deswegen –"

„Bitte bestrafe Tracy nicht", bettelte Mick. „Ich nehme die Strafe auf mich. Ich bin verantwortlich. Ich werde ihre Zeit zusätzlich zu meiner absolvieren."

Damian hob seine Hand. „Lass mich ausreden. Wir haben einen Vorschlag. Wir setzen das Urteil auf Bewährung aus, wenn ihr dem Folgenden zustimmt: Tracy, du verrätst uns jeden einzelnen Namen deiner Käufer einschließlich der Anzahl der gekauften

Phiolen und was genau du ihnen darüber gesagt hast."

Tracy nickte eifrig. „Das kann ich machen."

„Gut. Mick, wir haben das Blut, das Cynthia dir heute abgenommen hat. Wenn du damit einverstanden bist, dass wir das Blut verwenden, um Cynthias Zwillingsbruder Ralph zu heilen, werden wir dich nicht dem Vampirrat zur Bestrafung übergeben. Sollten wir mehr Blut brauchen, um Ralph zu heilen, lieferst du mehr. Ein weiterer Verstoß, der unsere gesamte Gesellschaft in Gefahr bringt, und du wirst dem Rat übergeben. Erwarte keinerlei Nachsicht, wenn das passiert."

Naomi sah, dass Mick schwer schluckte.

„Ja", fügte Grayson hinzu, „und rate mal, wer dir auf die Pelle rücken wird, wenn du einen Fehler begehst. Und ich bin nicht so nett wie Damian."

Naomi hatte keine Probleme, Graysons Worten zu glauben. Er war ganz bestimmt nicht so nett wie Damian.

„Und was wird aus Cynthia?", fragte Tracy.

„Wir werden ihr Gedächtnis löschen", antwortete Damian. „Sie wird sich nicht daran erinnern, dass sie jemals Vampirblut gekauft oder herausgefunden hat, dass Mick ein Vampir ist."

„Ihr bestraft sie nicht?", fragte Mick, Überraschung in seiner Stimme. „Sie hat uns entführt."

„Sie wird nicht eingesperrt werden, wenn du darauf hinauswillst. Da sie ein Mensch ist und ihr Verbrechen niemandem den Tod brachte, haben wir keinen Grund, sie zu töten. Sie ist keine Gefahr für die Gesellschaft und trotz allem, was sie dir angetan hat, ist sie nicht gewalttätig. Wir werden sie im Auge behalten, sobald sie freigelassen wird. Sollte sie jemals ein weiteres Verbrechen gegen uns oder irgendjemand anderen begehen, versichere ich dir, dass wir Maßnahmen ergreifen werden."

Naomis Herz klopfte plötzlich schneller. Sie glaubte Damian. Er machte keine leeren Drohungen.

„Triff eine Entscheidung", verlangte Damian. „Es ist ein Pauschalangebot. Alles oder nichts."

Mick tauschte einen Blick mit Tracy aus. „Wir nehmen es an."

„Gute Wahl", sagte Grayson. Er sah Damian an und deutete auf die Tür. „Ich kann mit den Namen der Käufer anfangen, wenn du dich um Ralph kümmerst."

„Kein Problem", stimmte Damian zu und wandte sich zur Tür um.

Gemeinsam verließen sie das Zimmer und Damian schloss die Tür hinter sich. Er zog sie in eine Umarmung und Naomi drückte sich an seine Brust.

„Nur noch eine kleine Weile", sagte er, „und wir können hier raus. Lass uns nach Ralph sehen."

„Wird Micks Blut ihn wirklich heilen?", fragte sie.

„Wenigstens hat er dadurch eine Chance." Er gab sie frei und nahm ihre Hand. Dann ließ er seinen Blick über den kreisrunden Raum mit den durch lange Vorhänge getrennten Behandlungskabinen schweifen. „Maya?"

Die Ärztin, die Naomi zuvor beim Eintreffen des Krankenwagens gesehen hatte, trat aus einer der Behandlungsbuchten. Sie näherte sich ihnen.

„Wie lautet das Urteil?", fragte sie und warf Naomi dann einen kurzen Blick zum Gruß zu.

„Wir machen's."

„Gut. Dann lass es uns tun, bevor es zu spät ist." Sie ging zu einem großen Kühlschrank und öffnete ihn. Naomi sah zu, wie sie einen Beutel voller Blut herausholte und dann weitere medizinische Vorräte aus einer Schublade zog. „Ich habe schon alles vorbereitet. Kommt. Wir haben ihn in das Langzeitpatientenzimmer gebracht."

Maya stieß eine Tür auf und Naomi und Damian folgten ihr in einen anderen Korridor. Dort blieb sie vor einer Tür stehen. Daneben war ein großes Fenster, das einen Blick in den Raum ermöglichte. Zu Naomis Überraschung sah dies nicht wie ein normales Krankenzimmer aus. Es war viel größer und wie eine teure Hotelsuite eingerichtet. Ralph lag auf einem Bett, an eine Maschine angeschlossen, die seine Vitalfunktionen überwachte.

Als sie eintraten, drehte Ralph leicht den

Kopf, um sie anzusehen, aber er setzte sich nicht auf.

„Ich möchte meine Schwester sehen", murmelte er mit schwacher Stimme und flehenden Augen. „Ich habe nicht mehr viel Zeit."

Damian trat näher und Naomi blieb stehen. „Du wirst sie bald sehen. Aber zuerst haben wir eine experimentelle Behandlung, die den Krebs heilen kann. Alles, was wir brauchen, ist deine Erlaubnis, dich zu behandeln."

„Mehr Wundermittel? Mehr Schmerzen?"

Naomi hörte die Hoffnungslosigkeit in seiner Stimme und ihr Herz schmerzte für ihn.

„Keine Schmerzen", versprach Damian. „Deine Schwester hat dafür viel riskiert. Willst du wirklich, dass all ihre Bemühungen umsonst waren?"

Tränen stiegen in Ralphs Augen, bevor er die Augen schloss. „Na gut. Tut es, aber wenn es nicht funktioniert, lasst mich einfach in Frieden sterben."

„Du hast mein Wort." Damian trat beiseite und erlaubte Maya, sich ihrem Patienten zu nähern.

„Das ist eine Transfusion", erklärte Maya und hängte den Beutel mit Micks Blut an den Infusionsständer.

Damian nahm Naomis Hand, führte sie nach draußen und schloss die Tür hinter ihnen. Auf dem Korridor wandte er sich um und schaute durch das Fenster zurück ins Zimmer.

„Wann wissen wir, ob es funktioniert?", fragte Naomi in die Stille hinein, während sie zusahen, wie Maya den intravenösen Tropf ansetzte.

„Bald." Damian stieß einen Seufzer aus. „Aber du und ich können im Moment nichts tun. Es liegt in Mayas Händen."

Sie drückte beruhigend seine Hand. „Ich bin froh, dass ihr Ralph nicht für das bestraft, was seine Schwester getan hat."

Damian lächelte sie an und blickte dann zurück in den Raum. „Samson hat zugestimmt. Aber Ralph wird sich nicht erinnern, warum sein Krebs verschwunden ist. Sobald er wieder gesund ist, müssen wir sein Gedächtnis löschen. Niemand außerhalb unserer Gemeinschaft darf wissen, dass Vampirblut Menschen heilen kann."

„Oder sie jagen euch wegen eures Blutes", schloss Naomi. „Kein Wunder, dass du so besorgt warst, als dir klar wurde, was in der Phiole war, die ich gefunden habe."

„Ja. Und es ist nicht so, dass wir den Menschen nicht helfen wollen, aber wo würde das aufhören?"

„Das würde es nicht. Aber für Ralph macht ihr eine Ausnahme."

„Und für die Leute, die für uns arbeiten, und diejenigen, die von einem Vampir verletzt werden. Aber da muss unsere Nächstenliebe enden. Wir können nur eine begrenzte Menge von Blut spenden, ohne uns selbst zu gefährden."

Sie legte ihre Arme um ihn. „Du bist ein guter Mann, Damian."

„Ich bin froh, dass du das denkst." Er senkte sein Gesicht zu ihr und küsste sie. „Wie wäre es, wenn wir nach Hause gehen? Es war ein langer Tag für uns beide. Wir können morgen früh nach Ralph sehen."

Sie gähnte. „Ich glaube, das ist eine gute Idee."

39

Damian trug die schlafende Naomi in seine Wohnung und trat die Tür hinter sich zu. Sie war während der Heimfahrt im Auto eingeschlafen, und das hatte ihn nicht überrascht. Die letzten vierundzwanzig Stunden waren auch für ihn anstrengend gewesen. Ohne das Licht im Wohnzimmer anzuschalten, ging er in sein Schlafzimmer und legte sie aufs Bett. Er zog ihr die Schuhe aus und begann sich dann selbst auszuziehen. Er leerte seine Taschen und legte die Sachen in die Schublade seines Nachttisches. So erschöpft er auch war, er musste den Schmutz,

Schweiß und Staub von seinem Körper waschen.

Nackt ging er in sein Badezimmer, schloss die Tür hinter sich und trat in die übergroße Dusche. Er stützte sich mit den Händen auf den Fliesen ab und ließ die warmen Wasserstrahlen über seinen Kopf, sein Gesicht und seinen Körper hinunterlaufen. Es spülte etwas von der Anspannung der letzten Stunden weg. Das Wasser massierte seine Muskeln und er begann sich zu entspannen.

Er wusste nicht, wie lange er dort gestanden hatte, als er plötzlich die knarrenden Scharniere der Badezimmertür hörte. Ein Lächeln breitete sich auf seinem Gesicht aus. Es schien, als wäre Dornröschen wach. Langsam wandte er sich von der gefliesten Wand ab. Als sein Blick auf Naomi fiel, verschluckte er sich fast. Innerhalb von zwei Sekunden erwachte sein Schwanz aus seinem Schlaf und füllte sich schneller als je zuvor mit Blut.

Naomi stand in ihrem Rotkäppchenkostüm – ohne Umhang – vor der

Dusche. Ihre Brüste schwappten fast darüber hinaus und sie war barfuß.

„Wann hast du –"

„– mehr Klamotten hergebracht?", fragte sie mit einem koketten Lächeln. „Deine Mutter hat vorgeschlagen, dass ich ein paar Sachen von zu Hause mitbringe. Sie sagte, wenn du so bist wie dein Vater, würde ich für eine Weile keine Gelegenheit bekommen, bei mir zu Hause vorbeizuschauen. Sie ist mit mir in meine Wohnung gefahren und hat später die Tasche hierher gebracht. Ich hoffe, das ist in Ordnung."

„In Ordnung? Erinnere mich daran, meiner Mutter einen riesigen Blumenstrauß zu kaufen." Dann trat er aus der Dusche und zog sie zu sich. Er ließ seine Hände zu ihrem Hintern gleiten und schob den superkurzen Rock hoch, wobei er sofort bemerkte, dass sie kein Höschen trug. „Ich glaube, du hast vergessen, Unterwäsche einzupacken."

Sie hob ihr Gesicht zu seinem. „Ich dachte nicht, dass ich die brauchen würde. Oder brauche ich die?"

„Nein, brauchst du nicht", murmelte er und eroberte ihre Lippen.

Er drang in ihren Mund ein und tanzte mit ihrer Zunge, sein Bedürfnis nach Schlaf war plötzlich verschwunden. Naomi erwiderte den Kuss mit der gleichen Leidenschaft, ihre Hände wanderten über seine nasse Haut und entzündeten ein Feuer in ihm, das ihn zu verbrennen drohte. Er löste seine Lippen von ihren und drehte sie in seinen Armen um, sodass sie dem Spiegel über dem Waschtisch zugewandt war und er hinter ihr stand.

Er brauchte ihr nicht zu sagen, was er wollte, denn die kleine Füchsin in seinen Armen hatte dies geplant. Sie wusste genau, was ihn so geil wie einen Matrosen und nur halb so kultiviert machte.

Sie beugte sich über die Marmorplatte, sodass ihr perfekter Hintern auf ihn zeigte. Damian umfasste ihre Hüften und begegnete ihrem Blick im Spiegel. Sie sah ihn mit leidenschaftlichen Augen an, dann zog sie ihr Bustier so weit hinunter, dass ihre Titten über dem Oberteil herausquollen und ihre steifen Brustwarzen hervorragten.

„Ach, Fuck!", fluchte er. „Das wird nicht lange andauern."

„Fick mich schon."

Das ließ er sich nicht zweimal sagen und ließ seine Erektion zwischen ihre Schenkel gleiten. Als seine Schwanzspitze ihre Muschi berührte, begrüßten ihn Wärme und Nässe und er stieß in sie hinein.

Naomi schnappte aufgrund der kraftvollen Invasion nach Luft und hielt sich an dem Marmortresen fest, um das Gleichgewicht zu behalten. Sie war glatt und eng. Perfekt für ihn. Während er sie von hinten fickte, in sie hineinglitt und sich immer wieder herauszog, während sein Tempo mit jeder Sekunde zunahm, blickte er in den Spiegel und beobachtete, wie ihre Brüste auf und ab hüpften. Er hatte noch nie einen erotischeren Anblick gesehen. Er hob den Blick und begegnete Naomis Augen, als sie ihn mit geöffneten Lippen ansah, ihr Gesicht ein Tableau der Leidenschaft. Sie keuchte, ihr Atem war abgehackt, ihr Herzschlag beschleunigte sich und der Geruch ihres

Blutes verstärkte sich, als sich ihr Körper erhitzte.

Er löste eine Hand von ihrer Hüfte, griff nach dem Reißverschluss ihres Bustiers und zog ihn herunter. Ihre Brüste sprangen vollständig heraus und sie stöhnte auf.

„Berühre sie", bat sie.

Er verlangsamte seine Stöße und umfasste eine Brust, nahm sie in seine Handfläche. Er liebte das Gefühl, wie ihr empfängliches Fleisch und die harten Nippel seine Hand füllten. Bei seinem nächsten Stoß ließ er auch ihre andere Hüfte los und eroberte ihre linke Brust, knetete sie auf die gleiche Weise, wie er die rechte berührte, bevor er weiter in sie hineinstieß.

„Oh ja, Baby." Sie stöhnte. „Genau so." Ihre Augenlider flatterten. „Oh, ich liebe deinen Schwanz. Ich liebe es, wie du mich nimmst."

„Weil du mir gehörst, ganz mir." Ihre Blicke kollidierten im Spiegel. „Ich werde dich heute Nacht zu Meiner machen."

Ihre Augen funkelten. „Ja."

Er zog sich aus ihrer Scheide und wirbelte

sie herum. „Ja? Du willst mit mir den Blutbund eingehen? Jetzt? Für alle Ewigkeit?"

Naomi strich mit den Händen über seine Brust und ließ sie zu seinem Nacken gleiten. „Ja für immer. Ich will, dass du mir gehörst. Mein Vampir, mein Gefährte. Ich möchte, dass du nur von mir trinkst."

Er schob das Kostüm über ihre Hüften hinab, bis es sich zu ihren Füßen sammelte, dann hob er sie in seine Arme. „Nur von dir. Von deinem Nacken, deinen Brüsten, deinen Schenkeln." Er trug sie ins Schlafzimmer und legte sie aufs Bett. Das Licht der offenen Badezimmertür schien auf ihr Haar und zauberte einen Heiligenschein um ihren Kopf. „Ich liebe dich."

Naomi sah zu Damian auf, als er neben dem Bett stand und auf sie herabblickte. Sein Schwanz war hart und mit ihren Säften überzogen, seine Augen schimmerten golden und seine Reißzähne waren vollständig ausgefahren. Oh Gott, wie sie diesen Mann liebte, diesen Vampir. Sie hatte noch nie eine schönere oder sexyere Kreatur gesehen. Er verkörperte alles, wovon sie jemals geträumt hatte. Sie sah sie in seinen Augen und hörte sie in seiner Stimme: die Liebe, die er für sie empfand, die Gewissheit, mit der er ihr seine ewige Hingabe gelobte. Sie verstand das Risiko, das er einging, indem er sie bat, den Blutbund mit ihr zu schließen. Er machte sich für sie verwundbar.

„Dein Herz wird bei mir immer sicher sein", versprach sie und griff nach ihm. „Mach mich zu Deiner, weil ich mir ein Leben ohne dich nicht vorstellen kann."

Damian gesellte sich zu ihr aufs Bett und stützte sich über ihr ab. Sie spreizte ihre Beine weiter, machte Platz für ihn und zog sein Gesicht zu ihrem. „Ich möchte sie lecken."

Damian stieß in sie hinein und stöhnte. „Vorsichtig, ich bin schon so nahe dran."

Sie kicherte leise. „Wieso denn?"

„Du kleines Luder. Als ob du das nicht wüsstest."

Er zog sich zurück und stieß wieder in sie hinein, und das Gefühl, wie sein Schwanz ihre

Muschi dehnte, ließ einen zufriedenen Seufzer über ihre Lippen rollen.

„Wenn du das nächste Mal Verkleiden spielen willst, wähle einen Zeitpunkt, an dem ich gut ausgeruht bin, damit ich mir Zeit zum Spielen nehmen kann." Er grinste. „Also, wolltest du nicht meine Reißzähne lecken?"

Damian öffnete seinen Mund und zeigte ihr seine tödlichen Fänge. Sie hätte nie gedacht, dass sie diesen Anblick erotisch finden würde, aber das tat sie. Zu wissen, was sie ihm antun konnte, indem sie sie leckte, gab ihr das Gefühl der Macht. Langsam zog sie ihn näher, bis sich ihre Lippen fast berührten. Sanft strich sie mit ihrer Zunge über einen Fangzahn und fuhr dann an seinen Zähnen entlang zur anderen Seite, um seinen anderen Fangzahn zu lecken. Sie bemerkte, wie sich Damians Augen schlossen und er tief Luft holte.

Plötzlich zog er den Kopf zurück. „Das ist alles, was ich im Moment ertragen kann." Er fing an, in sie hineinzustoßen und sich wieder aus ihr herauszuziehen, zuerst in einem gleichmäßigen, langsamen Rhythmus, während er sie innig küsste, sich Zeit nahm, ihren Mund so zu erkunden, wie sie ihn erkundete.

Unter ihren Händen war Damians Haut weich und warm, die Muskeln darunter fest und stark. Ihr Körper würde nie so perfekt wie seiner sein, aber das spielte keine Rolle mehr, denn die Art, wie Damian sie ansah, wie er sie berührte und Liebe mit ihr machte, ließ sie sich innerlich und äußerlich schön fühlen. Sein Schwanz in ihr gab ihr das Gefühl begehrenswert zu sein und seine Lippen auf ihren ließen sie sich verehrt fühlen.

Mit jedem Stoß fühlte sie ihre Erregung steigen. Ihre Haut kribbelte angenehm und ihre Klitoris pochte jedes Mal, wenn ihre Körper zusammenkamen. Als Damian den Kuss löste, wusste sie instinktiv, dass es an der Zeit war.

Er sah sie an, als er eine Hand hob, und sie beobachtete, wie sich seine Finger in scharfe Klauen wie die einer Bestie verwandelten. Er benutzte eine Kralle, um in die perfekte Haut an seiner Schulter zu schneiden. Blut sickerte aus der Wunde.

„Trink von mir. Mach mich zu Deinem, und ich mache dich zu Meiner."

Damian senkte sich und sie fuhr mit der Zunge über den Schnitt und leckte das Blut auf. Sie schloss ihre Augen und der Geschmack breitete sich in ihrem Mund aus. Ein Ruck durchfuhr sie. Damians Blut schmeckte nicht metallisch, wie sie erwartet hatte. Nein, es war reichhaltig und süß, und dadurch wurde sie sich plötzlich ihres eigenen Körpers bewusster – und seines Körpers.

„Oh mein Gott", murmelte sie und legte ihren Mund auf den Einschnitt.

Als sie anfing, mehr von Damians Blut zu trinken, senkte er sein Gesicht zu ihrer Halsbeuge. „Das ist besser, als ich je gedacht hätte", murmelte er. „Ich liebe dich."

Er leckte über die Stelle, wo sie jetzt ihre Ader unter ihrer Haut pulsieren spürte, als wollte sie ihm signalisieren, was sie wollte. Dann spürte sie, wie seine scharfen Reißzähne ihre Haut durchbohrten und sich in ihrem Hals festsetzten, während sein Schwanz tief und hart eintauchte.

Ihr ganzer Körper fühlte sich an, als ob sie

auf einem Bett aus Wattebäuschen schwebte, und wie aus dem Nichts kam sie zum Höhepunkt. Jede Zelle ihres Körpers schien zu explodieren wie ein kleines Feuerwerk am Nachthimmel. Und jedes Mal, wenn sie dachte, sie würde von der intensiven Lust ohnmächtig werden, stürzten weitere Wellen purer Glückseligkeit über sie herein. Damians Schwanz verkrampfte sich in ihr und sie spürte, wie der warme Strahl seines Spermas sie füllte.

Ich gehöre jetzt dir, Naomi. Für immer dir.

Sie hörte die Stimme in ihrem Kopf und wusste, dass es Damians war, obwohl er nicht hätte sprechen können, weil er immer noch von ihrem Hals trank, so wie sie von ihm trank.

Damian? Was ist das?

Damian hob seinen Kopf von ihrem Hals und leckte über die Stichwunden, während er seine Stöße verlangsamte.

„So kann ein blutgebundenes Paar kommunizieren", sagte er mit einem Lächeln. „Das hatte ich vorhin vergessen zu erwähnen. Aber du hast mich verführt, und ich hatte keine

Gelegenheit, dir all die anderen Dinge zu erzählen, die du noch nicht weißt."

Naomi lachte leise. „Telepathie, hmm? Ich kann es nicht glauben."

„Glaube es. Und da ist noch etwas, wozu ich zuvor keine Gelegenheit bekam."

„Was denn?"

„Dieses Wochenende gibt es eine Party bei Scanguards. Und ich möchte, dass du dazu etwas trägst."

„Wieder ein Kostüm?"

Damian griff zum Nachttisch und öffnete die oberste Schublade. Als sie sah, wie er ein kleines Schmuckkästchen herausholte, schnappte sie überrascht nach Luft.

„Ich hatte geplant, morgen auf die Knie zu gehen, um dich zu bitten, meine Frau und meine blutgebundene Gefährtin zu werden, aber dann hast du dich als Rotkäppchen verkleidet und alle meine guten Absichten haben sich verflüchtigt."

Er grinste und öffnete die Schachtel. Inmitten eines Kissens aus schwarzem Samt saß ein Platinring mit einem Diamanten in der

Mitte, der von zwei blauen Saphiren eingerahmt war.

„Oh mein Gott, Damian ..." Sie hatte noch nie etwas Schöneres gesehen.

„Wirst du ihn tragen, um allen zu zeigen, dass du mir gehörst?"

Tränen stiegen ihr in die Augen und sie nickte und verschluckte sich. „Ich brauchte keinen Ring. Dich zu haben ist alles, was ich will."

Seine Augen funkelten. „Das weiß ich." Er hielt einen Moment inne und fügte dann hinzu: „Ich kann ihn jederzeit wieder zurückgeben."

„Nein! Ich liebe ihn."

Damian warf den Kopf zurück und lachte. „Dann lass ihn mich dir an den Finger stecken." Er steckte den Ring an ihren Finger und er passte perfekt. „Wie wäre es mit einem Kuss für deinen Gefährten?"

„Da kann ich dir noch etwas Besseres geben." Sie brachte ihre Hände zu ihren Brüsten und drückte sie nach oben, sodass ihre Brustwarzen Damians Brust streiften. „Ich glaube, du bist noch nicht fertig mit deinem Abendessen. Wie wäre es mit Nachtisch?"

„Du verwöhnst mich", murmelte er. Er betrachtete ihre Brüste und leckte sich über die Lippen. „Aber ich bin nicht jemand, der ein so verlockendes Angebot ausschlägt. Du bist zu großzügig."

„Ich habe einen Hintergedanken", gab sie zu.

Er hob eine Augenbraue. „Ja?"

„Wenn ich dir mehr Blut gebe, kannst du vielleicht wieder mit mir schlafen, obwohl du müde bist."

Damian lachte leise. „Da hast du recht."

Er senkte seinen Mund auf eine Brustwarze und leckte darüber, was sie laut aufstöhnen ließ. Als sie die scharfen Spitzen seiner Reißzähne zu beiden Seiten ihrer Brustwarze spürte, begann ihr Herz aufgeregt zu schlagen. In dem Moment, als sie die scharfen Eckzähne in ihre Brust stechen spürte, fühlte sich ihr ganzer Körper an, als würde sie auf einer Wolke der Glückseligkeit schweben.

Ich liebe deinen Biss.

Und ich liebe dein Blut, antwortete er, *meine unersättliche Verführerin.*

40

„Was ist überhaupt der Grund für die Party?", fragte Naomi, als sich der Aufzug im Erdgeschoss des Scanguards-Hauptquartiers öffnete.

Damian ließ seinen Blick über ihren schönen Körper schweifen. Sie trug ein azurblaues Cocktailkleid mit einem weiten, fließenden Rock und einem engen Bustier, das ihre üppigen Brüste betonte. In den letzten achtundvierzig Stunden hatten sie kaum das Bett verlassen und er hatte sie an jeder erdenklichen Stelle ihres Körpers gebissen und gierig ihr köstliches Blut getrunken. Naomi hatte sich ihm kein einziges Mal verweigert. Im Gegenteil, sie hatte ihn auf Schritt und Tritt verführt und verlangt, dass er sie jeden wachen Moment liebte.

Heute früh war er aus einem erotischen Traum aufgewacht, nur um festzustellen, dass es kein Traum war. Nein, Naomi lutschte seinen steinharten Schwanz wirklich mit solcher Geschicklichkeit, dass er in dem Moment aufgewacht war, als er zum Höhepunkt kam und seinen Samen in ihren Mund schoss. Verdammt, nur die Erinnerung an diesen Moment brachte ihn dazu, sie zurück in den Aufzug schleifen und nach Hause fahren zu wollen, damit sie dort weitermachen konnten, wo sie aufgehört hatten.

„Äh, die Party." Er räusperte sich. Wusste sie, was er sich gerade vorstellte?

„Du bist unartig", murmelte Naomi und warf ihm einen sündigen Seitenblick zu. „Ich glaube, das muss ich öfter machen."

„Fuck, *Chérie*", fluchte er, als ihm klar wurde, mit welcher Leichtigkeit Naomi ihn durchschaute, und das nicht nur, weil sie eine telepathische Verbindung hatten. „Das kannst du machen, wann immer du willst. Aber wir müssen jetzt auf diese verdammte Party gehen. Zumindest für eine kurze Weile." Zum ersten Mal verstand er seine Eltern und die Tatsache, dass sie nicht einmal in der Öffentlichkeit die Finger voneinander lassen konnten, wirklich – denn mit Naomi empfand er dasselbe.

Sie grinste. „Okay. Also, was ist der Anlass für diese Party?"

„Einer unserer ehemaligen Mitarbeiter ist mit seiner Frau aus New Orleans zu Besuch. Wir haben ihn schon eine Weile nicht mehr gesehen, also beschloss Samson, eine Party zu schmeißen." Er lächelte sie an. „Es ist das perfekte Timing, denn ich möchte dich vorzeigen und allen vorstellen."

„Wissen sie alle, dass wir jetzt blutgebunden sind?"

„Meine Eltern wissen es und sie sind so glücklich darüber, dass sich die Nachricht sicher wie ein Lauffeuer verbreitet hat. Oder warum, glaubst du, hat sich Benjamin die letzten zwei Tage rar gemacht? Er wollte uns etwas Privatsphäre lassen."

Naomis Wangen färbten sich rosa. „Das ist sehr rücksichtsvoll von ihm. Aber wir können nicht erwarten, dass er seiner Wohnung für immer fernbleibt."

Damian zwinkerte und beugte sich zu ihr. „Ich weiß. Deshalb musst du mir sagen, wo in San Francisco du wohnen möchtest, damit ich uns ein Haus oder eine Eigentumswohnung kaufen kann, was immer du willst."

„Ist das dein Ernst?"

„Natürlich." Hatte sie wirklich gedacht, dass sie sich weiterhin eine Wohnung mit seinem Zwillingsbruder teilen würden? So sehr er seinen Bruder auch liebte, wollte er mit Naomi allein leben. Na ja, bis sie Kinder hatten, auch wenn er nicht so schnell eine Familie gründen wollte wie Ryder. Er wollte zuerst Zeit allein mit Naomi verbringen. „Jetzt lass uns feiern."

Er zog seine Zugangskarte über das Kartenlesegerät vor der V-Lounge und öffnete die Tür. In dem großen Raum waren bereits jede Menge Vampire, Hybriden und ihre Gefährten und Kinder versammelt. Die Lichter schienen festlich und Jazzmusik rieselte aus den Lautsprechern an der Decke. Die

Sitzbereiche waren umgestellt worden, damit später Platz zum Tanzen war. Die Bar in der Mitte des Raums, die normalerweise nur Blut vom Fass ausschenkte, bot heute Abend Wein und andere Spirituosen sowie Häppchen an.

„Die Leute von Scanguards mögen ihre Partys wirklich, nicht wahr?", sagte Naomi neben ihm.

Die meisten Frauen trugen hübsche Cocktailkleider, die meisten Männer elegante Anzüge, genau wie Damian. Er fing Eddies Blick auf und führte Naomi in seine Richtung.

„Das ist mein Onkel, Eddie", sagte Damian. „Das ist Naomi, meine ..."

„Gefährtin", beendete Eddie seinen Satz und grinste. „Ich habe es gehört." Er zog Naomi in seine Arme. „Tut mir leid, dass wir neulich im Konferenzraum keine Gelegenheit hatten, uns zu unterhalten. Willkommen in der Familie."

„Danke, Eddie", antwortete Naomi.

Als er sie losließ, tauchte Thomas aus der Menge auf und machte sich auf den Weg zu ihnen.

„Das ist mein Gefährte, Thomas", sagte Eddie.

Thomas klopfte Damian mit der Hand auf die Schulter, bevor er Naomi kurz umarmte. „Damian hat ein Auge für schöne Frauen."

Stolz erfüllte Damians Brust.

„Und für Schmuck", fügte Eddie hinzu und nahm Naomis Hand, um sich ihren Ring genauer anzusehen. „Eine perfekte Ergänzung zu deinen Augen. Der Ring steht dir großartig, Naomi."

Naomi strahlte. „Vielen Dank."

Damian fing ihren liebevollen Blick auf. *Ich liebe dich.*

„Hast du das Gefühl, dass wir hier das fünfte Rad am Wagen sind?", fragte Thomas mit einem Blick auf Eddie.

„Die beiden erinnern mich daran, wie meine Schwester und Amaury sich ansehen", sagte Eddie mit einem Grinsen. „Wie der Vater, so der Sohn."

Damian verdrehte die Augen. „Glaubt mir, ihr beide könnt eure Gefühle auch nicht besser verbergen."

„Touché", sagte Thomas trocken. Dann

wechselte er das Thema. „Hast du schon mit Maya gesprochen?"

„Nein." Ein banges Gefühl kam in ihm hoch. „Sag nicht, dass es Ralph nicht gut geht."

„Entspann dich, es geht ihm wirklich gut. Maya hat einen CT-Scan gemacht und die Krebszellen sterben ab. Sie denkt, noch drei oder vier Tage mit Transfusionen und er wird krebsfrei sein."

„Gott sei Dank!" Damian stieß einen Seufzer der Erleichterung aus und er sah, wie Naomi den Atem ausstieß, den sie angehalten hatte.

„Ich freue mich so für ihn", sagte Naomi und ein feuchter Glanz erschien in ihren Augen.

Damian zog sie zu sich. „Siehst du? Alles wird gut ausgehen. Wir können ihn später besuchen, wenn du willst."

Naomi schniefte. „Das wäre schön."

Plötzlich verstummte die Musik und Damians Aufmerksamkeit wurde auf den Bereich vor dem Kamin gelenkt, wo Samson mit Delilah an seiner Seite stand. Neben ihnen waren Cain und seine Gefährtin Faye.

„Zeit für die obligatorische Rede", murmelte Eddie.

Samson hob die Hand und alle Gespräche verstummten. „Ich danke euch allen, dass ihr gekommen seid. Als ich vor kurzem mit der Planung dieser Party begann, hätte ich mir nie vorstellen können, zu welchem passenden Zeitpunkt sie stattfinden würde. Dank all eurer Bemühungen konnten wir eine weitere Bedrohung abwenden, die dazu geführt hätte, unsere Geheimnisse zu offenbaren. Dafür bin ich euch allen sehr dankbar."

Er lächelte und sein Blick suchte die Menge ab, bis er auf Damian und Naomi zu ruhen kam.

„Als Ergebnis der Geschehnisse der letzten Woche hat einer von uns die wahre Liebe gefunden. Bitte schließt euch mir an, Damian und Naomi zu ihrem Blutbund zu gratulieren. Damian, du hättest keine bessere Wahl treffen können."

Die Menge klatschte und mehrere Leute pfiffen.

„Danke euch allen", sagte Damian und zog

Naomi an sich. „Ich habe so ein Glück, dass Naomi mich ausgewählt hat."

„Und nicht mich", rief Benjamin quer durch den Raum. „Nichts für ungut, Naomi, aber ich bin noch nicht bereit, angekettet zu werden."

Gelächter brach im Raum aus. Als es nachließ, fuhr Samson fort: „Aber der Grund, warum ich diese Party überhaupt geplant habe, war, etwas anderes zu feiern." Er sah Cain und Faye an. „Viele von euch kennen Cain Montague, den Vampirkönig von Louisiana, aus der Zeit, als er Leibwächter bei Scanguards war."

Neben Damian flüsterte Naomi: „Meint er das ernst? Er ist ein König?"

Damian brachte seinen Mund an ihr Ohr. „Ja, ist er. Die Geschichte erzähle ich dir später."

„Wir sprechen schon seit ein paar Monaten darüber und endlich sind wir so weit, die Ankündigung zu machen. Cain?"

Cain grinste. „Scanguards wird eine Filiale in New Orleans eröffnen. Vielen Dank, Samson, und auch ein großes Dankeschön an Brandon

King, der nicht nur den Vorschlag gemacht, sondern auch die Erweiterung finanziert hat."

Das Publikum klatschte und jubelte.

„Okay, die Reden sind vorbei", verkündete Samson. „Lasst uns tanzen!"

„Wer ist Brandon King?", fragte Naomi.

„Erinnerst du dich an die Einweihungsparty? Er ist Scarlets Vater."

„Oh."

„Und jetzt, wie wäre es mit einem Tanz?", fragte Damian und zog Naomi bereits auf die Tanzfläche.

Sie kicherte. „Aber du musst dich benehmen."

„Benehme ich mich nicht immer?"

Bevor Naomi antworten konnte, fiel Damians Blick auf Orlando, der am Rand der Tanzfläche stand und wie immer ernst dreinblickte.

„Hey, Damian", sagte er und nickte. „Herzliche Glückwünsche." Er bot seine Hand an und Damian schüttelte sie. Dann schüttelte er auch Naomi die Hand, machte jedoch keinen Versuch sie zu umarmen, was Damian zu schätzen wusste. „Herzlichen Glückwunsch auch an dich, Naomi. Ich wünsche dir das Allerbeste."

„Danke, Orlando."

Damian zog Naomi in seine Arme und sie begannen zu tanzen. Bei der nächsten Drehung fiel sein Blick wieder auf Orlando. Sein Gesichtsausdruck veränderte sich plötzlich von Gleichgültigkeit und Ernst zu einem von Hunger und Lust. So hatte er Orlando noch nie gesehen.

Neugierig herauszufinden, wer bei dem stoischen Leibwächter und Türsteher eine solche Reaktion hervorrief, folgte Damian seinem Blick. Er landete auf Isabelle, Samsons Tochter. Sie tanzte mit Brandon King und lachte über etwas, das dieser sagte.

„Wie lange bleibt ihr?", fragte Samson mit einem Blick auf Cain und Faye, während er seinen Arm um Delilahs Taille schlang.

„Mindestens eine Woche", antwortete Cain. „Wir brauchen die Pause, richtig, Baby?"

Faye verdrehte die Augen. „So schlimm ist

es jetzt auch wieder nicht."

Samson runzelte die Stirn. „Was ist los?"

„Die Drillinge", sagte Faye. „Sie können manchmal ein bisschen anstrengend sein."

„Aber sie sind doch erwachsen", warf Delilah ein.

„Sind sie nicht gerade einunddreißig geworden?", fügte Samson hinzu.

„Und dein Punkt wäre?", fragte Cain mit einem trockenen Blick. Er fuhr sich mit der Hand durch sein kurzes dunkles Haar. „Ich schwöre, sie rauben mir Jahre meines Lebens."

„Du bist unsterblich", sagte Faye mit einem Grinsen.

Cain verzog das Gesicht. „Das sind die drei auch."

„Hast du Ärger mit den Jungs?", fragte Delilah leise. „Das ist normal. So sind Jungs einfach."

„Oh, es sind nicht Zach und David, über die ich mich beschwere. Es ist Monique."

„Monique?", fragte Delilah.

„Sie ist eigensinnig, störrisch, rebellisch und ..."

Faye legte eine Hand auf den Unterarm ihres Gefährten. „Monique versucht nur, ihren Platz im Leben zu finden. Es ist nicht einfach, als Prinzessin aufzuwachsen."

„Eine Prinzessin, die sich jeden Tag mit jedem wegen allem streitet." Cain schüttelte den Kopf und begegnete Samsons Blick. „Es ist anstrengend. Ehrlich gesagt weiß ich nicht, woher sie die Energie nimmt."

Samson schmunzelte. „Wir alle haben unser Problemkind."

„Willst du damit sagen, dass Isabelle genauso ist?", fragte Cain interessiert.

„Oh Gott, nein!", antwortete Samson sofort. „Sie ist die beste Tochter, die sich ein Vater nur vorstellen kann. Klug, süß, liebevoll." Er tauschte ein Lächeln mit Delilah aus. „Richtig, Süße?"

„Wir sind so stolz auf sie."

„Grayson dagegen ...", fügte Samson hinzu. „Zeig ihm eine Wand, und er rammt seinen Kopf dagegen."

„Und rate mal, von wem er diese Sturheit geerbt hat", sagte Delilah.

„Autsch", sagte Samson mit gespieltem

Schmerz, bevor er Cain wieder ansah. „Und er wechselt die Frauen, als würden sie aus der Mode kommen."

„Klingt wie jemand, den ich kenne", sagte Cain mit einem Grinsen. „Monique hinterlässt gebrochene Herzen wie Perlenketten während des Mardi Gras. Manchmal wünsche ich mir, sie würde einen Typen treffen, der sie genauso behandelt, nur damit sie lernt, dass sie nicht einfach rücksichtslos über jeden hinwegtrampeln kann."

Samson nickte zustimmend. „Ja, ich verstehe dich. Und ich wünschte, Grayson würde endlich eine Frau treffen, die es nicht hinnimmt, wie er sich benimmt. Mein Sohn braucht eine feste Hand, sonst wird er nie erwachsen."

Einen Moment lang sagte niemand etwas, doch dann bemerkte Samson, dass Cain Faye einen Blick zuwarf.

Sie schüttelte den Kopf. „Das würdest du nicht ..."

Aber Cain sah zu Samson zurück. „Vielleicht gibt es eine Lösung für unsere zwei Probleme."

„Weißt du was?", meinte Samson, und die Räder in seinem Kopf drehten sich und schlossen sich Cains unausgesprochener Idee an. „Es ist vielleicht gar keine so schlechte Idee."

„Das kannst du nicht tun", sagte Delilah schockiert und sah ihn und Cain an. „Das wird nie funktionieren. In dem Moment, in dem sie merken, dass ihr sie verkuppeln wollt, werden sie sich weigern, auch nur miteinander zu reden, nur um euch zu ärgern."

„Dann müssen wir nur sicherstellen, dass sie nicht wissen, dass sie verkuppelt werden", sagte Samson mit einem Grinsen. Die Idee gefiel ihm von Sekunde zu Sekunde mehr.

„Wie schwer kann das schon sein?", kommentierte Cain.

„Das wird euch um die Ohren fliegen", warnte Faye, und Delilah nickte.

Samson grinste. „Das werden wir ja sehen." Dann wechselte er das Thema. „Na, wie wäre es mit einem Tanz, Süße?"

Lesereihenfolge der Scanguards Vampire & Hüter der Nacht

Scanguards Vampire

Novelle: Brennender Wunsch
Band 1 - Samsons Sterbliche Geliebte
Band 2 - Amaurys Hitzköpfige Rebellin
Band 3 - Gabriels Gefährtin
Band 4 - Yvettes Verzauberung
Band 5 - Zanes Erlösung
Band 6 - Quinns Unendliche Liebe
Band 7 – Olivers Versuchung
Band 8 – Thomas' Entscheidung
Band 8 1/2 – Ewiger Biss
Band 9 – Cains Geheimnis

20 Jahre vergehen

Hüter der Nacht

Band 10 – Luthers Rückkehr
Band11 – Blakes Versprechen
Band 11 1/2 – Schicksalhafter Bund

Zur gleichen Zeit

Band 1 – Geliebter Unsichtbarer

Als Nächstes

Band 2 – Entfesselter Bodyguard
Band 3 – Vertrauter Hexer

Als Nächstes

Band 12 – Johns Sehnsucht

Als Nächstes

Band 4 – Verbotener Beschützer
Band 5 – Verlockender Unsterblicher
Band 6 – Übersinnlicher Retter
Band 7 – Unwiderstehlicher Dämon

8 Jahre vergehen

Scanguards Hybriden

Die Bände in der Scanguards Hybriden Serie werden zusätzlich auch in
der Scanguards Vampir Serie nummeriert. (SV Band 13 = SH Band 1)

Band 1 (SV 13) – Ryders Rhapsodie
Band 2 (SV 14) – Damians Eroberung
Band 3 (SV 15) – Graysons Herausforderung
Band 4 (SV 16) – Isabelles Verbotene Liebe

Über die Autorin

Tina Folsom ist gebürtige Deutsche und lebt schon seit über 25 Jahren im englischsprachigen Ausland, seit 2001 in Kalifornien, wo sie mit einem Amerikaner verheiratet ist.

Mittlerweile hat sie 50 Bücher in Englisch sowie Dutzende in anderen Sprachen herausgegeben.

https://tinawritesromance.com/deutscheleser/
tina@tinawritesromance.com

facebook.com/TinaFolsomFans

instagram.com/authortinafolsom

youtube.com/TinaFolsomAuthor

Ingram Content Group UK Ltd.
Milton Keynes UK
UKHW010721070623
423023UK00001B/174